JAMES PATTERSON

New-Yorkais, président d'une grande agence de publicité, James Patterson est l'auteur d'une dizaine de romans policiers, dont plusieurs ont paru sous le nom de James Spider. La série des aventures d'Alex Cross, le psy-détective noir de Washington, a fait de James Patterson le nouveau maître du thriller psychologique et l'a rendu célèbre dans le monde entier.

D0353406

ET TOMBENT
LES FILLES

JAMES PATTERSON

ET TOMBENT
LES FILLES

JC Lattès

Traduit de l'américain par
Philippe R. HUPP

Titre de l'édition originale
publiée par Little, Brown and Company :
KISS THE GIRLS

© 1995 by James Patterson.
© 1996, Editions Jean-Claude Lattès pour la traduction française.
ISBN : 2-266-06794-X

Pour Isabelle Anne et Charles Henry

Prologue

CRIMES PARFAITS

CASANOVA

Boca Raton, Floride, juin 1975

Depuis trois semaines, le jeune tueur vivait littéralement à l'intérieur des murs d'une extraordinaire maison de quinze pièces, sur le front de mer.

Au-dehors, il entendait murmurer le ressac de l'Atlantique sans jamais être tenté, pourtant, de contempler l'océan ou la plage de sable blanc privée longue d'une bonne centaine de mètres. Il y avait trop à explorer, à étudier, à accomplir depuis le repaire qu'il s'était aménagé au sein de cette fantastique maison de Boca, au style néo-méditerranéen. Depuis des jours, son cœur battait à tout rompre.

Quatre personnes vivaient dans l'immense demeure : Michael et Hannah Pierce et leurs deux filles. Le tueur épiait la famille de la manière la plus intime, aux moments les plus intimes. Chez les Pierce, tous les petits détails le passionnaient ; notamment la finesse des coquillages qu'Hannah collectionnait et l'impressionnante armada de voiliers en teck suspendue au plafond de l'une des chambres d'amis.

Il gardait l'œil jour et nuit sur Coty, la fille aînée. Elle fréquentait comme lui la St. Andrews High School. Un vrai canon. Question physique ou intelligence, aucune des élèves de l'école ne pouvait rivaliser avec Coty. Et il ne perdait jamais de vue Karrie Pierce. Elle n'avait que treize ans, mais promettait de devenir une sacrée petite garce.

Il mesurait plus d'un mètre quatre-vingts, ce qui ne l'empêchait pas de se faufiler aisément dans les gaines de climatisation de la maison. Taillé comme une perche, il n'avait pas encore commencé à forcir. Le tueur, bien dans le style lycéen de la côte Est, était plutôt beau gosse.

Dans sa cachette, il y avait quelques romans de cul, des bouquins ultra-érotiques qu'il avait dénichés à l'occasion de chaudes virées à Miami. Il était devenu un inconditionnel d'*Histoire d'O*, *Ecolières parisiennes* et *Initiation à la haute volupté*. Il conservait également un revolver Smith & Wesson à portée de main.

Il entrait et sortait de la maison par un soupirail au verrou cassé. Parfois, il lui arrivait même de dormir là, dans le cellier, derrière un vieux frigo Westinghouse qui ronronnait gentiment et dont les Pierce se servaient pour garder au frais des réserves de bière et de boissons gazeuses lors de leurs grandes soirées qui s'achevaient souvent par un feu de camp sur la plage.

A dire vrai, ce soir de juin, il se sentait un peu plus bizarre que d'habitude, mais il n'y avait pas de quoi s'inquiéter. Pas de lézard.

Un peu plus tôt, il s'était peint le corps de bandes et de taches vives couleur vermillon, orange et jaune minium. Il était un guerrier, un chasseur.

Dans le plafond, à la verticale du lit de Coty, il serrait contre lui son revolver 22 long rifle chromé, sa lampe-torche et ses livres à lire d'une seule main. Il était, pour ainsi dire, sur elle.

Ce soir, c'était le grand soir. Le début de tout ce qui comptait réellement dans sa vie.

Il prit ses aises et entreprit de relire ses passages préférés d'*Ecolières parisiennes*, à la lumière chiche de sa lampe de poche. C'était un livre très excitant, mais assez vieillot. L'histoire d'un « respectable » avocat français qui payait la directrice d'un pensionnat de filles très bon chic bon genre, une femme aux formes généreuses, pour qu'elle le laisse passer des nuits dans son établissement. Le roman regorgeait d'expressions désuètes : « sa virole au pommeau d'argent », « son fidèle gourdin », « les écolières toujours prêtes à gamahucher avec lui ».

Au bout d'un moment, lassé de lire, il consulta sa montre. C'était l'heure d'y aller. Presque trois heures du matin. Les mains tremblantes, il posa son livre et regarda à travers les croisillons de la grille.

Le souffle court, il contempla Coty allongée dans son lit. La grande aventure, la vraie, l'attendait là, tout comme il l'avait imaginée.

Il se fit une réflexion et la savoura : « Maintenant, ma vie va commencer pour de bon. Vais-je vraiment faire ça ? Et comment !... »

Il vivait bel et bien dans les murs de la villa des Pierce. Bientôt, ce fait étrange, digne d'un cauchemar, ferait la une de tous les grands journaux américains. Il avait hâte de lire le *Boca Raton News*.

UN HOMME DANS LES MURS !

LE TUEUR VIVAIT DANS LES MURS DE LA MAISON FAMILIALE !

UN CRIMINEL PSYCHOPATHE VIT PEUT-ÊTRE CACHÉ CHEZ VOUS, EN CE MOMENT MÊME !

Coty Pierce dormait comme la plus belle des petites filles. Son tee-shirt University of Miami Hurricanes était remonté ; on apercevait sa petite culotte de soie rose.

Elle était sur le dos, les jambes croisées, bronzées. Sa bouche à peine entrouverte dessinait un minuscule *o* en guise de moue et pour lui, aussi merveilleusement placé, elle n'était qu'innocence et lumière.

Coty était presque une femme, maintenant. Quelques heures avant, il l'avait regardée se pomponner devant le miroir mural. Enlever son petit soutien-gorge pigeonnant en dentelle rose. Contempler sa poitrine au galbe parfait.

Elle était insupportablement hautaine et *intouchable*, mais ce soir, il allait modifier tout cela. Il allait la prendre.

En silence, avec le plus grand soin, il enleva la grille du plafond, puis glissa hors de sa cachette et pénétra dans la chambre bleu ciel et rose. Un étau lui broyait la poitrine ; il respirait vite, avec difficulté. Tantôt il crevait de chaud, tantôt il grelottait de froid.

Il avait recouvert ses pieds de deux petits sacs-poubelle, se les était fixés aux chevilles, et avait enfilé les gants de caoutchouc bleu clair dont se servait la femme de ménage des Pierce.

Il se sentait aussi souple qu'un guerrier Ninja et avec son corps nu bariolé de couleurs, il était la Terreur faite homme. Le crime parfait. Délectable sensation.

Un rêve, peut-être ? Non, il *savait* qu'il ne rêvait pas. Tout cela était bien réel. Il allait le faire ! Il prit une profonde inspiration et sentit une langue de feu lui brûler les poumons.

Il contempla encore un bref instant la paisible jeune fille qu'il avait si souvent admirée à St. Andrews. Puis, tranquillement, il se glissa dans le lit aux côtés de l'incomparable Coty Pierce.

Il enleva l'un de ses gants et caressa doucement la belle peau bronzée, comme s'il passait sur tout le corps de Coty une huile solaire parfumée à la noix de coco. Il bandait déjà comme un cerf.

La longue chevelure blonde, décolorée par le soleil, était douce comme un ventre de lapin. Des cheveux épais, magnifiques, bien propres, qui fleuraient le pin. *C'est vrai, les rêves finissent par devenir réalité.*

Coty ouvrit brusquement les yeux. Des yeux brillants comme des pierres précieuses, d'un beau vert émeraude, dignes des vitrines de Harry Winston, à Boca.

Elle souffla son nom — le nom qu'elle lui connaissait en classe. Mais il avait changé de nom. Il s'était *donné* un nom, il s'était recréé.

— Qu'est-ce que tu fais là ? bredouilla-t-elle. Comment as-tu fait pour entrer ?

Et il lui chuchota à l'oreille, le pouls battant à tout rompre :

— Surprise, surprise. Je suis Casanova. De toutes les belles filles de Boca Raton, de toute la Floride, c'est toi que j'ai choisie. Ça ne te fait pas plaisir ?

Coty se mit à crier.

— Maintenant, on se tait, lui intima-t-il, et de plaquer un baiser passionné sur sa belle petite bouche.

Au cours de cette inoubliable soirée de folie meurtrière qui allait marquer Boca Raton, il embrassa également Hannah Pierce.

Peu après, il embrassa la petite Karrie, âgée de treize ans.

Et avant même d'avoir achevé sa tâche, il sut qu'il était réellement Casanova — le plus grand séducteur du monde.

LE GENTLEMAN

Chapel Hill, Caroline du Nord, mai 1981

Il était le parfait Gentleman. Toujours Gentleman. Toujours poli et discret.

Voici ce qu'il se disait en écoutant les chuchotements sibyllins des deux amants qui marchaient en direction du lac de l'Université. Une scène d'un romantisme exquis, qui lui convenait à merveille.

Il entendit Tom Hutchinson demander à Roe Tierney :

— C'est une bonne idée, ou bien on déconne complètement ?

Ils étaient en train de grimper à bord d'un canot bleu canard qui clapotait gentiment, amarré le long d'un immense ponton avançant sur le lac. Tom et Roe s'apprêtaient à « emprunter » l'embarcation quelques heures. Une blague de collégiens.

— D'après mon arrière-grand-père, dit Roe, quand on descend le courant en barque, on arrête de vieillir. C'est une idée géniale, Tommy. Viens, on le fait.

Tom Hutchinson se mit à rire.

— Et si on fait autre chose dans ladite barque ?

— Oh, si c'est physique, il se pourrait bien que ça rallonge la durée de vie.

Quand Roe croisa les jambes, le Gentleman perçut le froufrou de sa jupe sur ses cuisses lisses.

— Dans ce cas, une petite escapade de minuit dans le bateau de ces braves gens m'a tout l'air d'être une bonne idée, fit Tom.

— Une idée géniale, insista Roe. La meilleure. Allez, on le fait.

Tandis que l'embarcation quittait le ponton, le Gentleman se glissa dans l'eau. Sans le moindre bruit. Il écoutait chaque mot, chaque geste, chaque nuance de la fascinante parade.

C'était presque une nuit de pleine lune, belle et sereine. A petits coups de rame, Tom et Roe s'éloignaient sur le lac miroitant. En début de soirée, ils étaient allés dîner à Chapel Hill, en amoureux. Ils s'étaient habillés pour l'occasion. Roe portait une jupe plissée noire, un chemisier de soie crème, des boucles d'oreilles d'argent en forme de coquillages et le collier de perles de sa camarade de chambre. Une tenue parfaitement adaptée au canotage.

Et le Gentleman aurait parié que Tom Hutchinson, lui, n'était même pas le légitime propriétaire du complet gris qu'il portait. Tom venait de Pennsylvanie. Fils de mécanicien automobile, il avait réussi l'exploit de devenir capitaine de l'équipe de football de l'université de Duke tout en conservant une bonne moyenne générale.

Roe et Tom formaient un couple de rêve, et ce devait être l'unique point sur lequel les étudiants de Duke et ceux de North Carolina, toute proche, s'entendaient. Le fait que lui fût capitaine de l'équipe de Duke et elle Reine des Azalées de l'université concurrente pimentait encore cette belle histoire d'amour.

La barque dérivait lentement sur le lac. Quelques fermetures Eclair et boutons récalcitrants plus tard, Roe ne portait plus que ses boucles d'oreilles et le collier de perles qu'on lui avait prêté. Tom avait gardé sa chemise blanche qui, grande ouverte, se déploya comme une tente lorsqu'il pénétra Roe. Sous l'œil vigilant de la lune, ils commencèrent à faire l'amour.

Leurs corps ondulaient et le canot tanguait doucement, tel un espiègle complice. Les gémissements de Roe se mêlaient au chant des cigales crissant dans le lointain.

Le Gentleman sentit monter en lui une vague de colère. Sa face cachée était en train de reprendre le dessus. La bête féroce muselée, le loup-garou des temps modernes.

Soudain, Tom Hutchinson sortit de Roe Tierney avec un petit *floc*. Une puissante force était en train de le tirer hors de la barque. Roe l'entendit crier juste avant qu'il ne touche l'eau. Un bruit bizarre, comme *yaaagghh*.

Tom avala de l'eau du lac et fut pris d'un violent haut-le-cœur. Une douleur terrible lui vrillait la gorge, une douleur localisée, intense et terrifiante.

Puis la puissante force qui l'avait fait basculer en arrière dans l'eau le lâcha brusquement. La pression qui l'étouffait se dissipa comme par enchantement. Il allait être libre.

Il porta à sa gorge ses grosses mains de footballeur et sentit quelque chose de chaud. Du sang s'écoulait à gros bouillons et se mêlait à l'eau du lac. La peur s'empara de lui.

Avec horreur, il toucha sa gorge à nouveau et trouva le couteau qui y était planté. Il songea : « Mon Dieu, on m'a poignardé. Je vais crever au fond de ce lac, et je ne sais même pas pourquoi. »

Pendant ce temps, dans le canot qui dérivait lentement en tanguant, Roe était trop abasourdie, trop choquée pour crier. Son cœur battait si vite et si violemment qu'elle respirait avec peine. Elle se leva, cherchant désespérément un signe de Tom.

« Sûrement une blague de mauvais goût, se dit-elle. Je ne sortirai plus jamais avec Tom Hutchinson. Jamais je ne l'épouserai. Jamais de la vie. Je ne trouve pas ça drôle. » Frigorifiée, elle entreprit de rassembler à tâtons ses vêtements éparpillés au fond de la barque.

En une fraction de seconde, tout près du bateau, quelqu'un ou quelque chose jaillit des eaux noires. On eût dit qu'une explosion venait de se produire dans les profondeurs du lac.

Roe vit une tête surgir à la surface. Une tête d'homme, cela ne faisait aucun doute... mais pas celle de Tom Hutchinson.

— Je ne voulais pas vous faire peur, dit le Gentleman d'une voix très douce, presque sur le ton de la conversation.

Et d'ajouter dans un murmure, tout en agrippant le plat-bord de la barque qui ballottait sur les flots :

— Il y a longtemps qu'on est copains. Pour être tout à fait franc, il y a plus de deux ans que je te suis de près.

Soudain, Roe se mit à hurler à pleins poumons.

Elle ne hurla pas longtemps.

Première partie

SCOOTCHIE CROSS

1

Washington, D.C., avril 1994

Je me trouvais dans la véranda, chez nous, dans la Cinquième Rue, quand tout a commencé. Il « pleuvait des cordes » comme aime à le dire ma petite puce Janelle, et la véranda me convenait parfaitement. Ma grand-mère, un jour, m'avait appris une prière que je n'ai jamais oubliée : « *Merci de nous avoir donné le monde tel qu'il est.* » Ce jour-là, ça me paraissait approprié. Enfin, presque...

Il y avait un dessin humoristique de Gary Larson punaisé au mur de la véranda. Un dessin humoristique de la série *Far Side* représentant le congrès annuel des majordomes. L'un des majordomes vient d'être assassiné, un couteau enfoncé jusqu'à la garde dans sa poitrine. Et l'un des inspecteurs chargés de l'enquête dit : « Bon Dieu, Collings, j'ai horreur d'attaquer la semaine avec ce genre d'affaire. » La présence de ce *cartoon* avait pour but de me rappeler que la vie ne se limitait pas à mes fonctions d'inspecteur de la criminelle. Un second dessin était collé près de celui de Larson, une œuvre de Damon datant de deux ans et dédiée « *Au meilleur de tous les papas* ». Une autre façon de me rappeler à la réalité.

Je jouais des morceaux de Sarah Vaughan, Billie Holiday ou Bessie Smith sur notre piano arthritique. Ces temps derniers, j'avais tendance à me laisser ronger par le blues. Je n'avais pas cessé de penser à Jezzie Flanagan[1]. Parfois,

---

1. Cf. *Le Masque de l'araignée* du même auteur (Ed. J.-C. Lattès).

quand je regardais dans le vide, il m'arrivait de revoir son visage magnifique et obsédant. Alors j'essayais de ne pas trop lever les yeux.

Mes deux enfants, Damon et Janelle, étaient assis à côté de moi sur la banquette de piano un peu branlante, mais toujours fidèle au poste. Janelle me tenait par la taille — ou plutôt essayait, car son bras ne devait guère mesurer plus du tiers de la largeur de mon dos.

De l'autre main, elle tenait un sac de nounours en gélatine. Et comme toujours, elle partageait ses friandises avec tous ses copains. J'étais en train de sucer un nounours rouge.

Damon et elle accompagnaient mes notes en sifflotant, encore que pour Jannie, siffloter consistait essentiellement à cracher selon un rythme préétabli. Une partition de *Green Eggs and Ham* en bien piteux état vibrait en cadence sur le dessus du piano.

Tous deux savaient que je traversais une période difficile, en tout cas depuis quelques mois, et ils faisaient ce qu'ils pouvaient pour me remonter le moral. On jouait et on sifflait du blues, de la soul music et un mélange des deux, mais cela ne nous empêchait pas de rigoler et de faire les pitres... comme tous les gamins.

Les moments que je passais avec mes enfants m'étaient plus chers que tout, plus chers que le restant de ma vie. Les pubs Kodak me rappellent constamment que mes petits bouts de chou n'auront sept et cinq ans qu'une seule et unique fois[1]. Je ne voulais pas en perdre une miette.

Un bruit de pas lourds et précipités sur les marches de bois de la véranda de derrière est venu nous interrompre. Puis la sonnette : un, deux, trois petits coups. Quelqu'un de terriblement pressé.

— Ding, dong, la sorcière est morte, a fait Damon sous le coup d'une soudaine inspiration.

Il portait des lunettes de soleil enveloppantes, histoire d'avoir l'air cool. D'ailleurs, c'était un petit mec cool.

— Non, la sorcière est pas morte, a protesté Jannie.

---

1. Aux Etats-Unis, la marque a fait campagne sur le thème « Vos enfants n'ont qu'une jeunesse ». (N.d.T.)

J'avais récemment observé qu'elle était devenue une fervente militante de la cause féminine.

— Ce n'est peut-être pas pour la sorcière qu'on sonne, ai-je déclamé avec un sens parfait de l'à-propos.

Les petits gloussaient. Ils comprennent presque toutes mes plaisanteries, ce qui fait froid dans le dos.

Quelqu'un s'est mis à marteler avec insistance le chambranle de la porte et j'ai entendu crier mon nom. Une plainte angoissée. *Pour l'amour de Dieu, laissez-nous. Ce n'est pas le moment de nous gâcher la vie avec vos plaintes et vos angoisses.*

Les cris se prolongeaient. « DOCTEUR CROSS, JE VOUS EN PRIE, VENEZ! JE VOUS EN PRIE, DOCTEUR CROSS! » Cette voix de femme ne me disait rien, mais l'expression « vie privée » ne signifie pas grand-chose lorsqu'on a un nom qui commence par « docteur ».

Les mains vissées sur leurs petits crânes, j'ai empêché les enfants de se lever.

— Le docteur Cross, c'est moi, pas vous deux. Allez, on continue de chantonner et on me garde ma place au chaud. Je reviens tout de suite.

— Je vais re-ve-nir! a renchéri Damon, façon Terminator.

J'ai souri. Lui, il a déjà son diplôme de petit futé.

Je me suis rué vers la porte de derrière en attrapant au passage mon revolver de service. Dans ce quartier, mieux vaut se méfier, même quand on est flic comme moi. J'ai voulu voir, à travers la crasse du vitrage dépoli, qui se trouvait là.

C'était une jeune femme que je connaissais. Elle habitait dans la cité de Langley. Rita Washington, une camée de vingt-trois ans qui hantait le quartier comme un spectre gris. Rita était une fille intelligente et plutôt bien fichue qui avait le malheur d'être faible et influençable. Elle s'était engagée sur la mauvaise voie et tout ce qui faisait son charme avait disparu. Elle n'avait plus guère de chances de s'en sortir.

Quand j'ai ouvert la porte, un vent froid, humide m'a giflé le visage. Rita avait plein de sang sur les mains, les poignets, le devant de son manteau trois-quarts en similicuir vert.

— Rita, que t'est-il arrivé ?

Je pensais qu'on lui avait tiré dans le ventre ou qu'on l'avait poignardée pour une histoire de drogue.

— Venez avec moi, s'il vous plaît, venez avec moi.

Rita Washington s'est mise à tousser et à sangloter en même temps :

— Le p'tit Marcus Daniels (elle criait encore plus fort), l'a pris des coups d'couteau ! Y va mal ! Y fait rien que vous appeler. Y veut vous voir, docteur Cross.

J'ai hurlé, en essayant de couvrir les cris hystériques de Rita Washington :

— Les enfants, vous ne bougez pas d'ici ! Je reviens tout de suite ! Nana, tu t'occupes des enfants !

Et j'ai ajouté, en criant encore plus fort :

— Nana, il faut que je sorte !

J'ai empoigné mon manteau et j'ai suivi Rita Washington sous la pluie battante et glacée.

En essayant de ne pas marcher dans le sang rouge vif qui dégoulinait sur l'escalier de la véranda comme de la peinture fraîche.

2

Dans la Cinquième Rue, j'ai couru aussi vite que je le pouvais. Je sentais mon cœur cogner et je transpirais comme une bête malgré cette saleté de pluie de printemps, une pluie glaciale qui refusait de s'arrêter. Tous les muscles, tous les tendons de mon corps étaient bandés, et j'avais l'estomac horriblement noué.

Je tenais Marcus Daniels dans mes bras, je le serrais contre ma poitrine. Un gamin de onze ans. Il pissait le sang.

Rita Washington l'avait découvert dans son immeuble, dans l'escalier graisseux et sans lumière qui menait au sous-sol, et m'avait conduit jusqu'au petit corps recroquevillé.

Je filais comme le vent en pleurant intérieurement, en retenant mes larmes comme on m'a appris à le faire en service et dans presque toutes les circonstances.

Les gens qui d'habitude, à Southeast, ne prêtent attention à personne me regardaient foncer comme un semi-remorque fou dans le quartier sinistré.

Je dépassais des taxis en maraude en hurlant à tout le monde de dégager de mon chemin, je longeais des dizaines de magasins définitivement fermés. Sur les vitrines condamnées pourrissaient des planches de contreplaqué noirci couvertes de tags.

J'enjambais des débris de verre, des gravats, des bouteilles d'Irish Rose et, de loin en loin, un malheureux bout d'herbe et de terre. C'était ça, notre quartier, notre part du rêve américain, notre capital.

Un dicton sur Washington me revenait à l'esprit : « Si tu baisses la tête, on te marche dessus ; si tu la redresses, on te tire dessus. »

Le pauvre Marcus continuait de perdre son sang comme un chiot mouillé cn train de s'ébrouer. J'avais la nuque et les bras en feu, et mes muscles m'élançaient.

J'ai dit au gosse : « Tiens le coup, petit. Tiens le coup. »

A mi-chemin, Marcus a lancé avec ce qu'il lui restait de voix : « Oh, docteur Alex... »

C'est tout ce qu'il m'a dit. Je savais pourquoi. Je savais beaucoup de choses sur le petit Marcus.

En remontant la rampe d'accès fraîchement pavée de l'hôpital Saint-Anthony, j'ai croisé un fourgon de réanimation qui se dirigeait vers la rue L.

Le conducteur portait une casquette des Chicago Bulls de travers, la visière curieusement pointée dans ma direction. Un rap assourdissant vibrait à l'intérieur du véhicule. Le chauffeur et le toubib ne se sont pas arrêtés, n'ont même pas fait mine de vouloir s'arrêter. La vie à Southeast, c'est parfois comme ça. Quand on fait sa tournée quotidienne, on ne peut pas s'arrêter chaque fois qu'il y a meurtre ou agression.

Je connaissais le chemin des urgences pour m'y être rendu trop souvent. D'un coup d'épaule, j'ai ouvert le battant de la porte de verre. Les lettres du mot URGENCES se décollaient et il y avait des traces d'ongles sur le verre.

— On y est, Marcus. On est à l'hôpital, ai-je murmuré au gamin.

Mais il ne m'entendait pas. Il avait perdu conscience.

Je me suis mis à hurler :

— Quelqu'un peut m'aider ? *Hé, j'ai besoin d'un coup de main pour ce gamin !*

Un livreur de Pizza Hut aurait eu davantage de succès. Un gardien à l'air blasé a jeté un coup d'œil dans ma direction et je n'ai eu droit, pour toute réaction, qu'à un regard très professionnel, impassible. On entendait un vieux chariot ferrailler dans les couloirs.

J'ai repéré quelques infirmières que je connaissais. Notamment Annie Bell Waters et Tanya Heywood.

— Amène-le-nous ici.

Dès qu'elle a pris la mesure de la situation, Annie Waters s'est empressée de dégager le passage, sans me poser de questions, en écartant employés et blessés en état de marcher.

On est passés à toute vitesse devant l'accueil où on pouvait lire VEUILLEZ VOUS INSCRIRE en anglais, en espagnol et en coréen. Tout sentait l'antiseptique.

— Il a essayé de s'égorger avec un couteau à lancer, j'ai fait. Je crois qu'il a touché la carotide.

On s'est retrouvés dans un couloir bondé, vert dégueulis, encombré de panneaux défraîchis : RADIOGRAPHIE, TRAUMATOLOGIE, CAISSE. Puis on a dégoté une salle de la taille d'un placard à vêtements. Un jeune toubib est arrivé au pas de course et m'a demandé de partir.

Je lui ai répondu :

— Ce gosse a onze ans, et je ne bougerai pas d'ici. Il a les deux poignets entaillés. C'est un suicide. Tiens le coup, bonhomme, ai-je murmuré à l'oreille de Marcus. Essaie de tenir le coup.

3

Clic! Casanova ouvrit le coffre de sa voiture et contempla les grands yeux mouillés de larmes qui le fixaient. Quel dommage. Quel gâchis, songea-t-il en regardant la fille.

— Hou! fit-il. Je t'ai vue.

Il n'était plus amoureux de l'étudiante de vingt-deux ans qui gisait, attachée, au fond du coffre et il lui en voulait. Elle avait désobéi aux consignes, elle avait fichu en l'air le fantasme du jour.

— Tu n'es pas belle à voir, lui dit-il. Cela dit, tout est relatif, bien sûr.

Incapable de répondre, la jeune fille bâillonnée à l'aide d'un chiffon mouillé le dévisagea. Il lisait la peur et la douleur dans ses yeux marron, mais y décelait également un reste d'entêtement et d'aplomb.

Il sortit d'abord son sac noir, puis souleva hors de la voiture les quelque soixante kilos de la jeune étudiante, sans ménagement. A ce stade, il ne cherchait plus à se montrer courtois.

— Après toi, dit-il en la déposant sur le sol. Alors, on a oublié les bonnes manières?

Les jambes flageolantes, elle faillit tomber, mais Casanova n'eut aucun mal à la retenir d'une main.

Elle portait un short de jogging vert foncé aux armes de Wake Forest University, un débardeur blanc et des chaussures de cross Nike flambant neuves. Le type même de la petite collégienne gâtée, il en était conscient, mais d'une affolante beauté. Ses fines chevilles étaient attachées par une cordelette de cuir d'un peu moins d'un mètre de long. Une autre avait servi à lui lier les mains dans le dos.

— Marche devant moi. Toujours tout droit tant que je ne dis rien. Maintenant, avance. (C'était un ordre.) Remue-moi ces belles grandes jambes. Allez, allez, allez.

Ils s'enfoncèrent lentement dans les taillis de plus en plus denses. De plus en plus denses et de plus en plus

sombres. De plus en plus lugubres. Casanova portait son sac
noir comme un écolier son casse-croûte de midi. Il adorait la
forêt. Depuis toujours.

Casanova était grand, athlétique, bien bâti, bel homme.
Il savait qu'il lui était facile d'avoir nombre de femmes, mais
pas comme il le souhaitait. Pas comme cela.

— Je t'ai demandé de m'écouter, non ? Et tu ne m'as pas
écouté. (Il parlait à voix basse, d'un ton presque détaché.) Je
t'ai expliqué les règles, mais tu as voulu jouer les malignes.
Et maintenant, tu as gagné.

La jeune femme progressait avec difficulté, en proie à
une angoisse croissante, proche de la panique. Les fourrés
étaient de plus en plus drus et les basses branches écor-
chaient ses bras nus. Elle connaissait le nom de son ravisseur : Casanova. Il se prenait pour un amant d'exception et
d'ailleurs s'était montré capable de rester en érection plus
longtemps que tous les hommes qu'elle avait connus
jusqu'alors. Elle l'avait vu jusque-là toujours lucide et maître
de lui, mais savait qu'il était forcément fou. Et parfaitement
à même de se comporter normalement. Il suffisait
d'admettre son grand principe, la théorie qu'il lui avait
maintes fois assenée : « L'homme est né pour chasser... la
femme. »

Il lui avait exposé les règles en vigueur chez lui. Il l'avait
mise en garde contre tout écart. Et elle, elle ne l'avait pas
écouté. Idiote et obstinée qu'elle était, elle avait commis une
grave erreur tactique.

Elle s'efforçait de ne pas penser à ce qu'il risquait de lui
faire là-bas, dans cette forêt sortie tout droit de la quatrième
dimension. Elle était bonne pour la crise cardiaque. Elle ne
lui donnerait pas la satisfaction de la voir fondre en larmes.

Si seulement il pouvait lui enlever son bâillon... Elle
avait la bouche sèche et mourait de soif. Peut-être parvien-
drait-elle à le dissuader de mener son geste, enfin son projet,
à bien ?

Elle fit halte et se tourna vers lui.

. — Tu veux t'arrêter ici ? Pas de problème. Mais je ne
vais pas te laisser ouvrir la bouche. Pas de dernier souhait,
ma belle. Pas de grâce du gouverneur. Tu as tout fichu par
terre. Si on s'arrête ici, ça risque de ne pas te plaire. Mais si

tu préfères marcher encore un peu, je n'y vois aucun inconvénient. J'adore cette forêt, pas toi ?

Il fallait qu'elle lui parle, qu'elle trouve un moyen de communiquer avec lui. Qu'elle lui demande pourquoi. Peut-être pourrait-elle en appeler à son intelligence ? Elle voulut prononcer son nom, mais le bâillon humide ne laissa passer que des borborygmes étouffés.

Sûr de lui, plus calme encore que d'habitude, il s'avança et fit, l'air crâne :

— Je ne comprends pas un mot de ce que tu racontes. De toute manière, même si je comprenais, ça ne changerait rien.

Il portait un des masques bizarres dont il s'affublait en permanence. Celui-ci était un masque mortuaire, lui avait-il expliqué. On s'en servait pour reconstruire des visages, le plus souvent dans les hôpitaux et les morgues.

La couleur du masque mortuaire imitait de façon quasi parfaite celle de la peau humaine, et le détail était d'un réalisme terrifiant. Il avait choisi un visage jeune, aux traits élégants, quelque chose de bien américain. Elle se demandait à quoi il ressemblait dans la réalité. Qui diable pouvait-il être ? Pourquoi portait-il des masques ?

Elle trouverait bien le moyen de s'échapper, se dit-elle. Ensuite, elle le ferait incarcérer pour mille ans. Pas de peine de mort — il fallait qu'il souffre.

— Si c'est ce que tu veux, d'accord. (Soudain, il balaya ses jambes d'un coup de pied. Elle s'affala lourdement sur le dos.) Tu vas mourir ici même.

Il sortit une seringue de son Gladstone noir au cuir craquelé et la brandit devant ses yeux comme s'il s'agissait d'un minuscule poignard.

— Cette seringue s'appelle un Tubex, expliqua-t-il. Elle est remplie de sodium de thiopental, un barbiturique. Les effets rappellent ceux d'un barbiturique.

Il fit jaillir quelques gouttes du liquide brunâtre. On aurait dit du thé glacé, et elle ne tenait pas à s'en faire injecter dans les veines.

Elle hurla dans son bâillon étriqué :

— Ça fait quoi ? Qu'est-ce que vous êtes en train de me faire ? Enlevez ce bâillon de ma bouche, je vous en prie.

Elle transpirait à grosses gouttes et respirait avec peine. Son corps ankylosé était devenu insensible. Pourquoi voulait-il lui administrer un barbiturique?

— Si je m'y prends mal, tu mourras tout de suite. Alors surtout, ne bouge pas.

Elle hocha la tête. Elle tenait tellement à lui faire comprendre qu'elle pouvait être gentille, qu'elle pouvait être si gentille. « Je vous en supplie, ne me tuez pas, implora-t-elle en silence. Ne faites pas ça. »

Il lui piqua une veine au creux du coude; elle ressentit un pincement douloureux.

— Je veux éviter de laisser des marques peu esthétiques, chuchota-t-il. Ce ne sera pas long. Dix, neuf, huit, sept, six, cinq, tu, es, si, belle, zéro. Voilà, c'est fini.

Elle s'était mise à pleurer. C'était plus fort qu'elle. Les larmes ruisselaient sur ses joues. Il était fou à lier. Elle ferma les yeux de toutes ses forces pour ne plus le voir. « Mon Dieu, je vous en supplie, ne me laissez pas mourir comme ça. Pas ici, toute seule. »

L'action du produit fut rapide, presque immédiate. Une vague de chaleur la submergea, et elle sentit une douce torpeur l'envahir. Ses muscles abdiquèrent.

Il lui ôta son débardeur et se mit à lui caresser les seins comme un jongleur jouant avec ses boules. Elle ne pouvait rien faire pour l'arrêter.

Il disposa ses jambes comme si elle était son œuvre, véritable sculpture humaine, en les écartant autant que le lui permettait la cordelette de cuir. Il glissa un doigt entre ses jambes. Surprise par cette soudaine intrusion, elle rouvrit les yeux et vit l'horrible masque. Le ravisseur l'observait d'un regard vide, impassible et pourtant étrangement pénétrant.

Lorsqu'il entra en elle, ce fut comme si une violente secousse électrique lui zébrait le corps. Il était très dur, déjà au sommet de l'excitation. Il la fouaillait alors que les barbituriques étaient en train de la tuer. Il la regardait mourir. C'était là le fin mot de l'histoire.

Son corps agité de soubresauts frissonnait, se tortillait. En dépit de sa faiblesse, elle tenta de hurler. « Non, s'il vous plaît, je vous en supplie, ne me faites pas ça. »

Et elle sombra dans la nuit miséricordieuse.

Elle ignorait combien de temps elle était restée inconsciente, mais peu lui importait. Elle reprit ses esprits. Elle était toujours en vie.

Elle se mit à pleurer, mais son bâillon ne laissa filtrer que de terribles sanglots étouffés. Les larmes inondaient ses joues. Elle mesurait désormais à quel point elle tenait à la vie.

Elle observa qu'on l'avait déplacée. Ses mains étaient attachées dans le dos, autour d'un arbre. Elle avait les jambes croisées et liées, et toujours un bâillon bien serré entre les mâchoires. On lui avait pris ses vêtements ; elle ne les voyait nulle part.

Il était toujours là !

— Moi, ça ne me gêne pas que tu hurles, lui dit-il. Dans le coin, il n'y a absolument personne qui puisse t'entendre. (Sous le masque qu'on eût dit fait de peau humaine, ses yeux brillaient.) Mais je ne tiens pas à ce que tu fasses peur aux oiseaux et aux bêtes qui ont faim. (Il lança un bref regard sur son corps d'une réelle beauté.) Dommage que tu m'aies désobéi, dommage que tu aies enfreint la règle.

Il enleva le masque et, pour la première fois, lui donna l'occasion de voir son visage. Il inscrivit dans sa mémoire l'image de son visage à elle. Puis il se pencha et l'embrassa sur la bouche.

Et tombent les filles...

Et pour finir, il s'en alla.

4

J'avais consumé le gros de ma fureur en courant comme un fou à Saint-Anthony, le petit Marcus dans les bras. Le flot d'adrénaline s'était interrompu, mais je ressentais à présent une étrange fatigue.

La salle d'attente des urgences n'était que vacarme, confusion et frustration. Pleurs de nourrissons, gémissements de parents accablés de douleur, appels des haut-parleurs réclamant des médecins. Un homme couvert de sang n'arrêtait pas de marmonner : « Oh merde, oh merde. »

Je revoyais le beau regard triste de Marcus Daniels, j'entendais encore sa douce voix.

Ce soir-là, un peu après six heures trente, mon coéquipier à la maison du crime a débarqué à l'hôpital sans prévenir. Ça m'a vaguement paru bizarre, mais sur le moment, je n'ai pas réagi.

John Sampson et moi sommes les meilleurs amis du monde depuis l'âge de dix ans, quand nous courions ensemble dans ces mêmes rues de Southeast. On a trouvé le moyen de survivre sans se faire trancher la gorge. Moi, j'en suis venu à me spécialiser en psychopathologie et j'ai fini par décrocher un doctorat à Johns Hopkins. Sampson, lui, s'est engagé dans l'armée de terre. Et par le plus grand des mystères, nous nous sommes retrouvés à travailler ensemble dans la police de Washington.

J'étais assis sur un chariot sans drap devant la salle de traumato. A côté de moi, il y avait le brancard pliant dont on s'était servi pour transporter Marcus. Près des poignées noires, des tourniquets de caoutchouc pendaient comme des serpentins.

— Comment va le môme ? m'a demandé Sampson.

Il était déjà au courant pour le gosse. Il trouvait toujours le moyen d'être au courant de tout. Son poncho noir ruisselait de pluie, mais ça n'avait pas l'air de le perturber.

Encore anéanti, j'ai secoué tristement la tête :

— Pour l'instant, j'en sais rien. On me dit rien. Le toubib m'a demandé si j'étais un proche. Ils l'ont mis en traumato. Il s'est sacrément charcuté. Qu'est-ce qui t'amène, à l'heure de l'apéro ?

· Sampson a joué des épaules pour virer son poncho et s'est posé à côté de moi sur le chariot, plus très fier. Sous son poncho, il portait une de ses tenues de flic de terrain typiques : survêtement Nike rouge et argent, baskets montantes assorties, petits bracelets en or, chevalières. Son *street look* était intact.

— Où est ta dent en or? j'ai fait avec un sourire crispé. Il te faut une dent en or pour compléter ta panoplie. Une étoile en or sur une dent, au moins. Ou alors les cheveux à la rasta.

Sampson a ricané.

— On m'a mis au courant, je suis venu, m'a-t-il dit brusquement pour expliquer sa présence à Saint-Anthony. Et toi, ça va? A voir ta tête, on dirait que tu es le dernier des grands éléphants mâles.

— Le gamin a essayé de se suicider. Un brave môme, comme Damon. Onze ans.

— Tu veux que je fasse un saut jusqu'à leur baraque à crack? Que je descende les parents du gosse? m'a demandé Sampson, le regard dur comme de l'obsidienne.

— On fera ça plus tard.

Ce n'était sans doute pas l'envie qui m'en manquait. Les parents de Marcus Daniels ne vivaient pas séparés: ça, c'était le point positif. Le problème, c'était qu'ils élevaient le gamin et ses quatre sœurs dans la baraque à crack qu'ils faisaient tourner près de la cité de Langley Terrace. Les enfants avaient entre cinq et douze ans, et ils faisaient tous partie du business. Ils jouaient les fourmis.

— Qu'est-ce que tu fiches ici? je lui ai demandé pour la seconde fois. Tu ne t'es pas pointé ici par hasard. Qu'est-ce qui se passe?

Sampson a tapoté son paquet de Camel pour en faire sortir une cigarette. D'une seule main. La classe. Il l'a allumée. Il y avait des toubibs et des infirmières partout.

J'ai arraché la cigarette pour l'écraser sous la semelle de ma basket Converse noire, près du trou au gros orteil.

— Tu te sens mieux, maintenant? m'a fait Sampson en me dévisageant.

Puis un large sourire a découvert ses grandes dents blanches. Le numéro était terminé. Sampson m'avait fait son tour de magie et ça marchait, comme le coup du paquet de cigarettes. Je me sentais mieux. Comme toujours, le sketch avait fonctionné. J'éprouvais le même sentiment que si une demi-douzaine de proches et mes deux enfants venaient de me prendre dans leurs bras. Si Sampson est mon meilleur ami, c'est pour une bonne raison : il me connaît mieux que n'importe qui.

— Tiens, voilà l'ange de la miséricorde, dit-il en pointant de l'index le long couloir livré au chaos.

Annie Waters venait à notre rencontre, les mains plongées au fond des poches de sa blouse. L'air pas très joyeux, mais chez elle c'est une habitude.

— Je suis vraiment désolé, Alex. Le gosse n'a pas tenu le coup. Je pense qu'il était déjà presque mort quand vous nous l'avez amené. Il devait se raccrocher à toute cette quantité d'espoir que vous stockez en vous.

Les images fortes et les sensations viscérales de ma course éperdue, Marcus dans les bras, se sont mises à déferler dans ma tête. J'imaginais le drap d'hôpital qui recouvrait le petit. Pour les enfants, ils se servent de draps tellement petits.

— Ce gosse était mon patient. Il m'avait demandé de l'aider.

Je leur ai raconté ce qui m'avait mis dans une telle fureur avant de me plonger dans la déprime.

— Je peux vous donner quelque chose, Alex ? m'a dit Annie Waters, visiblement préoccupée.

J'ai fait non de la tête. Il fallait que je parle, il fallait que j'évacue ça tout de suite.

— Marcus a appris que je donnais des coups de main à Saint-Anthony, que je discutais parfois avec les gens. Il a commencé à venir me voir au camion, les après-midi. Après les examens, il m'a parlé de sa vie dans sa baraque à crack. Il n'était entouré que de camés. C'est une camée qui est venue chez moi aujourd'hui... Rita Washington. Pas la mère de Marcus, pas son père. Le pauvre gosse a voulu se couper la gorge, il s'est tailladé les poignets. Il avait à peine onze ans.

J'avais les yeux noyés de larmes. Quand meurt un petit garçon, il est normal qu'on pleure. Pour un psychologue, le suicide d'un patient de onze ans est une tragédie. Du moins était-ce mon opinion.

Finalement, Sampson s'est levé, et avec son immense bras m'a gentiment pris par les épaules. Il faisait de nouveau deux mètres de haut.

— Allez, on rentre, Alex. Viens, bonhomme, il faut qu'on y aille.

Je suis entré dans la salle et j'ai contemplé Marcus une dernière fois.

J'ai pris sa petite main sans vie dans la mienne et je me suis souvenu de toutes nos discussions, de cette indicible tristesse au fond de ses yeux marron que je n'avais jamais réussi à déloger. Un proverbe africain magnifique et plein de sagesse m'est revenu en mémoire : « *Il faut tout un village pour bien élever un enfant.* »

Puis Sampson s'est décidé à venir me chercher pour m'arracher au gamin et me ramener à la maison.

Et là, les choses se sont vraiment gâtées.

5

Ce que j'ai vu en arrivant ne m'a pas du tout plu. Il y avait je ne sais combien de voitures garées autour de chez moi, dans tous les sens. Ma maison ressemble à la maison de tout le monde : blanche, en bois, toit en A. Il me semblait reconnaître la plupart des voitures ; elles appartenaient à des amis ou à des membres de la famille.

Sampson s'est arrêté derrière une Toyota de dix ans dont la carrosserie avait un peu souffert. La voiture de Cilla Cross, la femme de mon défunt frère Aaron. Cilla était une bonne amie, qui ne manquait ni d'esprit, ni de caractère. J'avais fini par la préférer à mon frère. Que faisait-elle ici ?

Je commençais à m'inquiéter. J'ai redemandé à Sampson :

— Merde, tu peux me dire ce qui se passe ici ?

— Offre-moi une bière bien fraîche, m'a-t-il répondu en retirant la clé de contact. Tu me dois bien ça.

Il était déjà dehors. Quand il veut, il est aussi rapide qu'un vent d'hiver.

— Viens, Alex. On va à l'intérieur.

J'avais ouvert ma portière, mais je n'avais toujours pas quitté mon siège.

— C'est moi qui habite ici. Je rentrerai quand j'en aurai envie.

Et là, brusquement, ça ne me disait plus rien. Une fine pellicule de transpiration me gelait la nuque. La paranoïa du flic ? Peut-être que oui, peut-être que non.

Sans se retourner, Sampson m'a lancé :

— S'il te plaît, pour une fois, ne fais pas le difficile.

Un éclair de glace m'a zébré le dos. J'ai pris une profonde inspiration. L'évocation du monstre que j'avais récemment contribué à mettre derrière les barreaux me donnait encore des cauchemars et je redoutais, au plus profond de moi-même, de le voir un jour s'échapper. Le kidnappeur et tueur psychopathe était déjà venu dans la Cinquième Rue.

Que se passait-il chez moi ?

Sampson n'a pas frappé à la porte, pas plus qu'il n'a utilisé le bouton de sonnette brinquebalant au bout de ses fils rouge et bleu. Il s'est contenté d'entrer tranquillement comme s'il avait toujours habité là. Rien n'avait changé. *Mi casa es su casa.* Il est entré chez moi, et c'est moi qui l'ai suivi.

Mon petit Damon s'est précipité dans les bras tendus de John, qui l'a soulevé comme s'il était fait d'air. Jannie est venue vers moi, chaussée de ses patins à roulettes, en m'appelant son « grand papa ». Elle portait déjà son pyjama-barboteuse et sentait bon le talc d'après-bain. Ma petite demoiselle.

Il y avait quelque chose de bizarre dans ses grands yeux bruns. L'expression de son visage me pétrifiait.

— Qu'est-ce qui se passe, ma petite puce ? je lui ai demandé en jouant du nez sur sa joue toute douce, toute chaude. (On se fait toujours beaucoup de papouilles avec le nez.) Quelque chose qui va pas ? Dis à ton papa tout ce qui t'embête.

Dans le séjour, j'ai vu trois de mes tantes, mes deux belles-sœurs et mon seul frère encore en vie, Charles. Mes tantes sortaient d'une séance de pleurs; elles avaient encore le visage rouge et bouffi. Ma belle-sœur Cilla aussi, et elle n'est pas du genre à fondre en larmes pour un oui ou pour un non.

Il régnait dans la pièce une atmosphère pesante et lugubre digne d'une veillée mortuaire. « Quelqu'un vient de mourir, me suis-je dit. Quelqu'un que nous aimons tous vient de mourir. » Mais toutes les personnes que j'aimais semblaient être là, présentes à l'appel.

Nana Mama, ma grand-mère, était en train de servir du café, du thé glacé ainsi que du poulet froid auquel personne, apparemment, ne daignait s'intéresser. Nana habite dans la Cinquième Rue avec les enfants et moi. Elle est persuadée que c'est elle qui nous élève tous les trois.

Octogénaire, Nana ne mesurait plus qu'un mètre cinquante. Elle demeure pourtant la personne la plus impressionnante que je connaisse dans la capitale de ce pays, et Dieu sait si j'en connais — les Reagan, les Bush, et aujourd'hui les Clinton.

Ma grand-mère faisait le service sans avoir les yeux rougis. Bien qu'elle soit quelqu'un d'extraordinairement chaleureux et généreux, je l'ai rarement vue pleurer. Parce qu'elle ne pleure plus. Elle dit qu'il ne lui reste plus beaucoup de temps à vivre et qu'elle ne veut pas le gaspiller en larmes.

J'ai fini par entrer dans le salon et par poser la question qui me taraudait le crâne :

— Je suis content de voir tout le monde, Charles, Cilla, tante Tia, mais est-ce que quelqu'un voudrait bien me dire ce qui se passe ici ?

Tout le monde m'a regardé.

Jannie était toujours dans mes bras. Sampson serrait Damon, tel un ballon plein de poil, sous son gros bras droit.

C'est Nana qui a parlé pour l'assistance. Quelques mots presque inaudibles qui m'ont déchiré le corps.

— C'est Naomi, elle a dit tout doucement. Alex, Scootchie a disparu.

Et là, pour la première fois depuis tant d'années, Nana s'est mise à pleurer.

6

Casanova poussa un immense cri, et le souffle venu du tréfonds de sa gorge se transforma en un rauque hurlement.

Il courait à travers bois en songeant à la jeune fille qu'il avait abandonnée derrière lui. Aux gestes horribles qu'il avait commis. Une fois de plus.

Il avait presque envie de retourner chercher la fille — de la sauver —, un geste de pitié.

En proie à des accès de remords, il accéléra sa course. Un voile de sueur recouvrait sa nuque et son torse puissants. Il se sentait faible et ses jambes caoutchouteuses ne lui obéissaient plus totalement.

Il avait pleinement conscience de ce qu'il avait fait. Mais il était incapable de se maîtriser.

D'ailleurs, cela valait mieux ainsi. Elle avait vu son visage. Il eût été stupide de s'imaginer qu'elle pût un jour le comprendre. Il avait lu dans son regard la terreur et le dégoût.

Si seulement elle l'avait écouté lorsqu'il avait essayé de lui parler. Après tout, il ne ressemblait pas aux autres tueurs en série — il ressentait tout ce qu'il faisait. Il ressentait l'amour... il éprouvait du chagrin... et...

D'un geste rageur, il arracha son masque mortuaire. Tout était de sa faute à elle. Maintenant, il allait devoir changer de personnage. Il fallait qu'il cesse d'être Casanova.

Il fallait qu'il soit lui-même. L'être pitoyable avec lequel il partageait son corps.

7

C'est Naomi. Alex, Scootchie a disparu.
Le grand conseil de crise de la famille Cross s'est réuni

dans la cuisine, comme le veut l'usage. Nana a refait du café et s'est préparé une infusion. J'ai commencé par coucher les enfants, puis j'ai débouché sans ménagement une bouteille de Black Jack et j'ai servi le whisky à la ronde. Généreusement.

J'ai appris que ma nièce, âgée de vingt-deux ans, qui vivait en Caroline du Nord, avait disparu depuis quatre jours. C'était le temps qu'avait mis la police locale pour contacter notre famille à Washington. En tant que flic, j'avais du mal à comprendre. Dans les affaires de personnes disparues, il faut compter habituellement deux jours. Quatre jours, ça ne tenait pas debout.

Naomi Cross était étudiante en droit à Duke. Elle avait eu les honneurs de la *Gazette juridique* et figurait parmi les meilleurs élèves de sa promotion. Toute la famille était fière d'elle, y compris moi. Depuis qu'elle avait trois ou quatre ans, on la surnommait Scootchie. Quand elle était petite, elle passait son temps à se coller contre tout le monde. Elle adorait se coller contre les gens, les prendre dans ses bras, elle adorait qu'on la prenne dans nos bras. Quand mon frère Aaron est mort, j'ai aidé Cilla à s'occuper d'elle. Rien de bien difficile, car elle était toujours gentille, drôle, serviable et très, très intelligente.

Scootchie avait disparu. En Caroline du Nord. Depuis quatre jours.

Dans la cuisine, Sampson a annoncé :

— J'ai parlé à un inspecteur nommé Ruskin. (Il s'efforçait de perdre ses tics de flic de terrain, mais c'était plus fort que lui. Maintenant, il était sur l'affaire. L'air sérieux, le visage impassible. Le regard signé Sampson.) L'inspecteur Ruskin avait l'air bien informé sur la disparition de Naomi. Au téléphone, il m'a fait l'impression d'un flic carré, pragmatique. Mais il y a quand même quelque chose de bizarre. Il m'a dit que c'est une collègue de fac qui a signalé la disparition de Naomi. Elle s'appelle Mary Ellen Klouk.

J'avais déjà fait la connaissance de l'amie de Naomi. Elle venait de Garden City, Long Island, et se destinait à être avocate. Naomi avait déjà amené Mary Ellen chez elle, à Washington, deux ou trois fois. Un soir de Noël, on était allés écouter le *Messie* de Haendel ensemble au Kennedy Center.

Sampson a ôté ses lunettes de soleil et ne les a pas remises, ce qui est rare chez lui. Naomi était sa préférée et il dégustait autant que nous. Elle le surnommait « Sa Sévérité » et il adorait qu'elle le mette en boîte.

— Comment se fait-il que cet inspecteur Ruskin ne nous ait pas appelés plus tôt ? a demandé ma belle-sœur. Comment se fait-il que l'université ne m'ait pas appelée ?

Cilla a quarante et un ans. Elle s'est laissé aller à prendre un certain volume. Elle ne devait pas dépasser le mètre soixante, mais n'était pas loin du quintal. Elle m'avait dit un jour qu'elle ne voulait plus chercher à plaire aux hommes.

— La réponse, je ne la connais pas encore, dit Sampson, s'adressant à Cilla autant qu'à nous tous. Ils ont demandé à Mary Ellen Klouk de ne pas nous prévenir.

J'ai interrogé Sampson :

— Et pour ce qui est du retard, quelles explications t'a fournies l'inspecteur Ruskin ?

— L'inspecteur m'a dit qu'il y avait des circonstances atténuantes. Il a refusé d'en dire davantage, et Dieu sait que je sais me montrer persuasif.

— Tu lui as dit qu'on pourrait en parler de vive voix ?

Sampson a lentement hoché la tête :

— Que oui. Il m'a sorti que le résultat serait le même. Je lui ai dit que ça m'étonnerait. Il m'a fait : D'accord. Ça n'avait pas l'air de le traumatiser.

— C'est un Noir ? Nana a voulu savoir.

Elle est raciste et fière de l'être. Elle clame qu'elle est trop vieille pour être socialement ou politiquement correcte. Ce n'est pas tant qu'elle n'aime pas les Blancs ; c'est surtout qu'elle ne leur fait pas confiance.

— Non, mais je ne pense pas que le problème soit là, Nana. Il y a autre chose. (Sampson m'a regardé, à l'autre bout de la table.) J'ai l'impression qu'il ne pouvait pas parler.

— Le FBI ? j'ai fait.

C'est la première chose qui vient à l'esprit lorsqu'il y a trop de secret dans l'air. Le FBI est encore mieux placé que Bell Atlantic, le *Washington Post* et le *New York Times* pour savoir que l'information, c'est le pouvoir.

— Le problème pourrait venir de là. Ruskin n'a rien voulu reconnaître au téléphone.

— Je ferais mieux de lui parler. Et de préférence en personne, qu'en penses-tu ?

— Je crois que ce serait bien, Alex, a lancé Cilla de l'autre côté.

— Je vais peut-être venir avec toi, a ajouté Sampson avec son grand sourire de loup prédateur.

Dans la cuisine surpeuplée, il y a eu quelques sages hochements de tête approbateurs et au moins un alléluia. Cilla a fait le tour de la table pour me prendre dans ses bras. Je me suis fait secouer par ma belle-sœur comme un grand arbre pris dans la tempête.

Sampson et moi, on allait partir dans le Sud. On allait ramener Scootchie.

8

Il fallait que je parle à Damon et à Jannie de leur « Tatie Scootch », comme ils l'ont toujours appelée. Ils avaient deviné, tout comme ils devinaient toujours quels étaient mes points les plus secrets, les plus sensibles. Ils avaient refusé d'aller au lit tant que je ne viendrais pas leur parler.

Dès que je suis entré dans la chambre des petits, j'ai eu droit à un interrogatoire en règle :

— Qu'est-ce qu'elle fait, Tatie Scootch ? Qu'est-ce qui lui est arrivé ?

Damon avait entendu suffisamment de choses pour comprendre que Naomi se trouvait dans une situation extrêmement grave.

J'ai toujours jugé nécessaire de dire la vérité aux enfants, chaque fois que c'était possible. Une question de principe entre nous. Mais il arrive que parfois, la mission se révèle quasi impossible.

— On n'a pas eu de nouvelles de Tatie Naomi depuis quelques jours, ai-je expliqué. C'est pour ça que ce soir, tout le monde se fait un peu de souci et qu'ils sont tous venus à la maison.

Et j'ai poursuivi :

— Maintenant, c'est papa qui s'occupe de l'affaire. Je vais faire tout ce que je peux pour retrouver Tatie Naomi d'ici deux ou trois jours. Vous savez bien que votre papa chéri résout toujours les problèmes. Oui ou non ?

Damon a confirmé d'un hochement de tête, manifestement rassuré par mes paroles et surtout par le sérieux de mon ton. Il s'est jeté dans mes bras et m'a donné un baiser sur la joue, chose qu'il ne faisait guère ces temps derniers. Et à son tour, Jannie est venue m'embrasser. Je les ai pris tous les deux dans mes bras. Mes petites puces d'amour.

— Maintenant, c'est papa qui s'occupe de l'affaire, a chuchoté Jannie.

Cela m'a mis un peu de baume au cœur. Comme le dit Billie Holiday : « Dieu bénisse l'enfant qui en a un. »

A onze heures, les enfants dormaient comme des loirs et la maison commençait à se vider. Mes vénérables tantes avaient déjà réintégré leurs pénates de vieilles dames originales et Sampson s'apprêtait à prendre congé.

D'ordinaire, il entre et sort tout seul mais cette fois, fait extrêmement rare, Nana Mama l'a raccompagné jusqu'à la porte. Je les ai escortés. L'union fait la force.

Sur le ton de la confidence, Nana a glissé à Sampson :

— Merci de descendre dans le Sud demain avec Alex. (Je me demandais bien qui elle pouvait soupçonner d'épier ses conversations intimes.) Vous voyez, John Sampson, que vous pouvez vous montrer courtois et même utile quand vous le voulez. Je vous l'ai toujours dit, non ? (Et de pointer vers son imposant menton un index noueux et voûté.) Non ?

Sampson l'a regardée avec un large sourire. Il se délecte de sa supériorité physique, même face à une femme de quatre-vingts ans.

— Je vais laisser Alex y aller seul, Nana. Moi, je descendrai plus tard pour les secourir, lui et Naomi.

Ils se sont tous les deux mis à glousser comme deux corbeaux de dessin animé sur leur barrière en bois. C'était bon de les entendre rire. Puis elle a trouvé le moyen de nous prendre tous les deux par la taille, telle une petite vieille s'accrochant à ses deux séquoias préférés. Je sentais son corps trembler. Il y avait vingt ans que Nana Mama ne nous avait pas pris dans ses bras comme ça. Je savais qu'elle aimait Naomi comme si elle était sa propre fille, et qu'elle avait très peur pour elle.

Ça ne peut pas être Naomi. Rien de mal ne pourrait lui arriver, pas à Naomi. Des mots que je n'arrêtais pas de ressasser. Pourtant il lui était bel et bien arrivé quelque chose, et il fallait désormais que je me mette à raisonner et à agir en policier. En inspecteur de la criminelle. Dans le Sud.

« Aie confiance et poursuis ta route vers le but inconnu », disait Oliver Wendell Holmes. J'ai confiance. Je poursuis l'inconnu. Voilà en quoi consiste mon job.

9

En cette fin avril, à sept heures du soir, une activité intense régnait sur le somptueux campus de Duke. Partout, les recrues de l'université qui revendiquait le titre de « Harvard du Sud » exhibaient leur impressionnante condition physique. Les magnolias en pleine floraison étaient tout aussi omniprésents, notamment le long de Chapel Drive. Les espaces bien entretenus et superbement agencés faisaient de Duke l'un des campus les plus esthétiques des Etats-Unis.

L'air embaumait, et en franchissant le haut portail de pierre pour pénétrer sur le campus ouest, Casanova éprouva une sensation grisante. Sa montre affichait un peu plus de dix-neuf heures et il était venu pour une unique raison — pour chasser. Tout un rituel aussi excitant qu'irrésistible.

Une fois qu'il avait commencé, il ne pouvait s'arrêter. Il en était aux préliminaires. Un vrai régal à tous points de vue.

« Je suis un requin mangeur d'hommes, songeait Casanova au fil de ses pas, un requin pourvu d'un cerveau humain, et même d'un cœur. Je suis un prédateur sans rival, un prédateur doué de raison. »

Il avait la conviction que les hommes adoraient la chasse et, en fait, ne vivaient que pour elle, sans généralement l'admettre. L'œil masculin était voué à une quête incessante : celle de femmes belles et sensuelles, ou d'hommes et de garçons appétissants, d'ailleurs. Et c'était encore plus vrai sur des sites de choix tels que le campus de Duke, celui de North Carolina à Chapel Hill ou celui de North Carolina State, à Raleigh, ou tous ceux qu'il avait également écumés dans le Sud-Est.

Attention les yeux ! Les étudiantes de Duke, un brin snobinardes, figuraient parmi les femmes les plus séduisantes et les plus modernes des Etats-Unis. Même lorsqu'elles portaient des jeans coupés sales, de ridicules 501 déchirés ou des pantalons informes, elles méritaient d'être vues, observées, voire photographiées, elles avaient tout pour nourrir d'infinis fantasmes.

« Il n'y a rien de plus beau », se dit Casanova en sifflotant quelques mesures de ce vieil air radieux vantant la vie de farniente en Caroline.

Il sirotait négligemment un Coca-Cola glacé en regardant les étudiantes s'amuser. Lui-même était en train de pratiquer un jeu d'adresse — plusieurs parties en même temps, d'ailleurs, et des parties compliquées. Ces parties étaient devenues sa vie. Certes, il exerçait une profession « respectable », il avait une autre vie, mais ce fait n'avait plus aucune importance.

Il regardait toutes les femmes qui passaient, même celles qui ne présentaient qu'un intérêt marginal pour sa collection. Il examinait les belles petites étudiantes, les profs plus âgées et les visiteuses avec leurs tee-shirts des Duke Blue Devils, la tenue de rigueur, semblait-il, de tous ceux et celles qui n'étaient pas du campus.

Il passa la langue sur ses lèvres en songeant à ce qui l'attendait. Une proie de toute beauté venait d'attirer son attention...

Adossée à un auguste chêne de la cour Eden, une magnifique Noire, fine et élancée, lisait le *Chronicle*, le journal de l'université, qu'elle avait plié en trois. Il adorait la douce patine de sa peau ambrée, les belles tresses de sa chevelure. Mais il poursuivit son chemin.

« Oui, se disait-il, l'homme a l'instinct du chasseur. » Il avait retrouvé son univers. Les maris « fidèles », prudents à l'extrême, ne lançaient que des regards furtifs. Les garçons de onze, douze ans, à l'œil insolent, n'étaient qu'espièglerie et innocence. Les grands-pères, qui feignaient d'être au-dessus de la mêlée, s'en tenaient à des marques d'affection « charmantes ». Mais Casanova savait qu'ils passaient tous leur temps à regarder, à choisir, mus par une même obsession : maîtriser l'art de la chasse de la puberté à la tombe.

C'était une nécessité biologique, non ? Il en était tout à fait persuadé. Aujourd'hui, les femmes contraignaient les hommes à tenir compte de leur horloge biologique... eh bien, les hommes avaient eux aussi une horloge interne. Et le balancier de cette horloge, c'était leur queue.

Une queue dont le mouvement ne s'arrêtait jamais.

Une fois de plus, c'était la nature qui s'exprimait. Où qu'il aille, à toute heure du jour ou de la nuit, il sentait battre en lui cette sourde pulsation. Nique-tac. Nique-tac.

Nique-tac !

Nique-tac !

Une superbe étudiante aux cheveux de miel était assise en tailleur dans l'herbe, juste sur son chemin. Elle lisait un livre de poche, *La Philosophie de l'existence* de Karl Jaspers. A côté d'elle, sur un lecteur laser portable, le groupe rock Smashing Pumpkins lançait ses riffs incantatoires. Casanova eut un sourire.

Nique-tac !

Pour lui, chasser était un besoin de tous les instants. Il était le Priape des années quatre-vingt-dix. Et ce qui le différenciait de tant d'hommes sans carrure, c'était que lui agissait en fonction de ses instincts.

Sans relâche, il recherchait une fille exceptionnellement belle — puis il la prenait ! C'était d'une effarante simplicité. Une belle histoire d'horreur contemporaine.

Il regardait deux petites étudiantes japonaises qui mangeaient du barbecue façon Caroline du Nord, bien gras, acheté au nouveau restaurant Crooks Corner II, à Durham. Elles avaient l'air si appétissantes, dévorant leur barbecue en se servant de leurs doigts. De vrais petits animaux sauvages. Le barbecue façon Caroline du Nord, c'était du porc rôti à la braise, arrosé d'une sauce légèrement vinaigrée puis haché très fin. Et il était inconcevable de le manger sans sa salade de chou et ses petites brioches.

Ce spectacle insolite le fit sourire. Miam.

Mais il ne s'arrêta pas pour autant. Des images, des scènes sollicitaient son regard. Des sourcils percés. Des chevilles tatouées. Des tee-shirts extravagants. Des seins, des jambes, des cuisses, tout en courbes exquises, partout où se posaient ses yeux.

Il arriva enfin au pied d'un petit édifice de style gothique, près de l'aile nord de l'hôpital universitaire de Duke. Une annexe réservée aux malades du cancer en phase terminale. Il en venait de tous les Etats du Sud. Son cœur se mit à battre violemment, de courtes secousses agitèrent son corps.

Elle était là !

10

La plus belle femme du Sud était là. Belle à tous points de vue. Non seulement physiquement désirable, mais de surcroît d'une extrême intelligence. Peut-être serait-elle à même de le comprendre. Peut-être était-elle, comme lui, quelqu'un à part.

Persuadé d'avoir totalement raison, il faillit exprimer son sentiment à haute voix. Il avait passé énormément de temps sur le dossier de sa future victime. Le sang se mit à lui battre les tempes. Une sourde pulsation lui parcourait tout le corps.

Elle s'appelait Kate McTiernan. Katelya Margaret McTiernan, pour être précis comme il aimait l'être.

Elle sortait du pavillon des cancéreux où elle travaillait pour payer ses études de médecine. Toute seule, comme à son habitude. Son dernier petit copain l'avait prévenue : elle allait devenir une « très jolie vieille fille ».

Voilà qui paraissait très improbable. Si Kate McTiernan était seule, c'était qu'elle le voulait bien. Elle aurait pu sortir avec la personne de son choix, ou presque. D'après ce qu'il savait pour l'instant, elle était extraordinairement belle, extrêmement intelligente et très sensible. Mais Kate était aussi une bûcheuse. Elle se consacrait corps et âme à ses études de médecine et à ses travaux hospitaliers.

Il n'y avait rien d'exagéré chez elle, chose qu'il appréciait. De longs cheveux châtains bouclés qui encadraient un visage mince. Des yeux bleu nuit qui brillaient lorsqu'elle souriait. Un rire communicatif, irrésistible. Un style très américain et qui, pourtant, n'avait rien de banal. Une douceur très féminine sous laquelle on sentait une grande force.

Il avait assisté aux approches d'autres hommes — des étudiants dragueurs et même, de temps à autre, des profs aussi lestes que ridicules. Elle le prenait bien. Il l'avait vue décliner leurs avances, le plus souvent avec une certaine gentillesse, avec un fond de générosité.

Restait ce sourire désarmant, diabolique. Un sourire qui disait : « Je ne suis pas disponible. Vous ne pourrez jamais m'avoir. Soyez gentil, n'y songez même pas. Non que je sois trop bien pour vous ; disons simplement que je suis... différente. »

Ce soir-là, la sérieuse et gentille Kate était juste à l'heure. Elle quittait toujours le pavillon des cancéreux entre huit heures moins le quart et huit heures. Tout comme lui, elle avait ses horaires.

Interne en première année à l'hôpital de North Carolina, à Chapel Hill, elle travaillait également à Duke depuis janvier dans le cadre d'un programme d'échange. Le service de cancérologie. Il savait tout de Katelya McTiernan.

Dans quelques semaines, elle allait fêter ses trente et un ans. Elle avait dû travailler trois années durant pour payer ses études. Elle avait également passé deux ans auprès de sa mère souffrante à Buck, en Virginie occidentale.

Elle remontait Flowers Drive à grandes enjambées et se dirigeait vers le parking à étages du centre médical. Il dut hâter le pas pour ne pas la perdre, sans quitter des yeux ses longues et fines jambes un peu trop pâles à son goût. Pas le temps de prendre un peu de soleil, Kate? On a peur d'un petit mélanome de rien du tout?

Elle serrait contre sa hanche d'énormes ouvrages de médecine. La tête et les jambes. Elle comptait ouvrir un cabinet en Virginie occidentale, dans sa région natale. Gagner de l'argent ne semblait pas être sa préoccupation majeure. A quoi bon? Pour qu'elle puisse s'acheter dix paires de baskets montantes noires?

Kate McTiernan portait sa tenue de fac habituelle : la veste blanche aussi raide que réglementaire des étudiants en médecine, un chemisier kaki, un pantalon beige qui avait déjà bien vécu et ses fidèles tennis noires. Ça lui allait à merveille. Kate le personnage. Légèrement décalée. Surprenante. Etrangement, immensément attirante.

Kate McTiernan aurait pu porter quasiment n'importe quoi, même ce qu'il y avait de plus toc, de plus ringard. Il adorait particulièrement l'humour et l'insolence qu'elle manifestait à l'égard du système universitaire et hospitalier, et plus particulièrement l'école de médecine engoncée dans ses traditions hypocrites. Cela se voyait à sa façon de s'habiller, à sa démarche décontractée, à son style de vie en général. Elle évitait de se maquiller. Elle paraissait très naturelle, sans goût pour les poses et les artifices, et jamais à ce jour il ne l'avait prise en défaut.

Curieusement, il y avait même en elle un soupçon de gaucherie. En début de semaine, il l'avait vue rougir comme une pivoine après avoir trébuché sur une barrière et heurté de la hanche un banc. Cette scène lui avait considérablement réchauffé le cœur. Il était ouvert aux émotions, capable de ressentir la chaleur humaine. Il voulait que Kate l'aime... Il voulait lui rendre son amour...

C'était ce qui faisait de lui un être à part, si différent. Ce

qui le distinguait de tous les autres tueurs et bouchers sans
dimension dont il avait entendu parler ou lu les méfaits, et il
avait tout lu sur la question. Il était capable de tout ressentir.
Il était capable d'aimer. Cela, il le savait.

Kate croisa un professeur d'une quarantaine d'années et
lui répondit quelque chose d'amusant. De son poste d'observation, Casanova ne put malheureusement saisir le moindre
mot. Elle avait lancé sa repartie sans s'arrêter en chemin,
laissant l'enseignant méditer sur son lumineux sourire.

Lorsque Kate fit volte-face après ce bref échange, Casanova surprit quelques mouvements intéressants. Sa poitrine
n'était ni trop grosse, ni trop petite. Ses longs cheveux châtains, épais et soyeux, brillaient dans la lumière du soir en
laissant deviner une petite pointe de roux. La perfection
dans les moindres détails.

Voici plus de quatre semaines qu'il l'observait, et il
savait que c'était elle. Il était capable d'aimer le docteur Kate
McTiernan plus que toutes les autres. L'espace d'un instant,
il le crut. Il mourait d'envie de le croire. Il prononça doucement son nom — Kate...

Docteur Kate.

Nique-tac.

11

Il y avait quatre heures de route de Washington à notre
destination en Caroline du Nord. Sampson et moi, on s'est
relayés au volant. Quand je conduisais, l'Armoire à glace
dormait. Il portait un tee-shirt noir qui annonçait sans
ambages SECURITE. Economie de mots.

Quand c'était Sampson qui pilotait ma Porsche hors

d'âge, je mettais mon vieux casque Koss pour écouter Big Joe Williams. Je pensais à Scootchie, je me sentais toujours aussi vidé.

J'étais incapable de trouver le sommeil et je n'avais guère dormi plus d'une heure la veille. Je me faisais l'effet d'un père accablé de chagrin, dont la fille unique avait disparu. Dans cette affaire, il y avait quelque chose qui ne collait pas.

On est arrivés dans le Sud vers midi. J'étais né à moins de deux cents bornes de là, à Winston-Salem. Je n'y étais pas retourné depuis l'âge de dix ans, l'année où ma mère est morte et où on nous a installés à Washington, mes frères et moi.

J'étais déjà allé à Durham, pour la remise du diplôme de Naomi. A Duke, elle avait décroché sa licence avec les félicitations du jury, ce qui lui avait valu l'une des plus belles, des plus formidables ovations de l'histoire de la cérémonie. La famille Cross s'était déplacée en nombre et rarement nous nous sommes sentis aussi heureux, aussi fiers qu'en ce jour.

Naomi était la fille unique de mon frère Aaron, mort d'une cirrhose à l'âge de trente-trois ans. Après sa disparition, elle avait grandi très vite. Des années durant, sa mère avait dû travailler soixante heures par semaine pour subvenir à leurs besoins, et dès l'âge de dix ans, elle s'était vu confier la responsabilité de la maison. Une vraie petite gouvernante.

Enfant précoce, elle lisait déjà à quatre ans les aventures d'Alice dans *A travers le miroir*. Un ami de la famille lui donnait des leçons de violon et elle jouait bien. Elle adorait la musique et s'exerçait encore chaque fois qu'elle en avait le loisir. Elle était sortie du lycée John Carroll, à Washington, première de sa promotion. Et bien qu'accaparée par ses études, elle trouvait encore le temps de décrire d'une belle plume la vie des jeunes dans les cités défavorisées. Elle me faisait penser à Alice Walker[1] en plus jeune.

Une fille douée.

Hors du commun.

Disparue depuis quatre jours.

---

1. L'auteur célèbre du roman *La Couleur pourpre*. (N.d.T.)

Dans l'immeuble du QG de la police de Durham, qui sentait encore bon le neuf, personne n'avait l'air de nous attendre. Sampson et moi avons produit nos plaques et nos papiers de Washington, mais ça n'a pas eu l'heur d'impressionner le sergent de permanence.

Il ressemblait un peu au présentateur météo Willard Scott. La coupe en brosse, des pattes longues et drues, la peau rose jambon. Quand il a compris qui nous étions, les choses se sont légèrement gâtées. Point de tapis rouge, point d'hospitalité dans la grande tradition du Sud et quant au verre de Southern Comfort, inutile d'y compter, cela va sans dire.

On s'est retrouvés à poireauter dans la salle d'accueil du Durham Police Department. Décor tout en verre immaculé et bois poli. On a eu droit aux regards hostiles et aux visages fermés d'ordinaire réservés aux dealers qui se font arrêter à proximité des écoles primaires.

On regardait s'affairer l'élite de Durham, on regardait défiler les citoyens venus porter plainte, et le temps passait.

Sampson m'a dit :

— J'ai l'impression d'être sur Mars. Et les Martiens, je les sens pas trop. J'aime pas leurs petits yeux de Martiens. Je crois que j'aime pas le nouveau Sud.

— Si tu réfléchis bien, ce serait pareil partout. Au QG de la police de Nairobi, on aurait droit au même accueil, aux mêmes regards.

— Peut-être, m'a fait Sampson en opinant derrière ses lunettes de soleil. Mais au moins, ce serait des Martiens noirs. Ils sauraient au moins qui est John Coltrane.

Les inspecteurs Nick Ruskin et Davey Sikes ont fini par venir nous chercher une heure un quart après notre arrivée.

Ruskin me faisait un peu penser à Michael Douglas dans ses grands rôles de flic pas clair. Il portait une tenue coordonnée : un veston en tweed vert-brun, un jean délavé, un tee-shirt à poche jaune. Il avait à peu près ma taille, soit environ un mètre quatre-vingt-dix : rien d'un gringalet. Des cheveux bruns mi-longs plaqués en arrière et impeccablement coupés.

Davey Sikes était solidement bâti. Une tête massive posée sur les épaules, tout en angles droits. Des yeux brungrège pas très vifs dans lesquels je ne décelais aucune expression. A en juger d'après ce que je voyais, Sikes avait un vrai profil de bras droit, pas de chef.

Les deux inspecteurs nous ont serré la main. On aurait dit qu'ils passaient l'éponge, qu'ils nous pardonnaient de les avoir dérangés. J'avais le sentiment que Ruskin, plus spécialement, évoluait ici comme un poisson dans l'eau. Il donnait l'impression d'être une vedette chez les flics de Durham. Le caïd du coin. La star du cinéma de quartier.

— Désolés de vous avoir fait attendre, inspecteurs Cross et Sampson. Ici, on est un peu à la bourre.

Nick Ruskin avait un léger accent du Sud. Très sûr de lui. Il n'avait pas encore prononcé le nom de Naomi. L'inspecteur Sikes, lui, ne disait rien. Pas un mot.

— Ça vous dirait de nous accompagner, Davey et moi ? Je vous brieferai dans la voiture. Il y a eu un meurtre. C'est pour ça qu'on est tous à la bourre. On a découvert le cadavre d'une femme à Efland. Une sale histoire.

12

Une sale histoire. Le cadavre d'une femme à Efland. Quelle femme ?

On a suivi Ruskin et Sikes jusqu'à leur voiture, une Saab turbo vert impérial. C'est Ruskin qui a pris le volant. J'ai pensé à la phrase du sergent Esterhaus dans le feuilleton *Hill Street Blues* : « Attention où on met les pieds. »

Nous nous dirigions vers Chapel Hill Street. J'ai demandé à Nick Ruskin :

— Savez-vous quoi que ce soit sur la femme qu'on a assassinée ?

Il avait branché la sirène et il roulait vite. Le style macho, sûr de lui.

— Je suis loin de savoir tout ce que je devrais. C'est notre problème, à Davey et à moi, dans cette enquête. Impossible d'obtenir les renseignements par les voies habituelles. C'est pour ça qu'on est un peu à cran, aujourd'hui. Vous avez peut-être remarqué ?

— Ouais, on avait remarqué, a fait Sampson.

Je ne l'ai pas regardé, mais je sentais la pression monter à l'arrière. Sa peau commençait à chauffer.

Davey Sikes s'est retourné vers lui, le front mauvais. J'ai eu comme l'impression qu'ils n'allaient pas devenir les meilleurs copains du monde.

Ruskin continuait. Les projecteurs, le fait d'être sur la grosse enquête, tout cela avait l'air de lui plaire.

— C'est le FBI qui pilote maintenant toute l'affaire. La DEA[1] est également sur le coup. La CIA ferait partie de leur « cellule de crise » que cela ne m'étonnerait pas davantage. Ils nous ont envoyé un de leurs hurluberlus de leur bureau très spécial de Sandford.

— Comment ça, toute l'affaire ? j'ai demandé à Ruskin.

Des sonnettes d'alarme commençaient à résonner dans ma tête. Je songeais de nouveau à Naomi.

Une sale histoire.

Ruskin s'est tourné brusquement vers moi et m'a fixé de son regard bleu, pénétrant, comme pour me jauger :

— Sachez que nous ne sommes pas censés vous dire quoi que ce soit. D'ailleurs, nous ne sommes même pas habilités à vous emmener là-bas.

— Je saisis. C'est sympa de nous aider.

Davey Sikes s'est de nouveau retourné pour nous regarder. J'avais le sentiment que Sampson et moi faisions partie de l'équipe adverse, l'œil sur la ligne de mêlée, attendant que le ballon jaillisse, que les corps se télescopent.

— On va sur les lieux d'un troisième crime, a poursuivi Ruskin. J'ignore l'identité de la victime. Il va sans dire que j'espère que ce n'est pas votre nièce.

---

1. *Drug Enforcement Agency*, l'équivalent américain de notre Brigade des stupéfiants. (N.d.T.)

— C'est quoi, toute cette affaire ? a voulu savoir Sampson. Pourquoi autant de mystère ? On est tous flics. Jouez franc-jeu.

L'inspecteur de la criminelle de Durham a eu un temps d'hésitation avant de répondre :

— Quelques femmes, disons plusieurs, ont disparu dans le périmètre de trois comtés — Durham, Chatham et Orange, où nous nous trouvons actuellement. La presse, pour l'instant, a parlé de quelques disparitions et de deux meurtres. Deux meurtres qui ne seraient pas liés.

— Ne me dites pas que les journalistes collaborent avec les enquêteurs ? j'ai fait.

Ruskin a esquissé un sourire :

— Faut pas rêver. Ils ne savent que ce que le FBI veut bien leur révéler. On ne peut pas dire qu'il y ait rétention d'informations, mais rien n'est communiqué spontanément.

— Vous disiez que plusieurs jeunes femmes avaient disparu. Combien exactement ? Parlez-moi d'elles.

— Nous pensons que huit à dix femmes ont disparu. (Il parlait du coin de la bouche.) Toutes jeunes. Dix-huit, vingt-cinq ans. Toutes étudiantes ou lycéennes. Mais on n'a retrouvé que deux corps. Celui qu'on va voir pourrait faire le troisième. Tous les corps ont été découverts au cours des cinq dernières semaines. Les Feebies[1] pensent que nous avons affaire à ce qui pourrait être l'une des pires vagues d'enlèvements et de meurtres de l'histoire du Sud.

— Au FBI, a demandé Sampson, ils sont venus à combien ? Un peloton ? Un bataillon ?

— Ils ont débarqué ici en force. Selon les éléments en leur possession, les disparitions dépassent les frontières de l'Etat. Elles concernent la Virginie, la Caroline du Sud, la Géorgie et même la Floride. D'après eux, notre ami a enlevé une pom-pom girl lors de la dernière finale de football à l'Orange Bowl. Ils l'appellent « la Bête du Sud-Est ». On dirait qu'il est invisible. En ce moment, c'est lui qui a toutes les cartes en main. Il se fait appeler Casanova... il est persuadé d'être un amant hors pair.

— Casanova a-t-il laissé des messages sur les lieux de ses crimes ? ai-je demandé.

---

1. Agents du FBI. (N.d.T.)

— Uniquement la dernière fois. On dirait qu'il sort de sa coquille. Maintenant, il veut communiquer. Etablir un lien avec nous. C'est lui qui nous a dit qu'il s'appelait Casanova.

— Y avait-il des Noires parmi les victimes ?

L'une des caractéristiques des tueurs à répétition est leur tendance à choisir leurs victimes en fonction de critères raciaux. Que des Blanches. Que des Noires. Que des Latinos. En général, il y a peu de mélanges.

— L'une des autres jeunes femmes disparues est noire. Une étudiante de North Carolina Center. Les deux cadavres retrouvés sont ceux de filles blanches. Toutes les jeunes femmes dont on est sans nouvelles sont extrêmement jolies. On a un panneau d'affichage avec toutes leurs photos, et quelqu'un a trouvé un nom à cette affaire : « Les Belles et la Bête ». On l'a inscrit sur le panneau en grosses lettres, juste au-dessus des photos. C'est l'un des rares éléments dont on dispose.

— Est-ce que Naomi Cross correspond au profil ? Sampson a demandé doucement. A celui que la cellule de crise a établi pour l'instant ?

Nick Ruskin n'a pas répondu tout de suite. J'étais incapable de savoir s'il réfléchissait ou s'il voulait simplement nous ménager. Je lui ai demandé :

— La photo de Naomi figure-t-elle sur le panneau du FBI ? Le panneau des Belles et de la Bête ?

— Oui, elle y est, a fini par dire Davey Sikes. Sa photo est sur le grand panneau.

13

Nous roulions à toute allure vers les lieux du meurtre et je priais en silence. Faites que ce ne soit pas Scootchie. Sa vie ne fait que commencer.

Des choses terribles et indescriptibles, il en arrivait tous les jours à toutes sortes de gens innocents et sans méfiance. Il s'en passait dans quasiment toutes les grandes villes aussi bien que dans des hameaux de moins de cent âmes. Mais le plus souvent, ces crimes aussi violents qu'inimaginables semblaient se dérouler aux Etats-Unis.

Ruskin a brutalement rétrogradé en arrivant dans un virage serré et nous sommes tombés sur un ballet de gyrophares rouges et bleus. On distinguait un lugubre rassemblement de voitures et d'ambulances à l'orée d'une dense pinède.

Une douzaine de véhicules étaient garés au petit bonheur sur le bas-côté de la route à deux voies. On était en pleine cambrousse et il y avait peu de circulation. Les badauds ne se pressaient pas encore autour des ambulances. Ruskin s'est arrêté en queue de peloton, derrière une Lincoln Town Car bleu nuit qui ne pouvait appartenir qu'au FBI.

Le grand déploiement policier qui marque le début d'une enquête criminelle avait déjà commencé. On avait tendu des kilomètres de ruban jaune autour des pins pour interdire le périmètre. Deux fourgons-ambulances attendaient là, le museau pointé vers une futaie.

Je suis sorti de la voiture dans un état second, comme si je vivais une expérience de désincarnation. Ma vue se troublait.

On eût dit que c'était la première fois que je me rendais sur les lieux d'un crime. Je gardais gravé dans ma mémoire l'instant le plus pénible de l'affaire Soneji. Le corps d'un enfant découvert près d'une rivière boueuse. Des souvenirs horribles se mêlaient à l'angoisse du moment présent.

Faites que ce ne soit pas Scootchie.

Sampson m'a gentiment pris par le bras et nous avons suivi les inspecteurs Ruskin et Sikes à travers bois pendant un bon kilomètre et demi. La végétation était dense. Arrivés au milieu d'un bosquet de pins immenses, on a enfin aperçu des formes et des silhouettes. Plusieurs hommes, deux ou trois femmes.

Plus de la moitié portaient des costumes sombres. On aurait dit que nous venions de tomber sur une randonnée improvisée par un cabinet comptable ou la réunion secrète d'une loge de grands avocats ou banquiers.

Seul le claquement mat des appareils photo troublait l'étrange silence qui régnait sur place. Les équipes spécialisées prenaient des gros plans de toute la zone.

Deux experts portant des gants de caoutchouc translucides s'efforçaient déjà de relever des indices et prenaient des notes sur leurs carnets à spirale.

Un sinistre pressentiment, venu je ne sais d'où, me disait que nous allions découvrir Scootchie. Je l'ai repoussé et balayé comme si c'était la main indésirable d'un ange ou de Dieu. J'ai brusquement tourné la tête en m'imaginant peut-être que cela pourrait m'aider à éviter ce qui m'attendait là-bas.

— Sûr que c'est le FBI, a murmuré Sampson. En pleine cambrousse.

On aurait dit que nous approchions d'un gigantesque essaim de guêpes bourdonnantes. Il y en avait partout et ils se chuchotaient des secrets.

Je sentais craquer sous mes pieds la moindre feuille, le moindre rameau, la moindre branchette. A vrai dire, ici, je n'étais plus un policier. J'étais un simple civil.

Et on a enfin aperçu le corps dénudé, ou du moins ce qu'il en restait. Aucune trace de vêtements dans les environs. La jeune femme avait été ligotée à un arbuste à l'aide, semblait-il, d'une épaisse lanière de cuir.

Soupir de Sampson :

— Oh, nom de Dieu, Alex.

14

— Qui est cette femme ? ai-je demandé doucement quand nous avons rejoint l'insolite rassemblement policier, le « bordel multijuridictionnel » selon l'expression utilisée par Nick Ruskin.

La victime était blanche. Impossible d'en dire beaucoup plus, car oiseaux et mammifères s'en étaient donné à cœur joie et son apparence n'avait plus rien d'humain. Pas d'yeux au regard figé, mais des orbites vides et noirâtres pareilles à des traces de brûlures. Plus de visage : l'épiderme et les chairs avaient été dévorés.

— D'où ils sortent, ces deux-là ?

La question, destinée à Ruskin, émanait de l'un des agents du FBI, une blonde d'une trentaine d'années, plutôt forte. Aussi laide que désagréable, la bouche écarlate et boursouflée, le nez bulbeux et crochu. Mais elle nous avait fait grâce du sourire FBI réglementaire, style joyeux campeur, ou de la non moins célèbre « joviale poignée de main ».

Nick Ruskin l'a aussitôt mouchée, un geste que pour une fois je trouvais sympathique :

— Je vous présente l'inspecteur Alex Cross et son équipier, l'inspecteur John Sampson. Ils viennent de Washington. La nièce de Cross a disparu de Duke sans laisser de traces. Il s'agit de Naomi Cross.

Puis, histoire d'achever les présentations :

— Joyce Kinney, agent spécial chargé de l'enquête.

L'agent Kinney nous a regardés avec un froncement de sourcils contrarié, voire menaçant :

— Vous allez me faire le plaisir de retourner à vos voitures. S'il vous plaît. Cette affaire n'est pas de votre compétence et rien, d'ailleurs, ne vous autorise à être ici.

J'ai calmement mais fermement rétorqué à l'agent spécial Joyce Kinney :

— Comme vient de vous l'expliquer l'inspecteur Ruskin, ma nièce a disparu. En ce qui me concerne, cela me donne toute l'autorité nécessaire. Nous ne sommes pas venus jusqu'ici pour admirer l'intérieur cuir et le tableau de bord du coupé de l'inspecteur Ruskin.

Un type blond de vingt-cinq, trente ans, assez large de poitrine, s'est empressé de flanquer sa patronne pour annoncer :

— J'crois que vous avez tous entendu l'agent spécial Kinney. Soyez gentils de partir immédiatement.

En d'autres circonstances, la réaction de ce fonctionnaire plus royaliste que la reine aurait pu me faire sourire. Mais pas aujourd'hui. Pas sur les lieux d'un tel massacre.

Sampson a pris sa voix la plus grave, la plus sinistre :

— Ce n'est certainement pas vous qui allez nous arrêter. Ni vous, ni vos copains en tenue du dimanche.

— C'est bon, Mark. (L'agent Kinney s'était tournée vers le jeune homme.) On s'occupera de ça plus tard.

L'agent Mark a battu en retraite, non sans nous lancer un regard mauvais qui ressemblait beaucoup à celui dont m'avait gratifié sa supérieure. Ruskin et Sikes suivirent son repli avec de grands sourires.

On nous autorisait à demeurer sur les lieux du crime avec le FBI et la police locale. Les Belles et la Bête. La phrase de Ruskin, dans la voiture, me revenait à l'esprit. Naomi était sur le panneau. La jeune femme d'aujourd'hui y figurait-elle également jusqu'à ce qu'on retrouve son corps ?

Le temps chaud et humide des derniers jours avait accéléré la décomposition du cadavre. La jeune femme avait été attaquée par des animaux sauvages et j'espérais qu'elle avait eu la chance de mourir avant. Mais je n'y croyais pas trop.

J'ai remarqué la position inhabituelle de son corps. Elle gisait sur le dos. Ses deux bras étaient démis ; peut-être parce qu'elle s'était tordue en tous sens pour tenter de s'extraire des liens qui la ligotaient à l'arbre. Ce spectacle dépassait en horreur tout ce que j'avais pu voir dans les rues de Washington ou ailleurs. La victime n'était pas Naomi, et je n'en éprouvais quasiment aucun soulagement.

J'ai fini par m'entretenir avec l'un des experts légistes du FBI. Il connaissait un de mes amis dans la maison, Kyle Craig, basé à Quantico, en Virginie. Il m'a appris que Kyle avait une maison de campagne dans la région.

— En tout cas, cet enfoiré est intelligent, il a vraiment de la suite dans les idées. (L'expert du FBI aimait causer.) Il n'a rien laissé sur aucune des victimes que j'ai examinées. Pas un poil pubien, pas de sperme, pas même une trace de transpiration. Je serais étonné qu'on trouve ici de quoi établir un profil génétique. Ce qui est sûr, c'est que ce n'est pas lui qui l'a bouffée.

Avant qu'il ne m'entraîne sur le terrain de ses expériences du cannibalisme, je lui ai demandé :

— Il a des rapports sexuels avec les victimes ?

— Oui. Quelqu'un a eu des rapports répétés avec elles. Enormément de lésions et de plaies vaginales. Ce salaud est méchamment monté ou il se sert d'un ustensile de grande taille, mais il doit se couvrir d'une housse en cellophane quand il le fait. Ou alors il fait le ménage après. Pas de poils, pas de traces de fluides corporels. L'entomologiste a déjà fait ses prélèvements. Il pourra nous donner la date exacte de sa mort.

J'ai entendu un des agents grisonnants du FBI dire, un peu plus loin :

— Il pourrait s'agir de Bette Anne Ryerson. On a eu un avis de recherche la concernant. Blonde, un mètre soixante-dix, environ cinquante kilos. Elle portait une Seiko en or au moment de sa disparition. Un vrai canon, du moins à l'époque...

— Deux enfants, a complété l'une des femmes du FBI. Elle préparait un doctorat de lettres à North Carolina State. J'ai interrogé son mari, qui est professeur. J'ai rencontré les deux enfants. Mignons comme tout. Un an, trois ans. Quelle ordure, ce type.

Sa voix s'étranglait.

Je distinguais la montre-bracelet. Le ruban qui retenait ses cheveux, dénoué, reposait désormais sur son épaule. Elle n'était plus belle. Il ne restait d'elle qu'une masse informe et boursouflée et même en plein air, l'odeur du cadavre en pleine décomposition me soulevait le cœur.

Les orbites vides semblaient fixer une trouée en forme de lune dans les frondaisons des pins. Je me demandais quelle avait été sa dernière vision.

J'essayais d'imaginer « Casanova » cabriolant au plus profond de la forêt avant notre arrivée. Il devait avoir dans les vingt ou trente ans, être doté d'une certaine force physique. J'avais peur pour Scootchie, bien plus peur qu'avant...

Casanova. Le plus grand séducteur au monde... Tout, mais pas ça.

15

Plus de dix heures du soir, et nous étions encore là, dans cette atmosphère lugubre, l'estomac noué. Les phares jaunes éblouissants des voitures officielles et des véhicules de secours avaient été mis à contribution pour éclairer un sentier improvisé au milieu des bois obscurs. Il commençait à faire froid; un vent aigrelet nous giflait le visage.

Le corps de la victime n'avait toujours pas été déplacé.

Je regardais les spécialistes du Bureau passer la forêt au crible, collecter les indices, prendre des mesures. Les environs immédiats avaient été balisés, mais j'ai réussi à trouver assez de lumière pour faire un croquis et j'ai noté mes premières constatations. J'essayais de me souvenir de ce que j'avais appris sur le vrai Casanova. Aventurier, écrivain, libertin du dix-huitième siècle. J'avais dû lire une partie de ses mémoires.

Au-delà des évidences, qu'est-ce qui avait incité le tueur à choisir ce nom-là? Avait-il la conviction d'aimer réellement les femmes? Etait-ce là sa manière de le montrer?

Quelque part, un oiseau a poussé un cri épouvantable. Tout autour de nous, nous entendions également s'agiter de petits animaux sauvages, mais dans ces bois, nul ne songeait à Bambi. Les circonstances du meurtre étaient trop horribles.

Entre dix heures et demie et onze heures, un formidable grondement a déferlé comme un roulement de tonnerre sur notre forêt hantée. Des yeux inquiets se sont braqués sur le ciel bleu-noir.

— Voilà un air que je connais bien, a fait Sampson en voyant palpiter au nord-est les feux d'un hélicoptère en approche.

— Sans doute un appareil sanitaire qui vient enfin chercher le corps, dis-je.

Un hélicoptère bleu marine orné de filets couleur or tournoya au-dessus de la route et se posa en une fraction de seconde sur le macadam. Celui qui pilotait cet engin était un vrai pro.

Joyce Kinney et le directeur régional du Bureau étaient déjà repartis dans sa direction. Sampson et moi, nous les suivions à distance comme des importuns.

Dès notre arrivée, on a eu droit à un autre choc violent : on a immédiatement reconnu l'homme à l'allure distinguée, grand et un peu chauve, qui descendait de l'appareil.

Sampson s'est écrié :

— Mais qu'est-ce qu'il fout là, lui?

J'avais envie de poser la même question, j'avais eu la même réaction de malaise. C'était Ronald Burns, le directeur adjoint du FBI. Le numéro deux de la maison. Chez lui, Burns passait pour un véritable cauchemar, habile à exciter ses proies et à monter les gens les uns contre les autres.

Nous avions tous deux fait la connaissance de Burns lors de notre dernière affaire « multijuridictionnelle ». On disait que c'était un politique, un salaud, mais jamais il ne s'était comporté de cette manière à mon égard. Après avoir jeté un coup d'œil sur le corps de la victime, il a demandé à me parler. Les choses devenaient de plus en plus bizarres en Caroline.

Burns voulait que notre entretien se déroule hors de portée des grandes oreilles et des petits esprits de ses collègues.

— Alex, j'ai appris que votre nièce aurait été enlevée et je suis vraiment navré. J'espère que ce n'est pas le cas. Comme vous êtes sur place, vous allez peut-être pouvoir nous aider.

— Puis-je savoir ce que vous, vous faites ici? lui ai-je demandé.

Autant passer directement à la question à mille dollars.

Sourire de Burns, le temps d'exhiber ses dents de devant très blanches et très couronnées.

— Je regrette vraiment que vous ayez refusé ce poste.

A la suite de l'affaire Soneji, on m'avait proposé de jouer les officiers de liaison entre le FBI et la police de Washington. Burns faisait partie des hauts fonctionnaires avec lesquels j'avais eu des entretiens.

— Ce que j'apprécie le plus chez un responsable, c'est sa franchise.

Et moi, j'attendais toujours la réponse à la question que j'avais posée avec beaucoup de franchise.

Burns a fini par m'avouer :

— Je ne suis pas en mesure de vous révéler tout ce que vous aimeriez savoir. Ce que je peux vous dire, c'est que nous ne savons pas si votre nièce a été enlevée par ce malade. Il laisse très peu d'indices matériels, Alex. Il est extrêmement prudent et fait preuve d'un grand savoir-faire.

— C'est ce que je me suis laissé dire. Ce qui nous conduit à porter nos soupçons vers des groupes bien précis. Des policiers, des anciens du Viêt-Nam, des amateurs qui étudient la police. Il se peut également qu'il cherche à nous faire faire fausse route. Il veut peut-être orienter notre raisonnement.

Burns a hoché la tête :

— Je suis ici parce que cette histoire est devenue un merdier hautement prioritaire. Un truc énorme, Alex. Je ne peux pas, pour l'instant, vous dire pourquoi. Un truc énorme et classé confidentiel.

Il parlait comme un vrai ponte du FBI. Des mystères enrobés d'autres mystères. Soupir.

— Il y a une chose que je vais vous dire. On pense qu'il pourrait s'agir d'un collectionneur. Selon nous, il est possible qu'il garde un certain nombre de ces jeunes femmes à sa disposition... une sorte de harem privé, peut-être. Son harem.

Une idée aussi terrifiante qu'insolite, mais qui avait le grand mérite de me faire espérer : Naomi était peut-être encore en vie.

Sans me détacher de son regard, j'ai dit à Burns :

— Je veux être de la partie. Pourquoi ne pas tout me dire ?

J'ai précisé mes conditions :

— Avant d'émettre des théories, il faut que j'aie l'intégralité du tableau. Pourquoi rejette-t-il certaines femmes ? Si c'est ce qu'il fait.

— Alex, je suis désolé, je ne peux pas vous en dire plus pour l'instant.

Il a secoué la tête et fermé les yeux l'espace d'une seconde. J'ai compris qu'il était crevé.

— Mais vous vouliez voir comment je réagirais à votre hypothèse du collectionneur?

— Exact, a-t-il admis, enfin contraint de sourire.

— Un harem des temps modernes serait envisageable, à mon avis. C'est un fantasme masculin assez répandu. Cela dit, curieusement, c'est aussi l'un des grands fantasmes féminins. Il ne faut pas écarter cette piste-là.

Burns a noté tout ce que je lui ai dit et s'en est tenu là. Il m'a une nouvelle fois demandé de l'aider, en refusant pourtant de me révéler ce qu'il savait. Puis il est parti rejoindre les siens.

Sampson s'est approché de moi :

— Qu'avait à nous apprendre Sa Rigidité? Quel vent l'amène dans cette forêt impie auprès de nous autres, simples mortels?

— Il a dit quelque chose d'intéressant. Qu'il est possible que Casanova soit un collectionneur, qu'il monte peut-être son propre harem dans le coin. Et il m'a dit que l'affaire est énorme. L'adjectif est de lui.

« Enorme » signifiait que l'affaire était d'une extrême gravité, sans doute bien pire qu'il n'y paraissait pour l'instant. Je me demandais bien comment c'était possible, mais je ne tenais guère à connaître la réponse.

16

Kate McTiernan était plongée dans une réflexion étrange mais délicieusement lumineuse. Lorsque le faucon fond sur sa proie et la disloque, tout est dans la synchronisation.

Elle tenait cet enseignement de son dernier cours de

ceinture noire. Au karaté comme dans bien d'autres domaines, tout reposait sur une synchronisation parfaite. Et tant mieux si l'on était également capable, comme elle, de soulever son quintal.

Kate flânait dans Franklin Street. Mille odeurs, mille bruits se partageaient cette rue animée de Chapel Hill qui, du nord au sud, longeait le pittoresque campus de l'université de Caroline du Nord. Elle passa devant plusieurs librairies, des vendeurs de pizzas, des loueurs de Rollerblades, un glacier Ben & Jerry chez lequel on entendait hurler le groupe de rock White Zombie. Kate n'était pas flâneuse de nature, mais cette chaude et agréable fin d'après-midi l'incitait à s'offrir une pause lèche-vitrines.

Les visages familiers et sympathiques qui peuplaient cette ville universitaire la mettaient parfaitement à l'aise. Etudiante en médecine ou, comme aujourd'hui, interne, elle avait toujours adoré sa vie ici. Jamais elle n'avait eu la moindre envie de quitter Chapel Hill pour rentrer exercer en Virginie occidentale.

Et pourtant, elle le ferait. Elle en avait fait la promesse à sa mère, juste avant le décès de Beadsie McTiernan. Kate avait donné sa parole, et sa parole valait de l'or. Elle avait encore des principes vieillots. C'était une bonne provinciale.

Elle gardait les mains plongées au fond des grandes poches de sa blouse d'hôpital un peu froissée. Ses mains étaient la partie de son corps qu'elle aimait le moins. Des doigts noueux, des ongles inexistants et une double explication : elle travaillait comme une véritable esclave au service de cancérologie et pratiquait le karaté. Elle était Nidan, ceinture noire deuxième dan. C'était la seule soupape de sécurité qu'elle s'autorisait. Les cours de karaté étaient ses récréations.

Sur l'épinglette de sa poche de poitrine gauche, on pouvait lire : Dr K. McTiernan. Arborer ce signe de prestige et de distinction sociale tout en portant un pantalon flottant et des tennis relevait d'une forme de provocation aimable qu'elle ne reniait pas. Non qu'elle voulût se donner des allures de rebelle — ce qu'elle n'était pas, en fin de compte — mais elle tenait à conserver une infime part d'originalité au sein de la vaste communauté hospitalière.

Kate venait d'acheter à la librairie Intimate l'édition de poche du livre de Cormac McCarthy, *De si jolis chevaux*. Les internes de première année n'étaient pas censés avoir le temps de lire des romans, mais elle le trouvait. Ou du moins s'était-elle promis de le faire ce soir-là.

Le mois de mai approchait, et cette soirée était si douce, si parfaite à tous points de vue que Kate caressa un instant l'idée de faire une halte chez Spanky's, à l'angle de Columbia et Franklin. Elle pourrait s'installer au bar, sur un tabouret, et lire son bouquin.

Pour elle, pas question de faire des rencontres les « soirs de classe », ce qui signifiait la plupart des soirs. On lui faisait généralement grâce du samedi, mais elle était alors trop épuisée pour se prêter aux rites pré- et post-accouplement.

Il en allait ainsi depuis qu'elle et Peter McGrath avaient mis un terme à leurs relations en pointillé. Peter, trente-huit ans, doctorat d'histoire, était un surdoué beau comme un dieu et bien trop égocentrique à son goût. La séparation s'était révélée moins simple qu'elle ne l'avait escompté. Aujourd'hui, ils n'étaient même plus amis.

Quatre mois sans Peter, quatre mois d'abstinence. Ce n'était pas le Pérou, mais elle avait déjà connu des situations bien pires. En outre, elle savait qu'elle était à l'origine de cette rupture. Son problème, c'était qu'elle finissait toujours par se séparer de ses amants. Cela faisait partie des zones d'ombre de son passé. De son présent ? De son avenir ?

Kate McTiernan rapprocha sa montre-bracelet de son visage. Une montre Mickey Mouse que lui avait offerte sa sœur Carole Anne, qui fonctionnait parfaitement bien et lui rappelait en permanence : ce n'est pas parce qu'on t'appelle maintenant docteur que tu dois avoir la grosse tête.

Flûte ! Sa presbytie s'aggravait — et elle n'avait pas encore trente et un ans ! Elle était déjà une vieille dame, qui avait déjà eu l'honneur d'être la doyenne des étudiants en médecine. Il était plus de neuf heures et demie du soir. Que faisait-elle encore debout ?

Kate décida de renoncer à Spanky's et de rentrer au bercail. Elle allait se réchauffer un chili d'enfer, suivi peut-être d'un chocolat chaud garni d'une bonne couche de Marshmallow Fluff. Se mettre au lit avec des petites choses à grignoter, Cormac McCarthy et pourquoi pas R.E.M. était en fait une idée plutôt tentante.

A l'instar de la plupart des étudiants de Chapel Hill, et contrairement aux jeunes gens de bonne famille qui se retrouvaient chez Dook, en haut de Tobacco Road, Kate avait de gros problèmes de trésorerie. Elle vivait dans un trois-pièces, à l'étage d'une maison en bois, une maison typique de la Caroline du Nord. La peinture s'écaillait et la baraque, située tout au bout de Pittsboro Street, à Chapel Hill, donnait l'impression de fondre. Kate avait négocié un loyer intéressant.

La première chose qui l'avait frappée, dans ce quartier, c'était les arbres. Ce n'étaient pas des pins, mais de vieux et nobles arbres feuillus aux troncs denses et épais. Leurs longues branches lui faisaient penser à des bras et des doigts de vieilles femmes desséchées. Elle surnommait sa rue « Rue des Vieilles Dames » et il était tout naturel qu'elle, la vieille dame de la faculté, y eût élu domicile.

Kate arriva chez elle vers dix heures moins le quart. Personne n'occupait le rez-de-chaussée de la maison, propriété d'une veuve qui habitait Durham.

— Je suis rentrée. C'est moi, Kate, lança-t-elle à la famille de souris qui campait quelque part derrière le réfrigérateur et qu'elle ne pouvait se résoudre à éliminer. Je vous ai manqué ? Vous avez déjà mangé ?

Elle alluma le plafonnier de la cuisine et écouta le grésillement électrique qu'elle détestait tant. Son regard accrocha l'agrandissement d'une citation de l'un de ses profs de médecine : « L'étudiant en médecine doit pratiquer l'humilité. » Voilà bien un commandement qu'elle respectait parfaitement.

Une fois dans sa minuscule chambre à coucher, Kate enfila un polo noir fripé qu'elle ne se donnait jamais la peine de repasser. Le repassage, en ce moment, ne faisait pas partie de ses priorités. Mais cela figurait au nombre des arguments susceptibles de justifier la présence d'un homme — quelqu'un qui puisse bricoler, sortir les poubelles, faire le ménage, la cuisine, le repassage. Une vieille phrase féministe la faisait toujours sourire : « Une femme sans homme, c'est comme un poisson sans bicyclette. »

Kate bâilla à la seule pensée qu'elle devait se lever à cinq heures le lendemain matin pour affronter une journée de seize heures. Ah, elle adorait sa vie. Elle l'adorait !

Elle s'affala sur le lit double grinçant bordé de draps blancs. Seule note de fantaisie, deux foulards de mousseline aux couleurs vives ornaient l'un des montants.

Elle renonça à son menu chili-chocolat chaud au Marshmallow Fluff, posa *De si jolis chevaux* sur la pile des *Harper's* et *New Yorker* qu'elle n'avait pas lus, éteignit sa lampe de chevet et sombra dans le sommeil au bout de cinq secondes. Fin du monologue merveilleusement enrichissant qui avait meublé sa soirée.

Kate McTiernan était loin d'imaginer, de soupçonner que quelqu'un l'épiait, que quelqu'un l'avait suivie depuis sa balade dans Franklin Street, qu'elle avait été choisie.

C'était le tour du docteur Kate.

Nique-tac.

17

« Non ! se dit Kate. Je suis chez moi. » Elle faillit le dire à haute voix, mais ne voulait pas faire de bruit.

Il y avait quelqu'un dans son appartement !

Elle dormait encore à moitié, mais était quasiment certaine d'avoir reconnu le bruit anormal qui l'avait réveillée. Déjà son pouls s'accélérait. Elle eut un haut-le-cœur. « Mon Dieu, non. »

Pelotonnée près de la tête de lit, elle se figea. Quelques secondes longues comme des siècles s'écoulèrent encore. Surtout pas un geste, pas un souffle. Les rais d'une lune blafarde transperçaient ses fenêtres pour dessiner sur les murs de la chambre des ombres fantasmatiques.

Elle tendait l'oreille, guettant avec une concentration totale le moindre grincement, le moindre craquement.

Il n'y avait pour l'instant aucun bruit insolite dans la vieille demeure, mais Kate était certaine d'avoir entendu quelque chose. Les crimes des récents jours, les enquêtes sur les enlèvements commis dans le Triangle des Chercheurs avaient fait naître en elle un sentiment de peur. « Ne sombre pas dans le macabre, songea-t-elle. Tu te fais du cinéma. »

Elle se redressa lentement et écouta. Peut-être une fenêtre s'était-elle ouverte violemment sous l'effet d'un courant d'air. Mieux valait se lever et vérifier que tout était bien fermé.

Pour la première fois depuis quatre mois, Peter McGrath lui manquait réellement. Peter ne lui aurait pas été d'un grand secours, mais sa présence l'aurait sécurisée. Oui, même ce bon vieux Peter, si peu vaillant au lit.

Non qu'elle fût vraiment terrorisée, sans défense : elle était capable d'affronter presque n'importe quel homme. Elle était capable de se battre comme une lionne s'il le fallait. Peter avait coutume de dire, très sérieusement, qu'il « plaignait » celui qui aurait le malheur de lui chercher des noises. Physiquement, elle lui faisait un peu peur. Mais entre un combat réglé dans un dojo de karaté et une situation réelle, il y avait une différence. Et cette fois-ci, il ne s'agissait plus d'un jeu.

Kate se glissa silencieusement hors du lit. Pas un bruit. Elle était pieds nus. La fraîcheur et la rugosité des lattes du parquet déclenchèrent dans sa tête un signal de réveil et aussitôt, elle se mit en position de combat.

Wap !

Une main gantée lui écrasa la bouche et le nez ; elle crut entendre un craquement de cartilage.

Puis un corps d'homme imposant et très fort la plaqua au sol, la rivant de tout son poids aux lattes froides et dures du plancher.

Un athlète. Son cerveau analysait chaque élément d'information. Elle s'efforçait de rester lucide et concentrée.

Très vigoureux. Il avait de l'entraînement !

Il cherchait à la priver d'air. Il savait parfaitement ce qu'il faisait. Décidément, il avait de l'entraînement !

Elle se rendit compte qu'il ne portait pas de gants. C'était un morceau de tissu. Lourd et imbibé, qui l'étouffait.

Se servait-il de chloroforme? Non, elle ne sentait rien. De l'éther, peut-être? De l'halothane? Où aurait-il pu se procurer des anesthésiques?

L'esprit de Kate commençait à s'embrumer. Elle craignit de perdre conscience. Il fallait qu'elle parvienne à se dégager.

Elle replia ses jambes, fit brusquement basculer son corps sur la gauche et projeta tout son poids vers le mur peuplé d'ombres blêmes. En une fraction de seconde, elle se libéra de l'étreinte de son assaillant.

— Ce n'est pas une bonne idée, Kate, dit-il dans l'obscurité.

Il connaissait son nom!

18

L'attaque du faucon... une question de synchronisation. Et maintenant, de cette synchronisation dépendrait sa survie.

Kate luttait de toutes ses forces pour demeurer lucide, mais le produit puissant dont l'agresseur avait imbibé son tissu avait commencé à agir. Elle parvint à lui décocher dans l'aine un coup de pied latéral aux trois quarts de sa puissance. Elle toucha quelque chose de dur. Oh, merde!

Il avait pris ses précautions. Une coquille protégeait ses fragiles parties génitales. Il savait quels étaient ses points forts. Oh, Dieu du ciel, non. Comment pouvait-il la connaître aussi bien?

— Ce n'est pas très gentil, Kate, murmura-t-il. Pas très

sympathique, comme accueil. Je sais ce que vous valez au karaté. Vous me fascinez.

Les yeux écarquillés, elle sentait son cœur battre si fort qu'elle avait l'impression que cela s'entendait dans la pièce. Il lui faisait une peur de tous les diables. Il était fort et rapide, il savait qu'elle pratiquait le karaté, il savait quel serait son prochain geste.

Elle hurla à pleins poumons : « A l'aide ! Quelqu'un, au secours ! »

Elle tentait simplement de le faire fuir car rue des Vieilles Dames, il n'y avait personne d'autre dans un rayon de huit cents mètres.

Des mains puissantes comme des tenailles se posèrent sur elle et réussirent à lui saisir le bras juste au-dessus du poignet. Kate se dégagea en poussant un grand cri.

Il avait plus de force que les meilleures ceintures noires de son club de karaté à Chapel Hill. Une bête, songea Kate. Une bête sauvage... parfaitement lucide et très rusée. Un athlète professionnel ?

Dans son esprit submergé par la peur et le désarroi surgit la plus importante des leçons que lui avait enseignées son *sensei* au dojo : « Evite les combats. Lorsqu'il y a combat, si tu le peux, sauve-toi. » En plusieurs siècles d'arts martiaux, c'était ce qu'on avait trouvé de mieux. Celui qui ne se bat jamais peut toujours se battre un autre jour.

Elle se rua hors de la chambre et s'engouffra dans le couloir étroit et sinueux qu'elle connaissait bien. « Evite les combats. Lorsqu'il y a combat, sauve-toi, se répétait-elle. Sauve-toi, sauve-toi, sauve-toi. »

Ce soir-là, l'appartement paraissait plus sombre que d'habitude. Elle s'aperçut que l'homme avait tiré tous les rideaux et les stores. Présence d'esprit. Calme. Et détermination.

Il fallait qu'elle soit meilleure que lui, plus déterminée que lui. Une phrase de Sun-tzeu lui martelait le crâne : « Une armée victorieuse remporte ses victoires avant d'engager le combat. » L'intrus raisonnait exactement comme Sun-tzeu, comme son *sensei*. Pouvait-il s'agir d'un membre de son dojo de karaté ?

Kate parvint à atteindre le salon. Elle n'y voyait goutte.

Là aussi, il avait tiré les rideaux. Vision et sens de l'équilibre sérieusement perturbés, elle voyait en double toutes les formes et les ombres de la pièce. Elle maudissait ce type...

Le produit qu'elle avait respiré l'entraînait dans un océan cotonneux. Elle songea aux autres femmes qui avaient disparu dans le comté d'Orange et celui de Durham. Par le journal télévisé, elle avait appris qu'on avait découvert un autre corps. Celui d'une jeune mère de deux enfants.

Il fallait qu'elle sorte de la maison. L'air frais l'aiderait peut-être à retrouver ses esprits. Elle tituba jusqu'à la porte d'entrée.

Quelque chose lui barrait le chemin. Il avait poussé le canapé devant la porte ! Kate n'avait plus assez de force pour l'écarter.

Au désespoir, elle se remit à hurler :

— Peter ! Viens m'aider ! Aide-moi, Peter !

— Taisez-vous, Kate. D'ailleurs, vous ne voyez plus Peter McGrath. Vous le trouvez nul. Qui plus est, sa maison se trouve à treize kilomètres d'ici. Treize kilomètres cinq, j'ai vérifié.

Il parlait sur un ton si calme, si mesuré. Un jour comme un autre au service de psychopathologie. Et il ne faisait pas de doute qu'il la connaissait, qu'il savait tout sur Peter McGrath, qu'il savait tout, point.

Il se trouvait quelque part derrière elle, tout près, dans le noir. Nulle trace d'urgence ni de panique dans sa voix. Pour lui, c'était une promenade de santé.

Kate se déplaça brusquement vers la gauche pour s'éloigner de cette voix, pour s'éloigner du monstre qui s'était introduit chez elle.

Une violente douleur lui cisailla le corps. Elle gémit.

Elle s'était cogné le tibia contre la table basse, l'horrible table basse en verre. Un cadeau de sa sœur Carole Anne qui, pensant sans doute bien faire, s'était mis en tête d'apporter à son intérieur une touche de raffinement. Oh, Dieu du ciel, ce qu'elle pouvait détester cette table. Sa jambe gauche était à la torture.

— On s'est fait mal à l'orteil, Kate ? Vous ne devriez pas courir comme ça, dans le noir.

Il riait d'un rire qui paraissait tellement normal, pour ne

pas dire amical. Il s'amusait. Pour lui, c'était un grand jeu. Une partie entre garçon et fille, dans le noir.

— Qui êtes-vous? lui cria-t-elle...

Et soudain, une idée lui traversa l'esprit : « Pourrait-il s'agir de Peter? Peter est-il devenu fou? »

Elle allait s'évanouir, elle le sentait. La drogue qu'il lui avait fait inhaler la privait désormais de la force nécessaire pour fuir. Il savait qu'elle était ceinture noire. Et sans doute savait-il également qu'elle pratiquait les haltères.

Elle se retourna — et se retrouva face au faisceau d'une puissante lampe-torche. La lumière l'aveuglait.

Il écarta sa lampe-torche, mais des cercles de lumière résiduelle dansaient encore devant les yeux de Kate. Elle se mit à battre des paupières, parvint à peine à distinguer une silhouette d'homme de grande taille. Un mètre quatre-vingts, les cheveux longs.

Elle ne voyait pas son visage; tout au plus discernait-elle son profil. Son visage avait quelque chose de bizarre. Pourquoi? Quel était son problème?

C'est alors qu'elle vit l'arme.

— Non, dit-elle, ne faites pas ça. Je vous en prie... non.

— Mais si, mais si, lui répondit-il dans un murmure, comme s'il soufflait des mots d'amour.

Puis, tranquillement, il visa Kate McTiernan en plein cœur.

19

Le dimanche matin, de bonne heure, l'affaire Casanova s'est encore aggravée. J'ai dû conduire Sampson à l'aéroport international de Raleigh-Durham. Il fallait qu'il soit à son bureau de Washington l'après-midi même. Quelqu'un devait protéger la capitale pendant que je travaillais ici.

Depuis la découverte du cadavre de la troisième femme, l'enquête virait au rouge. Sur les lieux du crime, la collecte d'indices se poursuivait et des fonctionnaires des eaux et forêts s'étaient même joints à la police locale et au FBI. La veille, nous avions eu droit à la présence du directeur adjoint, Ronald Burns. Pourquoi ?

Avant de passer sous le portique de sécurité American Airlines, Sampson m'a gratifié d'une énorme accolade. On devait ressembler à deux ailiers des Washington Redskins venant de remporter le Super Bowl, ou en 1991, l'année où ils n'ont même pas joué les barrages.

— Je sais ce que Naomi représente pour toi, m'a-t-il chuchoté à la tempe. Je comprends un peu ce que tu ressens. Si tu as encore besoin de moi, tu me passes un coup de fil.

On s'est fait une petite bise sur la joue à la manière de Magic Johnson et Isiah Thomas avant leurs matches de championnat, ce qui nous a valu quelques regards amusés de la part des pékins amassés autour des détecteurs de métal. Sampson et moi, on s'adore et on n'a pas honte de le montrer. Ce qui n'est pas courant pour des durs à cuire, amateurs d'action, comme nous.

— Fais gaffe aux fédéraux. Méfie-toi des types d'ici, surveille tes arrières. Regarde aussi devant. Ruskin ne me plaît pas, et Sikes ne me plaît vraiment pas.

Sampson a poursuivi ses recommandations :

— Tu vas retrouver Naomi. Je te fais confiance, comme toujours. C'est ma version et je m'y tiens.

Le Grand Bonhomme a fini par s'éloigner sans se retourner une seule fois.

J'étais là, tout seul, dans le Sud.

Et une fois de plus, je traquais des monstres.

20

Dimanche, vers une heure de l'après-midi, j'ai parcouru à pied le chemin séparant mon hôtel, le Washington Duke Inn, du campus de Duke.

Je venais de m'offrir un vrai petit déjeuner façon Caroline du Nord : un pot et demi de bon café brûlant, des œufs au plat pas trop cuits accompagnés de jambon bien salé, de biscuits, de sauce à la viande et de gruau de maïs. Au restaurant, j'avais entendu une chanson country : « Un jour, je ne serai plus là pour prendre ta poêle en pleine figure. »

Je me sentais à la fois déphasé et nerveux, et cette belle petite balade de huit cents mètres jusqu'au campus ne pouvait que me faire du bien. Je me la suis prescrite, puis j'ai écouté le médecin. La scène à laquelle j'avais assisté la veille m'avait secoué.

J'avais encore très nettement en mémoire l'époque où Naomi était une gamine et où j'étais son meilleur copain. On chantait des chansons comme *Incey Wincey Spider* et *Silkworm, silkworm*. D'une certaine manière, c'était elle qui m'avait appris à être ami avec Jannie et Damon. Elle m'avait préparé à être un bon père.

En ce temps-là, mon frère Aaron emmenait Scootchie avec lui au Capri Bar, sur la Troisième Avenue. Mon frère avait décidé de boire jusqu'à ce que mort s'ensuive et cet environnement n'avait rien d'idéal pour une petite fille, mais Naomi s'en sortait bien. Dès son plus jeune âge, elle avait compris qui était son père, ce qu'était son père, et l'avait accepté. Quand elle et Aaron passaient chez nous, mon frère était généralement un peu gai, pas encore vraiment saoul. Et c'était Naomi qui le prenait en charge. Il faisait l'effort de ne pas boire quand elle était là. Le problème, c'est que Scootchie ne pouvait pas être tout le temps là pour le sauver.

Ce dimanche à une heure, j'avais rendez-vous avec le doyen des femmes de Duke. Je suis allé au bâtiment Allen, à deux pas de Chapel Drive. Les premier et second étages y abritaient plusieurs services administratifs.

Le doyen des femmes était un homme grand et bien bâti du nom de Browning Lowell. Naomi m'avait beaucoup parlé de lui ; elle le considérait autant comme un proche conseiller que comme un ami. Cet après-midi-là, j'ai donc rencontré le doyen Lowell. Son bureau, cossu, peuplé de gros livres anciens, donnait sur les magnolias et les ormes de Chapel Drive jusqu'aux Cours. Un cadre particulièrement impressionnant, comme tout le reste du campus. Avec ses innombrables édifices de style gothique, Duke évoquait une sorte d'Oxford du Sud.

— Naomi a fait de moi l'un de vos admirateurs, m'a-t-il dit quand nous nous sommes serré la main.

Il avait une poigne redoutable, ce qui, compte tenu de son physique, ne m'étonnait guère.

Browning Lowell était un homme considérablement musclé, d'environ trente-cinq ans, beau garçon. J'avais l'impression de lire dans le bleu pétillant de son regard une indéfectible joie de vivre. C'était, je m'en souvenais, un ancien athlète de rang mondial. Etudiant en licence à Duke, il devait être l'une des vedettes de l'équipe américaine aux Jeux olympiques de Moscou, en 1980.

Malheureusement pour lui, au début de l'année, la presse avait révélé que Browing Lowell était homosexuel et qu'il entretenait une liaison avec un joueur de basket bien connu. Il avait quitté l'équipe olympique avant même le boycott. A ma connaissance, les faits n'avaient jamais été démontrés. Lowell s'était néanmoins marié ; il vivait aujourd'hui à Durham avec son épouse.

Je le trouvais compréhensif et chaleureux. Nous en sommes venus au douloureux chapitre de la disparition de Naomi. L'enquête en cours lui inspirait les mêmes soupçons et les mêmes craintes qu'à moi.

— J'ai l'impression que la presse locale n'établit pas le rapport simple et logique entre les meurtres et les disparitions. Cela m'échappe. Sur le campus, nous avons mis toutes les femmes en garde.

Et de m'expliquer qu'on avait demandé aux étudiantes de signer des registres d'entrée et de sortie de leurs résidences. Le soir, on les encourageait à sortir accompagnées.

Avant mon départ, il a téléphoné à la résidence universitaire de Naomi afin, selon lui, de faciliter ma démarche. Il tenait à faire tout ce qui était en son pouvoir pour m'aider.

— Il y a presque cinq ans que je connais Naomi, m'a-t-il dit en passant sa main dans ses cheveux blonds plutôt longs. J'éprouve une infime partie de ce que vous devez ressentir et je suis tellement navré, Alex. Ici, cette histoire nous a tous fichu un sacré coup.

J'ai remercié le doyen Lowell et j'ai quitté son bureau. Il m'avait ému et je me sentais un peu mieux. J'ai pris la direction des résidences universitaires. Devinez qui vient prendre le thé ?

21

J'étais devenu Alex au pays des merveilles.

Le cœur de la cité universitaire de Duke, lui aussi, avait tout d'un lieu idyllique. Des maisons plus petites et quelques pavillons remplaçaient les habituels édifices gothiques. La cour Myers, bordée de parterres de fleurs parfaitement entretenus, jouissait de l'ombre que lui prodiguaient de grands chênes vénérables et de magnifiques magnolias. Gloire soit rendue à Dieu d'avoir inventé les taches de lumière.

Un cabriolet BMW gris métallisé était garé devant le bâtiment. Sur le pare-chocs avant, un autocollant : MA FILLE ET MON SALAIRE SONT A DUKE.

A l'intérieur de la résidence, le salon s'ornait de parquets cirés et de tapis d'Orient suffisamment usés pour donner le change. En attendant Mary Ellen Klouk, j'ai admiré le décor. La pièce était surchargée de fauteuils et canapés de style, de hautes commodes d'acajou. Il y avait des banquettes sous les deux fenêtres.

Mary Ellen Klouk est descendue quelques minutes après mon arrivée. On s'était déjà vus cinq ou six fois. Pas loin d'un mètre quatre-vingts, les cheveux blond cendré, c'était une belle femme. Comparable, par certains aspects, à celles qui avaient mystérieusement disparu. Le corps qu'on avait retrouvé dans les bois, près d'Efland, à demi dévoré par les animaux, était celui d'une femme qui elle aussi avait été une belle blonde.

Je me demandais si le tueur avait déjà vu Mary Ellen Klouk. Pour quelles raisons avait-il choisi Naomi ? Comment arrêtait-il son choix ? Combien de jeunes femmes avaient été choisies à ce jour ?

— Bonjour, Alex. Je suis bien contente de vous voir.

Mary Ellen m'a pris la main et l'a serrée entre les siennes. Dans ma tête défilait une succession de souvenirs parfois agréables, parfois douloureux.

On a décidé de sortir de la résidence pour se promener sur les pelouses du campus ouest. J'avais toujours aimé Mary Ellen. Elle avait fait des études d'histoire et de psychologie. Je me souvenais d'une soirée, à Washington, passée à discuter de psychanalyse. Ses connaissances en matière de traumatisme psychologique valaient quasiment les miennes.

— Désolée de n'avoir pu être là pour vous accueillir à Durham, me dit-elle tandis que nous marchions vers l'est au milieu de splendides constructions de style gothique édifiées dans les années vingt. Mon frère passait son bac vendredi. Mon petit frère Ryan, qui fait en réalité plus de deux mètres et sûrement plus de cent kilos. C'est le chanteur des Scratching Blackboards. Je suis rentrée ce matin, Alex.

Au moment de traverser une belle petite rue du nom de Wannamaker Drive, j'ai demandé à Mary Ellen :

— Quand avez-vous vu Naomi pour la dernière fois ?

Cette manière d'interroger l'amie de Naomi comme l'aurait fait n'importe quel inspecteur de la criminelle me paraissait totalement incongrue, mais il fallait en passer par là.

La question avait fait mal. Après une profonde inspiration, Mary Ellen m'a répondu :

— Il y a six jours. On est allées à Chapel Hill ensemble, en voiture. On travaillait pour Un Toit Pour Tous.

Un Toit Pour Tous était une association d'entraide qui réhabilitait des logements pour les démunis. Naomi ne m'avait jamais signalé qu'elle faisait partie de ses bénévoles.

— Vous avez revu Naomi depuis?

Mary Ellen a secoué la tête, faisant doucement tinter les clochettes de danse qui ornaient son cou. J'ai soudain eu l'impression qu'elle ne souhaitait pas me regarder.

— Malheureusement, c'est la dernière fois qu'on s'est vues. C'est moi qui suis allée trouver la police. J'ai appris que dans la plupart des cas de disparition, on attendait vingt-quatre heures avant d'entamer des recherches. Quand ils se sont décidés à lancer un avis général pour Naomi, plus de deux jours et demi s'étaient déjà écoulés. Savez-vous pourquoi?

J'ai fait non de la tête, mais je ne voulais pas enfoncer le clou devant elle. J'ignorais toujours pourquoi un tel halo de silence entourait cette affaire. Dans la matinée, j'avais essayé de joindre l'inspecteur Nick Ruskin à plusieurs reprises, lui laissant des messages auxquels il n'avait toujours pas répondu.

— Vous pensez que la disparition de Naomi pourrait avoir un rapport avec les autres cas de ces derniers jours? m'a demandé Mary Ellen.

La douleur transperçait ses yeux bleus.

— Il se peut qu'il y ait un lien, mais on n'a trouvé aucun indice dans le parc Sarah Duke. Très franchement, Mary Ellen, on dispose de très peu de choses.

Si Naomi avait été enlevée dans un jardin public, sur le campus même, aucun témoin n'avait assisté à la scène. On l'avait aperçue dans le parc une demi-heure avant son cours sur les contrats, auquel elle n'avait pas assisté. Dans son domaine, Casanova était un redoutable expert. Un vrai fantôme. Et tout aussi terrifiant.

On a bouclé notre promenade à l'endroit où nous avions commencé. Une allée gravillonnée de vingt, trente mètres menait à la résidence, située légèrement en retrait. Derrière de hautes colonnes blanches, une immense véranda abritait une pléiade de fauteuils à bascule et tables en osier d'un blanc étincelant. Le style d'avant-guerre, l'un de mes préférés.

— Vous savez, Alex, ces temps derniers, Naomi et moi n'étions plus tellement proches, m'a soufflé Mary Ellen sur le ton de la confidence. Je suis désolée. Je me suis dit qu'il valait mieux que vous le sachiez.

En pleurs, elle s'est penchée vers moi pour m'embrasser sur la joue, puis je l'ai vue gravir à toutes jambes l'escalier de pierre poli par les ans et disparaître à l'intérieur.

Encore une troublante énigme à résoudre.

22

Casanova observait le Dr Alex Cross. Son esprit vif et acéré bourdonnait comme un ordinateur sophistiqué — peut-être l'ordinateur le plus rapide du Triangle des Chercheurs.

« Regardez-moi Cross, murmurait-il. Il rend visite à l'ancienne amie de Naomi ! Vous ne trouverez rien ici, docteur. Vous n'êtes même pas chaud. En fait, vous êtes de plus en plus froid. »

Il suivait Alex Cross à bonne distance à travers le campus de Duke. Il avait beaucoup lu sur Cross. Il savait tout du psychologue-inspecteur qui s'était rendu célèbre en traquant dans Washington un kidnappeur meurtrier. Le crime du siècle, avait-on dit, mais ce n'était que coups de presse et foutaises.

« Alors, qui est le plus fort à ce jeu ? avait-il envie de crier au Dr Cross. Je sais qui vous êtes, et vous, vous ne savez que dalle sur moi. Jamais vous ne saurez quoi que ce soit. »

Cross s'arrêta. Il sortit un calepin de sa poche-revolver et prit une note.

« Qu'est-ce donc, docteur ? On vient d'avoir une idée qui pourrait se révéler importante ? J'en doute. Très sincèrement, j'en doute.

« Le FBI, la police locale, ils sont tous sur mes traces depuis des mois. Je présume qu'eux aussi prennent des notes, mais il n'y en a pas un qui possède le moindre indice... »

Casanova regarda Alex Cross poursuivre son chemin sur le campus jusqu'à le perdre de vue. Imaginer que Cross pût suivre sa trace et le capturer était proprement impossible. C'était tout bonnement hors de question.

Il se mit à rire mais dut se contenir car le dimanche après-midi, le campus de Duke était assez fréquenté.

« Personne ne possède le moindre indice, docteur Cross. Vous saisissez, non ? C'est cela, l'indice ! »

23

J'étais de nouveau sur le terrain.

Lundi, j'ai passé le plus clair de la matinée à interroger des gens qui connaissaient Kate McTiernan. La dernière victime en date de Casanova était une interne de première année enlevée dans son appartement, aux abords de Chapel Hill.

Je voulais essayer d'établir un profil psychologique de Casanova, mais je manquais d'informations. Point. Le FBI ne m'aidait pas. Nick Ruskin n'avait toujours pas répondu à mes messages.

A la fac de médecine de North Carolina, un professeur, une femme, me déclara que Kate McTiernan était l'une des étudiantes les plus consciencieuses qu'il lui eût été donné d'avoir. Un autre me confia que son sérieux et son intelligence étaient certes notables, mais que « ce qu'il y avait de vraiment extraordinaire chez Kate, c'était son tempérament ».

A cet égard, les avis étaient unanimes. En dépit des rivalités, les internes eux-mêmes s'entendaient pour reconnaître que Kate McTiernan était une personnalité à part. « C'est la femme la moins narcissique que j'aie jamais rencontrée », me dit l'une des internes. « Kate est très exigeante, me déclara une autre, mais elle le sait et elle reste capable de rire d'elle-même. C'est vraiment quelqu'un de bien. A l'hôpital, on est tous très tristes. Ça nous fait un choc. » Ou encore : « C'est une tête, et en plus, elle est canon. »

J'ai appelé Peter McGrath, un professeur d'histoire ; il a fallu que j'insiste pour qu'il accepte de me recevoir. Kate était sortie avec lui pendant près de quatre mois, mais leur liaison avait pris brutalement fin. Le professeur McGrath était grand, d'allure athlétique, un peu autoritaire.

— Je pourrais vous dire qu'en la perdant, j'ai fait une énorme connerie, m'avoua-t-il. C'est vrai. Mais jamais je n'aurais pu tenir face au rocher Kate. C'est sans doute la personne la plus déterminée, homme ou femme, à laquelle j'aie jamais eu affaire. Je n'arrive pas à croire ce qui est arrivé à Kate.

Il était blême, visiblement secoué par la disparition de la jeune femme. Du moins, s'il fallait se fier aux apparences.

J'ai fini par dîner tout seul dans un bar bruyant du quartier universitaire de Chapel Hill. L'endroit grouillait d'étudiants et ça se bousculait autour de la table de billard, mais je suis resté dans mon coin avec mes bières, un cheeseburger bien gras qu'on avait dû tailler dans une chambre à air, et mes premières réflexions sur Casanova.

Cette longue journée m'avait épuisé. J'avais envie de revoir Sampson, les enfants, ma maison de Washington. Je rêvais d'un monde douillet, sans monstres. Mais Scootchie manquait toujours à l'appel, tout comme plusieurs autres jeunes femmes du Sud-Est.

Je ne cessais de repenser à Kate McTiernan et à ce qu'on m'avait dit sur elle dans la journée.

C'est ainsi qu'on finit par résoudre les affaires, ou du

moins était-ce ainsi que je les avais toujours résolues. Je collectais des données, ces données circulaient dans le cerveau et au bout d'un moment, les liaisons se faisaient.

Une évidence m'est soudain venue à l'esprit. Casanova ne se contente pas de prendre des femmes qui sont physiquement belles, il prend les femmes les plus exceptionnelles qu'il puisse trouver. Il ne prend que les bourreaux des cœurs... les femmes que tout le monde désire et que personne ne semble réussir à avoir.

Il est en train d'en faire une collection, quelque part dans la région.

Mais pourquoi des femmes exceptionnelles? me suis-je demandé.

Il n'y avait qu'une réponse possible. Parce qu'il est persuadé d'être lui aussi un homme d'exception.

24

J'ai failli retourner voir Mary Ellen Klouk, mais je me suis ravisé et je suis rentré au Washington Duke Inn. Quelques messages m'attendaient.

Le premier émanait d'un copain de la police de Washington. Il était en train de réunir les éléments dont j'avais besoin pour établir un profil valable de Casanova. J'avais emporté un ordinateur portable et espérais bien m'en servir dans les meilleurs délais.

Un journaliste, Mike Hart, avait appelé à quatre reprises. Je connaissais ce nom, tout comme celui de son journal — le *National Star*, un hebdo à scandales publié en Floride. Il signait ses papiers No-Heart Hart, Hart l'Impitoyable. Je n'ai pas rappelé l'Impitoyable. J'avais déjà eu l'occasion de faire la une du *Star* et l'expérience m'avait suffi.

L'inspecteur Nick Ruskin avait fini par répondre à l'un de mes appels. Il avait laissé un message laconique : « Rien de neuf ici. Je vous tiens au courant. » J'avais du mal à le croire. L'inspecteur Ruskin et son fidèle bras droit Davey Sikes ne m'inspiraient aucune confiance.

Je me suis assoupi dans un bon gros fauteuil et j'ai dormi d'un sommeil agité, émaillé de terribles cauchemars. Une monstrueuse créature sortie tout droit d'un tableau d'Edvard Munch pourchassait Naomi, et je ne pouvais rien faire. Je me contentais d'observer, horrifié, cette scène macabre. Nul besoin d'un psychothérapeute chevronné pour interpréter un tel rêve.

Quand je me suis réveillé, j'ai senti qu'il y avait quelqu'un dans ma chambre d'hôtel.

Tout doucement, j'ai posé ma main sur la crosse de mon arme. Ne pas bouger. Mon cœur battait à tout rompre. Comment quelqu'un avait-il pu pénétrer dans la pièce ?

Lentement, j'ai quitté le fauteuil en veillant à rester accroupi, en position de tir. J'ai regardé autour de moi, les yeux écarquillés dans la pénombre.

Je n'avais pas entièrement tiré les tentures de chintz, ce qui laissait filtrer suffisamment de lumière pour que je puisse distinguer les formes. A part le feuillage des arbres offrant un ballet d'ombres sur les murs de la chambre, rien ne bougeait.

J'ai inspecté la salle de bains, précédé de mon pistolet Glock. Puis les placards. Je commençais à me sentir vaguement ridicule, à fouiller ainsi ma chambre, l'arme au poing, mais j'avais bel et bien entendu un bruit !

Et finalement, j'ai aperçu un bout de papier sous la porte. J'ai attendu quelques secondes avant d'allumer la lumière, histoire de ne pas prendre de risques.

J'avais sous les yeux une photographie noir et blanc. Immédiatement, un certain nombre de rapprochements se sont faits dans mon esprit. C'était une carte postale de l'Empire colonial britannique, sans doute du début du siècle. A l'époque, ces cartes pseudo-artistiques faisaient le bonheur des collectionneurs occidentaux en mal d'illustrations érotiques.

Je me suis penché pour examiner de plus près ce vieux cliché.

On y voyait une odalisque fumant une cigarette turque dans une posture extrêmement acrobatique. Une belle jeune fille à la peau sombre, qui devait avoir une quinzaine d'années. Elle était nue jusqu'à la taille, et sa pose renversée faisait retomber ses seins épanouis.

De la pointe d'un crayon, j'ai fait basculer la carte.

Près de l'emplacement prévu pour le timbre, une légende : *Les odalisques d'une grande beauté et d'une intelligence supérieure faisaient l'objet de soins particuliers. Destinées à devenir concubines, elles apprenaient à danser de la plus belle manière, à jouer de divers instruments de musique ainsi qu'à écrire des poèmes d'un lyrisme exquis. Elles étaient les femmes les plus précieuses du harem, et peut-être le plus grand trésor de l'empereur.*

La légende était signée, à l'encre, d'un nom en lettres capitales : *GIOVANNI GIACOMO CASANOVA DE SEINGALT.*

Il savait que j'étais ici, à Durham. Il savait qui j'étais.

Casanova avait laissé sa carte de visite.

25

« Je suis en vie. »

Lentement, avec difficulté, Kate McTiernan ouvrit les yeux à l'intérieur d'une pièce faiblement éclairée... quelque part.

Le temps de deux ou trois battements de paupières, elle crut être dans un hôtel où elle ne se souvenait pas avoir pris une chambre. Un hôtel totalement bizarre dans un film de Jim Jarmush encore plus bizarre. Mais cela n'avait guère d'importance. Au moins, elle était en vie.

Soudain, elle se souvint qu'on lui avait tiré dans la poitrine, à bout portant. Elle se souvint de son agresseur. Grand... cheveux longs... ton sociable et posé... un malade de haut vol.

Elle entreprit de se lever, mais se ravisa immédiatement pour lancer : « Y'a quelqu'un ? » Sa gorge était sèche, et l'écho de sa voix rauque roulait douloureusement à l'intérieur de son crâne. Elle avait une furieuse envie de se raser la langue.

« Je suis en enfer. Dans l'un des cercles de l'Enfer de Dante, avec un tout petit numéro. »

Elle se mit à frissonner. Elle vivait un instant de pure terreur, mais tout cela était si horrible, si déconcertant qu'elle ne pouvait se résoudre à l'accepter.

Son corps meurtri n'était plus qu'une immense et douloureuse courbature ; elle ne se sentait même plus capable de soulever une cinquantaine de kilos. Elle avait l'impression d'avoir la tête enflée, gonflée comme un fruit trop mûr, mais malgré la douleur, elle se souvenait parfaitement de son agresseur. Il était grand, peut-être pas loin de deux mètres, plutôt jeune, extrêmement fort, et s'exprimait avec beaucoup d'aisance. Les images qu'elle revoyait étaient floues, mais leur réalité ne faisait pour elle aucun doute.

Un autre élément de l'horrible agression dont elle avait été victime chez elle lui revint en mémoire : il s'était servi d'un pistolet paralysant pour l'immobiliser. Il avait également utilisé du chloroforme, à moins que ce ne fût de l'halothane. Ce qui pouvait expliquer ses violents maux de tête.

Il avait volontairement laissé la lumière allumée. Celle-ci, remarqua Kate, provenait de plafonniers à variateur, d'aspect moderne. La hauteur sous plafond de la pièce ne devait guère excéder deux mètres dix.

On aurait dit que cette chambre venait d'être construite, ou refaite à neuf. Elle était décorée avec goût, comme Kate aurait pu le faire chez elle, eût-elle disposé des moyens et du temps nécessaires... Un vrai lit en cuivre. Une commode ancienne blanche avec poignées de cuivre. Une coiffeuse avec brosse en argent, peigne, miroir. Des foulards aux couleurs vives noués autour des montants du lit, tout comme chez elle. Etrange, très étrange.

Dans cette pièce, il n'y avait pas de fenêtre. La seule issue semblait une porte de bois massif.

« Sympa, la déco, murmura doucement Kate. Barjo haute époque. »

La porte d'un placard était entrouverte. Ce qu'elle vit à l'intérieur lui donna un haut-le-cœur.

Il avait apporté tous ses vêtements dans cet endroit horrible, cette étrange cellule de prison. Tous ses vêtements étaient là.

Kate McTiernan sollicita le peu de forces qu'il lui restait pour se redresser sur son lit. L'effort fit s'emballer son cœur ; le martèlement sous ses côtes l'affola. Elle avait l'impression qu'on lui avait attaché des poids aux jambes et aux bras.

Elle se concentra autant qu'elle le put en essayant de ne pas quitter des yeux l'incroyable spectacle. Son regard resta rivé sur l'intérieur du placard.

En réalité, ces vêtements n'étaient pas les siens. Il était allé acheter des vêtements identiques aux siens ! Tout à fait son style, ses goûts. Ceux qui se trouvaient dans le placard étaient neufs, comme en attestaient les étiquettes suspendues aux chemisiers et aux jupes. The Limited. The Gap, à Chapel Hill. Les boutiques où elle avait elle-même coutume de faire ses achats.

Son regard fila jusqu'à la commode ancienne, à l'autre bout de la pièce. Ses parfums s'y trouvaient également. *Obsession. Safari. Opium.*

C'était pour elle qu'il avait acheté tout cela, non ?

Près du lit, il y avait un exemplaire de *De si jolis chevaux*, le livre qu'elle avait acheté dans Franklin Street, à Chapel Hill.

« Il sait tout sur moi ! »

26

Le Dr Kate McTiernan dormait. Se réveillait. Dormait encore. Elle en était arrivée à se traiter de « feignasse », pour rire. Elle ne faisait jamais la grasse matinée. Pas depuis qu'elle s'était inscrite en faculté de médecine, en tout cas.

Elle commençait à avoir les idées plus claires, à se sentir plus alerte, plus maître d'elle-même, mais elle avait perdu la notion du temps. Elle ignorait si on était le matin, le midi ou le soir. Elle ne savait même pas quel jour on était.

L'homme, qui que fût ce salaud, était entré pendant son sommeil dans sa sinistre et énigmatique chambre. Cette idée lui donnait la nausée. Il avait déposé un mot, bien en évidence, sur la table de chevet.

C'était un message manuscrit commençant par un *Chère Dr Kate* qu'elle lut les mains tremblantes :

J'ai tenu à ce que vous lisiez ceci pour que vous puissiez mieux me comprendre et pour que vous connaissiez les règles qui régissent cette maison. Sans doute est-ce la lettre la plus importante qu'il vous sera donné de recevoir, alors lisez-la avec soin. Et surtout, prenez-la très au sérieux.

Non, je ne suis pas fou, je n'ai pas perdu la tête. Je dirais même que c'est l'inverse. Faites appel à votre intelligence manifestement grande et considérez donc que je suis une personne relativement saine d'esprit, qui sait exactement ce qu'elle veut. La plupart des gens ne savent pas ce qu'ils veulent.

Et vous, Kate, le savez-vous ? Nous y reviendrons ultérieurement, car c'est un thème de débat passionnant. Savez-vous ce que vous voulez ? L'obtenez-vous ? Sinon, pourquoi ? Pour le bien de la société ? Mais à qui appartient cette société ? Et à qui appartient notre vie ?

Je ne feindrai pas de croire que vous êtes heureuse d'être ici et je vous fais donc grâce du cérémonial de bienvenue. Pas de corbeille de fruits sous cellophane, pas de bouteille de champagne. Comme vous ne tarderez pas à le constater, si ce n'est déjà fait, je me suis efforcé de rendre votre séjour aussi agréable que possible. Ce qui nous amène à un point important, peut-être le point le plus important de cette première prise de contact.

Votre séjour ici est temporaire. Vous repartirez — si, et je dis bien si, vous écoutez ce que je vous dis... alors écoutez-moi bien, Kate.

Vous m'écoutez ? Ecoutez-moi, je vous en prie. Chassez de votre tête cette colère que je comprends fort bien, tous ces bruits parasites. Je ne suis pas fou, je n'ai pas perdu la tête.

Tout est là : je maîtrise parfaitement la situation ! Vous saisissez la nuance ? Sans aucun doute. Je connais vos capacités intellectuelles. Vous avez droit au mérite universitaire national, et tout cela.

Il est important que vous sachiez à quel point vous comptez pour moi. C'est pour cela que vous êtes ici en parfaite sécurité. C'est aussi pour cela qu'un jour, vous repartirez.

Je vous ai choisie parmi des milliers et des milliers de femmes à ma disposition, si je puis m'exprimer ainsi. Je sais, vous vous dites : « Il fallait que ça tombe sur moi. » Je sais l'humour et le cynisme dont vous êtes capable de faire preuve. Je sais même que c'est le rire qui vous a permis de franchir certaines passes difficiles. Je commence à vous connaître mieux que personne, et presque aussi bien que vous-même, Kate.

Maintenant, passons aux choses désagréables. Et sachez, Kate, que les points qui vont suivre sont aussi importants que les bonnes nouvelles énoncées plus haut.

Voici le règlement intérieur, à respecter strictement :

1. La règle la plus importante : N'essayez jamais de vous enfuir, sans quoi vous serez exécutée dans les heures qui suivront, aussi douloureuse que cette mesure puisse être pour chacun de nous. Croyez-moi, il y a déjà eu des précédents. Toute tentative d'évasion sera sanctionnée sans grâce possible.

2. Une règle spécialement conçue à votre intention, Kate : N'essayez jamais de faire usage de votre science du karaté à mon encontre. (J'ai failli apporter votre *gi*, votre belle tenue de combat, mais il ne faut pas tenter le diable...)

3. N'appelez jamais à l'aide. Si vous le faites, je le saurai et vous serez passible de lacérations faciales et génitales.

Vous voudriez en savoir davantage — vous voudriez savoir tout tout de suite, mais cela ne se passe pas ainsi. Inutile de chercher à situer l'endroit où vous vous trouvez. Vous n'y parviendriez pas et ce serait vous exposer à des maux de tête inutiles.

C'est tout pour aujourd'hui. Je vous ai fourni ample matière à réflexion. Vous êtes ici en totale sécurité. Je vous aime plus que vous ne pouvez l'imaginer. J'ai hâte que nous puissions enfin discuter ensemble.

CASANOVA

« Et toi, mon pauvre, tu as le cerveau complètement

ravagé ! » se dit Kate en arpentant la pièce de trois mètres sur quatre, ce réduit pour claustrophobes, son enfer terrestre.

Elle avait l'impression de flotter, comme si son corps baignait dans un liquide tiède et visqueux, et se demandait si elle avait pu souffrir d'un traumatisme crânien durant l'agression.

Une seule pensée lui taraudait le crâne : trouver un moyen de s'échapper. Elle commença par analyser sa situation sous tous les angles. Elle retourna toutes les hypothèses conventionnelles pour les démonter une à une.

Il y avait une seule et unique porte en bois massif, à double verrou.

Cette porte était la seule issue.

Faux ! C'était l'hypothèse conventionnelle. Il devait exister une autre solution.

Elle se souvint d'un casse-tête qu'on lui avait soumis dans le cadre d'un cours de logique, en préparation de licence, qui jusqu'alors ne lui avait pas apporté grand-chose. Au départ, il y avait dix allumettes disposées à la manière de chiffres romains afin de composer une équation :

$$XI + I = X$$

Il s'agissait de rectifier l'équation sans toucher les allumettes. Sans en ajouter de nouvelles. Sans en enlever.

Pas d'issue facile.

Pas de solution apparente.

Le problème avait été jugé insoluble par de nombreux étudiants, mais elle l'avait résolu assez rapidement. Il existait une solution alors que cela paraissait impossible. Elle la trouva en inversant l'hypothèse conventionnelle. Elle retourna la page.

$$X = I + IX$$

Mais elle ne pouvait retourner le réduit dans lequel elle était retenue prisonnière. A moins que... ? Kate McTiernan examina le plancher latte par latte et chaque lame de lambris. Le bois sentait le neuf. Son ravisseur était peut-être un constructeur, un entrepreneur, voire un architecte ?

Pas d'issue.

Pas de solution apparente.

Une réponse qu'elle ne pouvait, qu'elle ne voulait accepter.

Elle envisagea de le séduire, si tant était qu'elle pût se forcer à le faire. Non. Il était trop malin, il le saurait. Et pire que cela, elle le saurait.

Il devait y avoir un moyen, et elle finirait par le trouver.

Kate contempla le mot sur la table de chevet.

N'essayez jamais de vous enfuir, sans quoi vous serez exécutée dans les heures qui suivront.

27

L'après-midi suivant, je suis allé faire un tour au parc Sarah Duke, à l'endroit où Naomi avait été enlevée six jours plus tôt. Il fallait que j'y aille, pour voir les lieux, pour penser à ma nièce, pour me recueillir.

Ces jardins jouxtant l'hôpital universitaire de Duke comptaient une trentaine d'hectares de bois magnifiquement dessinés et des kilomètres d'allées. Pour procéder à son kidnapping, Casanova n'aurait pu choisir un site plus approprié. Il avait pensé à tout. Jusqu'à présent, il s'était montré parfait. Comment était-ce possible ?

Je me suis entretenu avec des membres du personnel ainsi qu'avec quelques étudiants présents le jour de l'enlèvement de Naomi. Le parc était officiellement ouvert du début de la matinée à la tombée de la nuit. La dernière fois qu'on avait aperçu Naomi, il était seize heures. Casanova l'avait donc enlevée en plein jour. J'ignorais totalement comment il s'y était pris. Pour l'instant. Tout comme la police de Durham et le FBI.

Je me suis baladé dans les bois et les jardins pendant près de deux heures, obnubilé par l'idée que Scootchie avait été kidnappée ici même.

Il y avait un endroit particulièrement ravissant, appelé les Terrasses. Les promeneurs passaient sous une pergola couverte de glycine puis, par un très bel escalier de bois, accédaient à un bassin à poissons de forme irrégulière, flanqué d'un jardin de rocaille. Les Terrasses formaient un véritable mille-feuille de roche veiné d'une extraordinaire variété de couleurs. Tulipes, azalées, camélias, iris et pivoines étaient en fleurs.

D'instinct, j'ai su que Scootchie devait adorer cet endroit.

Je me suis agenouillé près d'un parterre de tulipes rouge et jaune vif qui ne passait pas inaperçu. Je portais un complet gris et une chemise blanche au col ouvert. Le sol était meuble et j'allais souiller mon pantalon, mais cela n'avait aucune importance. J'ai courbé la tête jusqu'à toucher terre et là, enfin, j'ai pleuré pour Scootchie.

28

Nique-tac. Nique-tac.

Kate McTiernan crut avoir entendu quelque chose. Sans doute était-ce le fruit de son imagination. Dans ce réduit, il était facile de perdre les pédales.

Ça recommençait. Un minuscule craquement dans le plancher. La porte s'ouvrit et il pénétra dans la pièce sans prononcer un mot.

C'était lui! Casanova. Il portait un nouveau masque. On eût dit un dieu maléfique, fin et athlétique à la fois. Etait-ce l'image que lui renvoyaient ses fantasmes?

A l'université, on l'aurait jugé bel homme. Et à la morgue, il aurait fait un beau cadavre. Si seulement...

Elle étudia sa tenue : jean délavé serré, bottes texanes noires aux semelles pleines de terre, pas de chemise. Tout en muscles, et fier d'exhiber ses pectoraux. Elle s'efforça de tout mémoriser — pour le jour où elle recouvrerait la liberté.

— J'ai lu votre règlement jusqu'au bout, lui dit-elle en essayant de rester aussi calme que possible. (Des frissons parcouraient pourtant son corps.) Il est très complet, très clair.

— Merci. Personne n'apprécie les règlements, et moi moins que quiconque. Mais ils sont parfois indispensables.

Le masque qui dissimulait son visage captivait l'attention de Kate. Elle ne pouvait en détacher son regard. Il lui rappelait les masques vénitiens au dessin si élaboré. De cet objet peint à la main avec un grand souci du détail, comme chargé de symboles rituels, se dégageait une étrange beauté. Voulait-il la séduire ? s'interrogea Kate. Etait-ce là l'explication ?

— Pourquoi portez-vous ce masque ? lui demanda-t-elle d'un ton qui n'avait rien d'impérieux, mi-servile, mi-curieux.

— Comme je l'ai écrit dans ma note, un jour vous serez libre. Je vous relâcherai. Tout cela fait partie du plan que j'ai établi. Je ne supporterais pas de vous voir souffrir.

— Si je suis gentille. Si j'obéis.

— Oui. Si vous êtes gentille. Je ne serai pas si dur que cela, Kate. Vous me plaisez tellement.

Elle eut envie de le frapper, de se jeter sur lui. « Pas maintenant, s'avisa-t-elle. Pas avant d'être sûre. Tu ne pourras frapper qu'une seule fois. »

Il paraissait lire dans ses pensées. Il était aussi vif qu'intelligent.

— Pas de karaté, prévint-il, et elle perçut son sourire sous le masque. Veillez à vous en souvenir, Kate. Je vous ai vue à l'œuvre dans votre dojo. Vous êtes très rapide et très forte. Moi aussi. J'ai quelques notions d'arts martiaux.

— Ce n'est pas ce que j'avais en tête, répliqua-t-elle, le sourcil grave, en levant brièvement les yeux au ciel.

Elle trouva que, compte tenu de ces difficiles circonstances, elle jouait assez bien la comédie. Pas de quoi mettre Emma Thompson ou Holly Hunter au chômage, certes, mais c'était honnête.

— Dans ce cas, je suis désolé et veuillez m'excuser, lui dit-il. Je ne devrais pas vous faire dire ce que vous n'avez pas dit. Je ne le referai plus, c'est promis.

Par instants, il paraissait quasiment sain d'esprit, ce qui terrifiait Kate plus que tout. Comme s'il s'agissait d'une conversation sympathique dans un intérieur tout aussi sympathique, et non dans cette maison des horreurs.

Kate regarda ses mains. Des doigts longs et fins, qu'on pouvait même juger élégants. Des mains d'architecte? De médecin? D'artiste? Certainement pas des mains de travailleur.

Elle tenta l'approche directe :

— Bon, que m'avez-vous réservé? Pourquoi suis-je ici? Pourquoi cette chambre, ces vêtements? Toutes mes affaires?

La réponse fut calme et posée. Il tentait véritablement de la séduire.

— Oh, je crois que j'ai envie de tomber amoureux, de rester un certain temps amoureux. J'ai envie de ressentir une vraie passion chaque fois que je le pourrai. J'ai envie de ressentir quelque chose de spécial dans ma vie. J'ai envie de découvrir ce qu'est l'intimité avec une autre personne. Je ne suis pas tellement différent de tous les autres. Si ce n'est que moi, j'agis au lieu de fantasmer.

— Ne ressentez-vous rien? lui demanda-t-elle en feignant de s'intéresser à son sort.

Elle savait que les sociopathes étaient incapables d'éprouver des sentiments, ou du moins était-ce ce qu'elle avait cru comprendre.

Il eut un haussement d'épaules. Elle sentit qu'une fois de plus, il souriait. Il se moquait d'elle.

— Il m'arrive d'éprouver énormément de choses. Je crois que je suis un peu trop sensible. Puis-je vous dire à quel point vous êtes belle?

— En de telles circonstances, je préférerais que vous vous absteniez.

Nouveau rire guilleret, nouveau haussement d'épaules.

— D'accord. Voilà donc qui règle la question, n'est-ce pas? Nous nous passerons de conversation galante. Du moins, pour l'instant. Mais n'oubliez pas que je peux me montrer romantique. En fait, c'est ce que je préfère.

Elle fut surprise par son geste soudain, par sa rapidité. Le pistolet paralysant, surgi de nulle part, lui envoya une violente décharge. Elle reconnut le grésillement de l'appareil, sentit l'odeur d'ozone. Projetée contre le mur de la chambre, elle se cogna la tête. L'impact fit vibrer toute la maison, ou plutôt l'endroit où elle était détenue.

— Oh, pitié, non, gémit Kate.

Il s'était jeté sur elle. Battant des bras et des jambes, il l'écrasait de tout son poids. Il allait la tuer là, maintenant. Oh, non, elle ne voulait pas mourir comme ça, voir sa vie s'achever de cette manière. C'était si ridicule, si absurde, si triste.

Elle sentit monter en elle une vague de colère et de rage. Dans un effort désespéré, elle réussit à dégager une jambe, mais ses bras restaient cloués au sol. Elle avait la poitrine en feu. Il était en train d'arracher son chemisier, de la toucher partout. Il se frottait contre elle, excité.

— Non, je vous en prie, non, gémit-elle encore d'une voix qui lui parut bien lointaine.

Il était en train de lui malaxer les seins des deux mains. Kate avait un goût de sang dans la bouche et sentait le liquide chaud s'écouler en petit filet au coin de ses lèvres. Elle se mit à pleurer. La gorge et le torse écrasés, elle suffoquait.

— J'ai tout fait pour me montrer aimable, lui dit-il, les dents serrées.

Soudain, il se figea. Il se leva, ouvrit la fermeture Eclair de son jean et, d'un geste sec, le fit glisser jusqu'à ses chevilles. Il ne se donna pas la peine de l'enlever.

Kate leva les yeux. En pleine érection, il exhibait sa grosse verge gorgée de sang, ourlée de veines épaisses. Il se jeta sur elle et frotta son sexe contre son corps, le promena lentement contre sa poitrine, sa gorge, puis sa bouche et ses yeux.

Elle se mit à flotter entre conscience et inconscience, entre réalité et cauchemar. Elle essaya de s'accrocher à chacune des pensées qui traversaient son esprit. Il fallait qu'elle conserve un semblant de maîtrise, ne fût-ce que sur son mental.

— Garde les yeux ouverts, lui intima-t-il. Regarde-moi,

Kate. Tu as de si jolis yeux. Tu es la femme la plus belle que j'aie jamais vue. Est-ce que tu le sais ? Sais-tu à quel point tu es désirable ?

Kate eut l'impression qu'il venait d'entrer en transe. Tandis qu'il allait et venait en elle, son corps vigoureux dansait, ondulait, se tordait. Il se redressa et se remit à jouer avec ses seins. Il lui caressa les cheveux et différentes parties du visage. Puis, au bout d'un moment, sa main se fit plus douce. Pour Kate, folle d'humiliation et de honte, c'était encore pire. Dieu qu'elle le haïssait.

— Je t'aime tellement, Kate. Je t'aime à un tel point que je ne peux l'exprimer. C'est la première fois que j'éprouve cela. Je te l'assure. La première fois.

Kate comprit qu'il n'allait pas la tuer. Il allait la laisser en vie. Il allait revenir, revenir et revenir, chaque fois qu'il aurait envie d'elle. Submergée par cette vision d'horreur, elle abandonna. Sa conscience partit à la dérive, et elle s'évanouit.

Elle ne sentit pas le baiser qu'il déposa sur ses lèvres en guise de bonsoir.

— Je t'aime, ma douce Kate. Et je suis vraiment navré pour tout ceci. Je ressens... tout.

29

J'ai reçu un coup de téléphone pressant d'une étudiante en droit, une camarade de cours de Naomi. Elle disait s'appeler Florence Campbell ; elle voulait me voir dès que possible. « Je dois vous parler, docteur Cross. Il faut absolument que je vous parle. »

On s'est donné rendez-vous sur le campus de Duke, près

du centre universitaire Bryan. Florence était une Noire d'une vingtaine d'années. On s'est promenés au milieu des magnolias et des bâtiments gothiques de l'université. Un cadre dans lequel nous paraissions tous deux vaguement déplacés.

Grande, un tantinet gauche, Florence m'intriguait. Elle était affublée d'un invraisemblable chignon crêpé qui me faisait penser à Néfertiti. Un style étrange, ou simplement très daté. Je me suis fait la réflexion qu'il devait encore y avoir des gens comme elle dans les campagnes du Mississippi ou de l'Alabama. Florence avait passé sa licence à l'université d'Etat du Mississippi, tout le contraire de Duke.

— Je suis vraiment, vraiment navrée, docteur Cross, m'a-t-elle dit quand nous nous sommes assis sur un banc mi-pierre, mi-bois aux lattes recouvertes de messages gravés par des générations d'étudiants. Je vous dois des excuses, à vous et à votre famille.

— Des excuses pour quoi, Florence ?

Je ne comprenais pas.

— Je n'ai pas fait l'effort de vous parler quand vous êtes venu sur le campus, hier. Personne ne nous avait expliqué que Naomi avait pu être enlevée. Surtout pas les flics de Durham. Ils se sont montrés très désagréables, c'est tout. Ils n'avaient pas l'air de particulièrement s'inquiéter pour Naomi.

— Pour quelles raisons, à votre avis ?

En posant la question, j'ai senti les battements de mon cœur s'accélérer. Florence m'a regardé au fond des yeux :

— Parce que Naomi est une Afro-Américaine. La police de Durham, le FBI ne font pas autant de cas de nous que des femmes blanches.

— Vous croyez cela ?

Florence Campbell a roulé des yeux :

— C'est la vérité, alors pourquoi ne le croirais-je pas ? Frantz Fanon soutient que les superstructures racistes sont inscrites de façon permanente dans la psychologie, l'économie et la culture de notre société. Cela aussi, je le crois.

Florence était une femme très sérieuse. Elle avait sous le bras le livre d'Albert Murray, *The Omni-Americans*. Son style commençait à me plaire. L'heure était venue de découvrir les secrets qu'elle détenait au sujet de Naomi.

— Dites-moi ce qui se passe par ici, Florence. Et ne vous censurez pas sous prétexte que je suis l'oncle de Naomi ou inspecteur de police. Il faut que quelqu'un m'aide. Ici, à Durham, je suis aux prises avec une *superstructure*.

En souriant, elle a écarté de son visage une mèche de cheveux. Il y avait chez elle un mélange d'Emmanuel Kant et de Prissy, la Prissy d'*Autant en emporte le vent*.

— Voici ce que je sais pour l'instant, docteur Cross. La raison pour laquelle certaines des filles de la résidence en voulaient à Naomi.

Elle inspira une bouffée d'air chargé de senteurs de magnolia :

— Tout a commencé avec un homme qui s'appelle Seth Samuel Taylor. Il travaille comme éducateur dans les cités de Durham. C'est moi qui ai présenté Naomi à Seth ; c'est mon cousin.

Elle a eu un instant d'hésitation.

— Jusque-là, lui dis-je, je ne vois pas où est le problème.

— Seth Samuel et Naomi sont tombés amoureux à la fin de l'année dernière. On devait être en décembre. Naomi avait l'air complètement dans les nuages, ce qui ne lui ressemble pas, comme vous le savez. Au début, il venait à la résidence mais après, elle a commencé à passer les nuits chez lui, à Durham.

Que Naomi eût été amoureuse sans se confier à Cilla me surprenait un peu. Pourquoi ne rien nous avoir dit ? Mais cela n'expliquait pas son litige avec ses camarades.

— J'ai de bonnes raisons de croire que Naomi n'est pas la première étudiante de Duke à tomber amoureuse. Ou à inviter un homme pour prendre le thé et les petits gâteaux ou autre chose.

— Ce n'était pas qu'elle invitait un homme pour autre chose, c'était qu'elle invitait un Noir pour autre chose. Seth débarquait de ses cités avec sa salopette sale, ses bottes sales, son cuir de plombier. Naomi s'est mise à porter sur le campus un vieux chapeau de métayer en paille. Quelquefois, Seth venait avec un casque sur lequel on lisait « Je me fais exploiter ». Il n'hésitait pas à se montrer un peu caustique et ironique à l'égard de ses sœurs de couleur, notamment en ce qui concernait leurs fréquentations et, Dieu me préserve, leur maturité politique. Il enguirlandait les femmes de ménage noires qui essayaient de faire leur boulot.

— Et vous, que pensez-vous de votre cousin Seth?

— Ce qui est sûr, c'est que Seth en veut à tout le monde. Les inégalités raciales le scandalisent au point de parfois l'obnubiler. Mais autrement, il est vraiment super. C'est quelqu'un qui agit, qui n'a pas peur de se salir les mains.

Et de conclure avec un petit clin d'œil :

— S'il n'était pas mon cousin éloigné...

Le côté pince-sans-rire de Florence me plaisait bien. Elle faisait un peu godiche du Mississippi, mais c'était quelqu'un de bien. Je commençais même à aimer sa coiffure à l'égyptienne.

— Vous êtes vite devenues amies, Naomi et vous? lui ai-je demandé.

— Pas au début. Je crois que nous nous sentions rivales. Dans notre promotion, il n'y aurait sans doute qu'une seule Noire, vous comprenez. Mais au fil de la première année, on est devenues très proches. J'adore Naomi. C'est la meilleure.

Je me suis soudain demandé si la disparition de Naomi pouvait être liée à son petit copain, et n'avoir aucun rapport avec le tueur qu'on recherchait dans toute la Caroline.

— Seth est vraiment un type bien, ne lui faites pas de mal, m'a prévenu Florence. Vous m'entendez, hein?

J'ai hoché la tête :

— Je ne lui casserai qu'une seule jambe.

— Attention, il est fort comme un bœuf.

— Je suis un bœuf, ai-je fait.

Je venais de dévoiler à Florence l'un de mes petits secrets.

30

J'ai regardé Seth Samuel Taylor dans les yeux. Il m'a regardé à son tour. Je n'ai pas lâché prise. Ses yeux ressemblaient à des amandes serties de billes d'un noir de jais.

Le copain de Naomi était grand, très musclé, sec. Il me faisait penser davantage à un jeune lion qu'à un bœuf. Il avait l'air inconsolable et il m'était difficile de l'interroger. J'ai eu le pressentiment que Naomi avait disparu à jamais.

Seth Taylor n'était pas rasé et je voyais bien qu'il n'avait pas fermé l'œil depuis des jours. Ni changé de vêtements, d'ailleurs. Il portait une chemise de toile bleue unie méchamment froissée au-dessus d'un tee-shirt et d'un 501 troué. Ses chaussures de travail poussiéreuses n'avaient pas quitté ses pieds. Seth Taylor était rudement secoué ou excellent acteur.

J'ai tendu la main, il me l'a presque broyée. Un véritable étau de charpentier.

Ses premiers mots furent :

— T'as une gueule à chier.

Dans les parages, on entendait hurler *Humpty Dance* de Digital Underground. Je me serais cru à Washington, avec juste un léger décalage dans le temps.

— Toi aussi.

— Je t'emmerde, toi et les autres.

C'était un petit rituel des rues, qu'on connaissait tous les deux. Rires.

Seth avait le sourire chaleureux et communicatif. Il paraissait trop sûr de lui, mais cela restait supportable. Rien que je n'eusse déjà vu.

On voyait que son large nez avait déjà été cassé à plusieurs reprises, mais ses dehors un peu rustres ne l'empêchaient pas d'avoir encore belle allure. Comme Naomi, il dominait un lieu de sa présence. Le flic qui était en moi s'interrogeait à son sujet.

Seth Taylor habitait un ancien quartier ouvrier dans le nord de Durham, pas très loin du centre-ville. Jadis, on y trouvait tous les employés des manufactures de tabac. Il vivait dans une vieille maison au toit de bardeaux ; le rez-de-chaussée et l'étage avaient été transformés en appartements, puis réunis pour former un duplex. Les murs de l'entrée étaient tapissés d'affiches d'Arrested Development et d'Ice-T. Sur l'une d'entre elles, on lisait : « Jamais depuis l'esclavage pareille catastrophe ne s'est abattue sur les hommes de race noire. »

Dans le séjour, il y avait un monde fou. Des amis, des gens du quartier. Une radiocassette géante égrenait en sourdine les complaintes de Smokey Robinson. Tous étaient venus aider Seth à retrouver Naomi. Finalement, peut-être disposais-je de quelques alliés dans le Sud.

Chacun avait hâte de me parler de Naomi, et personne ne nourrissait la moindre suspicion à l'égard de Seth Samuel.

J'ai surtout remarqué une femme aux grands yeux tendres et à la peau café crème, Keesha Bowie. Elle venait de passer la trentaine et travaillait à la poste de Durham. Naomi et Seth l'avaient, semblait-il, poussée à reprendre ses études universitaires pour passer son diplôme de psychologie. Le courant a tout de suite passé. Keesha m'a pris à part et, d'un ton grave, m'a expliqué :

— Naomi est très instruite, elle s'exprime avec énormément d'aisance. Ça, vous le savez déjà. Mais elle ne se sert jamais de ses aptitudes ou de son éducation pour abaisser quelqu'un ou pour se grandir elle-même. C'est ce qui nous a tous frappés la première fois qu'on l'a vue. Elle est très nature. Chez elle, il n'y a pas un soupçon de frime. Qu'une chose pareille ait pu lui arriver, c'est vraiment trop moche.

On a encore discuté un peu. J'aimais beaucoup Keesha, je la trouvais intelligente et mignonne, mais ce n'était pas le moment. Je cherchais Seth ; je l'ai trouvé à l'étage, tout seul. La fenêtre de la chambre à coucher était ouverte et il s'était installé dehors, assis sur le toit en pente douce. Quelque part, dans l'obscurité, Robert Johnson chantait son blues lancinant.

De la fenêtre, je lui ai lancé :

— Ça vous embête si je viens vous tenir compagnie ? Cette vieille toiture tiendra le coup ?

Seth a souri.

— Si elle lâche et qu'on passe tous les deux à travers la véranda, ça fera un beau sujet pour la presse. On regrettera pas de s'être cassé la gueule et brisé le cou. Allez, venez.

Il s'exprimait d'une voix lente, douce, presque chantante. Je comprenais ce que Naomi lui trouvait.

J'ai enjambé le rebord de la fenêtre pour m'asseoir à côté de Seth Samuel. Le soir tombait sur Durham. On entendait en bruit de fond la version provinciale du lamento des ghettos : sirènes de police et cris hystériques.

Dans un murmure, Seth me dit :

— On s'installait ici, Naomi et moi.

— Ça va ?

— Oh, non. Je me suis jamais senti aussi mal. Et vous ?

— Jamais aussi mal.

— Après votre coup de fil, j'ai réfléchi à votre visite et la conversation qu'on allait avoir. J'ai essayé de raisonner comme vous pourriez le faire. Vous voyez ce que je veux dire, comme un inspecteur de police. Alors, s'il vous plaît, arrêtez de penser qu'il y a une petite chance pour que j'aie quelque chose à voir avec la disparition de Naomi. Gaspillez pas votre temps.

J'ai regardé Seth Samuel. Il avait les épaules voûtées, le menton sur la poitrine. Même dans la pénombre, je voyais ses yeux embués de larmes. Sa douleur était palpable. J'avais envie de lui dire qu'on allait retrouver Naomi et que tout s'arrangerait, mais je ne savais rien.

On a fini par tomber dans les bras l'un de l'autre. Naomi nous manquait, de manière différente, et on a ruminé notre chagrin là-haut, sur notre toit, dans la nuit de Durham.

31

Un copain du FBI a fini par me rappeler ce soir-là. J'étais en train de lire le *Manuel diagnostique et statistique des troubles mentaux*. Je travaillais sur le profil de Casanova et je n'avançais guère.

J'avais fait la connaissance de l'agent spécial Kyle Craig

au cours d'une longue et difficile chasse à l'homme au terme de laquelle nous avions capturé le kidnappeur en série Gary Soneji. Kyle avait toujours été régulier. Il ne cherchait pas à tout prix à défendre ses prérogatives, contrairement à la plupart des autres agents du FBI, et prenait ses aises avec les procédures de la maison. Parfois, j'en arrivais à me dire qu'il n'appartenait pas au FBI. Il avait des côtés bien trop humains.

— Merci d'avoir enfin rappelé, l'ami, lui ai-je dit. Où es-tu basé ces temps-ci ?

La réponse de Kyle m'a surpris :

— Je suis ici, Alex, à Durham. Pour être plus précis, je suis à la réception de ton hôtel. Descends boire un verre ou trois au bar, le tristement célèbre Bull Durham. Il faut que je te parle. J'ai un message pour toi, de la part de J. Edgar[1] lui-même.

— Je descends tout de suite. Je me demandais ce qu'était devenu ce pourri depuis sa mise en scène destinée à nous faire croire à sa mort.

Kyle avait pris place à une table pour deux, près d'une grande baie vitrée donnant sur le green du golf de l'université. Un type aux allures de lycéen dégingandé était en train d'apprendre à une étudiante de Duke comment putter à la tombée de la nuit. Il se tenait derrière elle et lui montrait ses meilleurs coups.

Kyle prenait manifestement un vif plaisir à observer cette leçon de golf, tout comme je prenais un vif plaisir à l'observer, lui. Il s'est retourné comme s'il avait flairé ma présence et m'a fait, en guise de bonjour :

— Dis donc, toi, tu n'as pas ton pareil pour pister les sales affaires. J'ai été vraiment désolé d'apprendre que ta nièce avait disparu. Content de te revoir en dépit de ces circonstances particulièrement pénibles, pour ne pas dire merdiques.

Je me suis installé en face de lui et on s'est mis à parler boutique. Comme toujours, il m'a paru extrêmement dynamique et positif, jamais naïf. C'est un don qu'il a. Certaines personnes pensent que Kyle pourrait bien finir à la tête du

---

[1] J. Edgar Hoover, ancien patron et figure emblématique du FBI. (N.d.T.)

Bureau, et ce serait la meilleure chose qui puisse jamais arriver au FBI.

— L'honorable Ronald Burns commence par débarquer à Durham. Ensuite, c'est ton tour. C'est quoi, cette histoire ?

Il m'a répondu :

— Commence par me dire ce que tu as, toi, et j'essaierai de te rendre la monnaie.

— Je suis en train d'établir le profil psychologique des femmes qui ont été assassinées. Celles qu'on appelle les « rejets ». Dans deux dossiers, les femmes rejetées avaient une très forte personnalité. Elles ont dû lui donner beaucoup de fil à retordre. C'est peut-être pour cela qu'il les a tuées, pour s'en débarrasser. L'exception, c'est Bette Anne Ryerson. Elle était mère de famille, elle suivait une thérapie, peut-être qu'elle a craqué nerveusement.

Kyle se massait le crâne d'une main, tout en secouant la tête :

— On ne t'a donné aucun renseignement, personne ne t'a aidé mais, miracle des miracles (il m'a regardé, le visage fendu d'un large sourire), tu as encore une demi-longueur d'avance sur mes collègues. Je ne connais pas cette théorie des « rejets ». C'est bien vu, Alex, surtout si nous avons affaire à un maniaque de l'obéissance.

— Il pourrait bien s'agir d'un maniaque de l'obéissance Kyle. S'il s'est débarrassé de ces trois femmes, il doit y avoir une bonne raison. Mais moi, je m'imaginais que tu allais m'apprendre des choses que je ne savais pas.

— Peut-être, à condition que tu passes encore quelques tests tout ce qu'il y a de plus simple. Qu'est-ce que tu as trouvé d'autre ?

En sirotant ma bière, j'ai lancé à Kyle un regard mauvais :

— Tu sais, je te prenais pour un mec bien, mais en fait, tu es vraiment comme tous ces empaffés du FBI.

— J'ai-é-té-pro-gram-mé-à-Quan-ti-co[1]. (Sa voix imitait assez bien celle d'un ordinateur.) Tu as établi un profil psychologique de Casanova ?

---

1. La ville de Quantico abrite le centre de formation du FBI. (N.d.T.)

— J'y travaille.

Puis je lui ai dit ce qu'il savait déjà :

— Pas facile, quand on ne possède quasiment aucune information.

La main droite tendue, Kyle est revenu à la charge. Il voulait tout, et après, peut-être me communiquerait-il une partie de ce qu'il possédait.

— C'est forcément, ai-je repris, quelqu'un de parfaitement intégré. Personne n'a réussi à l'approcher. Il est poussé par des fantasmes sexuels qui n'ont pas changé depuis son enfance. Il a peut-être été victime, à l'époque, de sévices sexuels ou d'inceste. Il était peut-être voyeur, il a peut-être commis des viols sur des inconnues ou sur des connaissances. Aujourd'hui, c'est un collectionneur hautement fantasque spécialisé dans les femmes exceptionnellement belles ; on dirait qu'il ne choisit que celles qui sortent de l'ordinaire. Il se documente sur elles, Kyle, j'en suis presque certain. Il se sent seul. Il recherche peut-être la femme parfaite.

Kyle secouait la tête, incrédule.

— Tu es complètement frappé, mon vieux. Tu raisonnes comme lui !

— Ce n'est pas drôle.

Je lui ai attrapé la joue entre le pouce et l'index :

— Maintenant, à toi de me dire quelque chose que je ne sais pas.

Il s'est dégagé :

— Alex, je vais te proposer un deal, un bon, alors ne joue pas les cyniques, d'accord ?

J'ai levé la main bien haut à l'intention de la serveuse :

— L'addition, s'il vous plaît ! Vous nous faites des comptes séparés.

— Non, non, attends. Je t'assure que c'est un bon deal, Alex. J'ai horreur de dire « Fais-moi confiance », mais fais-moi confiance. Rien que pour te prouver que je joue franc-jeu, je ne peux pas tout te dire là, maintenant. J'admets que cette affaire va largement au-delà de tout ce que tu as pu voir pour l'instant. Pour Burns, tu avais raison. Le directeur adjoint n'est pas descendu ici par hasard.

— Je me doutais bien qu'il n'était pas venu admirer les azalées.

Le bar était bien calme et moi, j'avais envie de hurler :

— Bon, maintenant, dis-moi un truc que je ne sache pas déjà.

— Je ne peux pas t'en dire davantage.

— Tu te fous de ma gueule, Kyle. Tu ne m'as rien dit du tout. (J'ai haussé le ton.) Ce deal que tu veux me proposer, c'est quoi ?

Il a levé la main ; il voulait que je reste calme pour entendre la suite :

— Ecoute-moi. Comme tu le sais, ou comme tu t'en doutes, nous sommes déjà face à un cauchemar multijuridictionnel quatre étoiles et les choses n'en sont encore qu'à leur début. Crois-moi, Alex, personne ne progresse. Voilà, j'aimerais que tu réfléchisses à ceci...

J'ai roulé des yeux :

— Heureusement que je suis assis pour entendre ça.

— Pour quelqu'un dans ta situation, c'est une très belle proposition. Puisque tu es déjà à l'extérieur du bordel multijuridictionnel et donc immunisé, pourquoi ne pas continuer ? Tu restes en dehors, et tu travailles directement avec moi.

— Travailler avec le Bureau fédéral ? (J'ai avalé ma gorgée de bière de travers.) Collaborer avec les Feebies ?

— Je peux t'ouvrir l'accès à toutes les informations que nous recevrons, dès que nous les recevrons. Je te donnerai tout ce dont tu auras besoin : documentation, renseignements et toutes les données à jour dont nous disposons.

— Et ce que je trouverai, tu ne seras pas obligé de le communiquer ? Pas même à la police locale, pas même à la police d'Etat ?

J'ai retrouvé mon Kyle intense et passionné :

— Ecoute-moi, Alex, on ratisse large et cette enquête coûte une fortune, mais on piétine. Les flics se marchent sur les pieds pendant que dans tous les coins du Sud, des jeunes femmes, dont ta nièce, disparaissent sous notre nez.

— Je saisis le problème, Kyle. Il faut que je réfléchisse à ta solution. Laisse-moi souffler un peu.

On a discuté encore un peu de l'offre de Kyle et j'ai réussi à lui faire préciser deux, trois points, mais sur le principe, j'étais d'accord. En travaillant avec lui, j'allais bénéficier d'un formidable soutien logistique et son pouvoir m'aiderait à franchir bien des obstacles. Je ne serais plus seul. On a commandé des hamburgers et une autre tournée de bières, on a poursuivi notre conversation et mis la touche finale à mon pacte avec le diable. Pour la première fois depuis mon arrivée dans le Sud, j'ai commencé à entrevoir un coin de ciel bleu.

— J'ai autre chose à te confier, lui ai-je dit pour conclure. Hier soir, il m'a déposé un mot. Un mot sympathique, plein d'attentions, pour me souhaiter la bienvenue dans le secteur.

— Nous sommes au courant, a fait Kyle avec son sourire de collégien attardé. Il s'agit plus précisément d'une carte postale. On y voit une odalisque. Une fille de harem, une esclave destinée à l'amour.

32

Quand je suis retourné dans ma chambre, il était un peu tard, mais j'ai tout de même appelé Nana et les enfants. J'appelle toujours la maison quand je m'en vais, deux fois par jour, le matin et le soir. Jamais je n'avais jusque-là failli à mes obligations, et je n'avais pas l'intention de commencer ce soir-là.

Quand Jannie est venue au téléphone, je lui ai demandé :

— Tu écoutes bien Nana et tu es gentille, cette fois?

— Je suis tout le temps gentille! m'a-t-elle répondu en piaillant de joie.

Elle adore me parler, et la réciproque est vraie. Eh oui, cela paraît incroyable, mais au bout de cinq ans, nous nous aimions toujours follement.

J'ai fermé les yeux et j'ai imaginé ma petite fille. Je la voyais très bien gonfler son petit torse, afficher un air de défi tout en dévoilant dans un large sourire ses petites dents pointues et de travers. Naomi avait été autrefois cette même petite fille. Une époque dont j'avais gardé un souvenir très net. J'ai chassé de mon esprit le portrait trop vivant de Scootchie.

— Et ton grand frère ? Damon dit qu'il a été très, très gentil, lui aussi. Il dit qu'aujourd'hui, Nana t'a traitée de « terreur ». C'est vrai, ça ?

— Non, non, papa. C'est lui que Nana elle a appelé comme ça. Dans cette maison, c'est Damon la terreur. Moi, j'suis l'ange de Nana, toujours. J'suis son bon petit ange, t'as qu'à lui demander si tu m'crois pas.

— Bon, bon, voilà qui fait plaisir à entendre. Et aujourd'hui, quand vous êtes allés manger vos cochonneries au Roy Rogers, tu n'aurais pas tiré les cheveux de Damon, juste un petit peu ?

— C'étaient pas des cochonneries, papounet. Pis d'abord, c'est lui qui m'a tiré les cheveux le premier. Damon, y m'a presque tout tiré les cheveux comme si je serais bébé Claire sans ses cheveux.

Bébé Claire, c'était la poupée préférée de Jannie depuis l'âge de deux ans. Un « bébé » absolument sacré, pour Jannie comme pour nous tous. Un jour, au cours d'une excursion à Williamsburg, nous avons oublié bébé Claire sur place et il a fallu refaire tout le trajet. Miraculeusement, Claire nous attendait ; elle discutait gentiment avec le gardien posté à l'entrée.

— Même que j'aurais pas pu tirer les cheveux à Damon. Il est presque chauve, papa. Nana elle lui a fait couper les cheveux pour l'été. Attends de voir mon frère chauve. C'est une vraie boule de billard !

J'entendais Jannie rire. Je la voyais rire. En fond, Damon réclamait le combiné pour opposer un démenti formel aux allégations concernant sa coupe de cheveux.

Quand j'en ai eu fini avec les enfants, j'ai parlé à Nana.

— Et toi, Alex, tu tiens le coup ?

Comme d'habitude, elle allait droit à l'essentiel. Elle aurait fait des étincelles dans la police ou n'importe quel autre métier de son choix :

— Alex, je t'ai demandé comment ça va ?

— Je suis en pleine forme et j'adore mon boulot. Et toi, ma vieille, comment tu te portes ?

— Ne t'occupe pas de ça. Je suis capable de surveiller ces gosses en dormant. Je te trouve une petite voix. Tu ne dors pas et tu n'as pas beaucoup avancé, c'est ça ?

Ce qu'elle pouvait être dure quand elle le voulait !

— Ça ne se passe pas aussi bien que je l'aurais espéré, lui ai-je répondu. Mais ce soir, il y a peut-être du mieux.

— Je sais, m'a fait Nana, c'est pour ça que tu appelles aussi tard. Mais tu ne peux pas dévoiler la bonne nouvelle à ta grand-mère. Tu as peur que je raconte tout au *Washington Post*.

Nous avions déjà eu ce genre de discussion à propos d'autres affaires sur lesquelles j'avais travaillé. Elle veut toujours que je lui communique des informations confidentielles, et je ne peux pas lui donner satisfaction.

Je me suis borné à lui dire :

— Je t'aime, et je ne peux pas faire mieux pour l'instant.

— Moi aussi, je t'aime, Alex Cross. Et je ne peux pas faire mieux.

Il fallait toujours qu'elle ait le dernier mot.

Quand j'en ai eu fini avec Nana et les enfants, je me suis allongé dans le noir sur mon sinistre lit d'hôtel que personne n'avait fait. Je ne tenais pas à ce que les femmes de ménage ou qui que ce fût d'autre entre dans ma chambre, mais l'avis *Ne pas déranger* n'avait pas vraiment fait peur au FBI.

Une bouteille de bière en équilibre sur ma poitrine, j'ai ralenti ma respiration. Je n'ai jamais aimé les chambres d'hôtel, même en vacances.

J'ai recommencé à penser à Naomi. Quand elle avait l'âge de Jannie, je la portais souvent sur mes épaules pour qu'elle puisse voir « loin, loin dans le Monde des Grands ». Puis j'en suis revenu au monstre qui nous avait enlevé Scootchie. Pour l'instant, c'était le monstre qui gagnait. Il paraissait invincible, insaisissable, ne commettait aucune erreur, ne laissait aucun indice. Il était très sûr de lui... il m'avait même laissé une jolie petite carte postale rien que pour le plaisir. Que devais-je en déduire ?

Peut-être a-t-il lu mon livre sur Gary Soneji, me dis-je. Il était tout à fait capable d'avoir lu mon livre. Avait-il enlevé Naomi pour me lancer un défi? Peut-être pour prouver à quel point il était fort.

Cette idée ne me plaisait guère.

33

« Je suis en vie, mais en enfer! »

Kate McTiernan ramena ses jambes contre sa poitrine et frissonna. Elle était persuadée d'avoir été droguée. Des tremblements épouvantables accompagnés de violentes nausées la submergeaient à intervalles réguliers, et elle ne pouvait rien faire pour endiguer ces spasmes.

Elle ignorait combien de temps elle avait dormi sur ce plancher glacé, quelle heure il était maintenant. Etait-il en train de l'observer? Y avait-il un judas dissimulé dans les murs? Kate sentait presque son regard lui lécher le corps.

Elle se rappelait chacun des détails atroces et hideux de son viol. La sensation était encore là. Le souvenir de sa peau contre la sienne lui donnait encore envie de vomir, et des images d'horreur déferlaient par instants devant ses yeux.

Un sentiment mêlé de révolte, de honte et d'impuissance s'était emparé d'elle. Un puissant flux d'adrénaline giclait dans ses veines. « Je vous salue Marie, pleine de grâce... Le Seigneur est avec vous. » Elle croyait avoir oublié toutes ses prières. Il ne lui restait qu'à espérer que Dieu ne l'avait pas oubliée...

Elle avait des vertiges. Le doute n'était plus permis : il voulait la faire plier, venir à bout de sa résistance. C'était bien là son objectif, non?

Il fallait qu'elle réfléchisse, qu'elle se force à réfléchir.

Dans la pièce, tout était trouble. La drogue ! Kate tenta d'imaginer ce qu'il pouvait utiliser. De quel produit pouvait-il s'agir ?

Peut-être était-ce du Forane, un puissant myorelaxant qu'on administrait avant les anesthésies. Disponible en flacons de cent millilitres, il pouvait être pulvérisé directement sous le nez de la victime ou répandu sur un morceau de tissu qu'il suffisait ensuite de plaquer sur le visage. Elle s'efforça de se rappeler quels étaient les effets secondaires de ce médicament. Frissons et nausées. Gorge sèche. Baisse des facultés intellectuelles pendant un jour ou deux. Ces symptômes, elle les avait tous !

C'est un médecin ! Cette découverte lui fit l'effet d'un coup de poing. Cela paraissait parfaitement logique. Qui d'autre pouvait avoir accès à un produit tel que le Forane ?

Au dojo de Chapel Hill, on enseignait une discipline aux élèves pour les aider à maîtriser leurs émotions. Il fallait s'asseoir devant un mur blanc et rester assis là une éternité même si on voulait ou si on croyait avoir besoin de bouger.

Kate ruisselait de transpiration, mais elle était déterminée. Jamais elle ne le laisserait briser sa volonté. Lorsqu'il le fallait, elle était capable de se montrer inimaginablement forte ; c'était ainsi qu'elle avait réussi à faire toutes ses études de médecine sans argent, contre vents et marées.

Elle demeura assise plus d'une heure durant dans la position du lotus. Le souffle calme et régulier, elle se concentra de manière à évacuer de son esprit la douleur, la nausée, le viol. Et pour ne plus penser qu'à ce qu'elle devait faire à présent.

Un concept extrêmement simple.

Sortir de là.

34

Au terme de son heure de méditation, Kate se leva lentement. Elle était encore un peu vaseuse, mais se sentait mieux. Ses réflexes revenaient. Elle décida de trouver le judas. Il y en avait forcément un, dissimulé quelque part dans les parois de bois naturel.

La chambre faisait exactement quatre mètres sur cinq; elle l'avait mesurée à plusieurs reprises. Une petite alcôve de la taille d'un placard abritait ce qui ressemblait à des toilettes de jardin.

Kate scruta méticuleusement les murs à la recherche de la moindre fente, mais ne découvrit rien. L'évacuation des toilettes de l'alcôve semblait se faire directement dans le sol. Il n'y avait pas de plomberie, du moins dans cette partie de de la maison. « Où suis-je enfermée? Où suis-je? »

Elle s'agenouilla, se pencha au-dessus de la planche de bois noire et regarda dans le trou sombre, les yeux piqués par l'odeur âcre. Elle avait appris à supporter cette puanteur et ne réprima qu'un haut-le-cœur sans conséquences.

Sous l'ouverture, un vide qu'elle estimait à trois ou quatre mètres. Et en dessous, quoi? s'interrogea Kate.

Le trou était très étroit et elle voyait mal comment s'y glisser, même en ayant enlevé tous ses vêtements. Peut-être était-ce malgré tout possible? On ne savait jamais.

Juste derrière elle, elle entendit soudain sa voix. Elle crut que son cœur allait s'arrêter et sentit toutes ses forces l'abandonner.

Il était là! Toujours pas de chemise. Des muscles saillants à profusion, notamment au niveau des cuisses et de l'abdomen. Il portait un autre masque, un masque exprimant la colère. Des bandes de tissu pourpres et blanchâtres sur fond noir brillant. Etait-il mécontent, aujourd'hui? Choisissait-il ses masques comme d'autres leurs bracelets, en fonction de son humeur?

— Je t'ai connue mieux inspirée, Kate, lui dit-il sur un ton chantant. Quelqu'un de plus mince que toi a déjà essayé. Je ne descendrai pas là-dedans pour t'aider à remonter. C'est une mort assez merdique. Réfléchis-y.

Kate se redressa et se mit à simuler des spasmes de nausée en y mettant tout son cœur :

— Je ne me sens pas bien. J'ai cru que j'allais vomir.

— Que tu ne te sentes pas bien, je le crois volontiers. Ça passera. Mais ce n'est pas pour cette raison que tu étais penchée au-dessus des toilettes. Dis la vérité, libère-toi.

— Que voulez-vous de moi ? lui demanda-t-elle.

Aujourd'hui, elle lui trouvait une autre voix... peut-être la drogue déformait-elle son ouïe ? Elle examina le masque. Il semblait faire de lui une autre personne. Un autre genre de détraqué. Etait-il schizophrène ?

— Je veux être amoureux. Je veux refaire l'amour avec toi. Je veux que tu te fasses belle pour moi. Tu pourrais peut-être mettre l'une de ces superbes robes de chez Neiman-Marcus. Avec des bas et des talons hauts.

Terrifiée, écœurée, Kate luttait pour ne rien laisser paraître. Il fallait qu'elle fasse quelque chose, qu'elle dise quelque chose pour le maintenir provisoirement à distance. Tout de go, elle lui lança :

— Désolée, chéri, je ne suis pas d'humeur. Je n'ai pas envie de m'habiller. (Il restait dans sa voix une pointe de sarcasme qu'elle ne parvenait pas à effacer.) J'ai mal à la tête. Quel temps fait-il, au fait ? Je n'ai pas encore eu le temps de mettre le nez dehors.

Il se mit à rire. Un rire presque normal, un rire assez débonnaire derrière son masque inquiétant.

— Il y a du soleil, le ciel est bleu, c'est un vrai temps de Caroline, Kate. La température est d'environ vingt-sept degrés. L'une des dix plus belles journées de l'année.

Soudain, d'une main, il la releva. Il tira violemment sur son bras, comme s'il cherchait à le désarticuler. Kate hurla. Une boule de douleur venait d'exploser derrière ses yeux, dans le tendre de son crâne.

Prise de panique, elle tira sur le masque d'un geste furieux.

— Imbécile ! Imbécile ! lui hurla-t-il au visage. Et pourtant, tu n'es pas une idiote !

En voyant dans sa main le pistolet paralysant, Kate comprit qu'elle avait commis une terrible erreur. Il leva l'arme au niveau de sa poitrine et tira.

Elle voulut rester debout, se forcer à rester debout, mais son corps ne lui obéissait plus. Elle s'effondra.

Il était entré dans une rage folle. Muette d'horreur, elle le regarda lever la botte et lui donner des coups de pied. Comme au ralenti, une dent glissa sur le plancher de bois en tournoyant.

Cette dent qui tournait sur elle-même la fascina. Il lui fallut un certain temps pour comprendre qu'il s'agissait d'une de ses propres dents.

Elle avait un goût de sang dans la bouche et sentait ses lèvres se boursoufler.

Un son creux résonnait dans ses oreilles. Elle sut qu'elle allait perdre conscience et se raccrocha à ce qu'elle avait aperçu sous le masque.

Casanova savait qu'elle avait vu une partie de son visage.

Une joue rose et bien lisse, ni barbe ni moustache visibles.

Et son œil gauche — un œil bleu.

35

Naomi Cross s'était plaquée, tremblante, contre la porte verrouillée de sa chambre. Quelque part, dans la maison de l'horreur, une femme hurlait.

Même étouffés par les cloisons insonorisées, les cris demeuraient terrifiants. Naomi se rendit compte qu'elle se mordait la main. Jusqu'au sang. Il était en train de tuer quelqu'un, elle le savait. Ce n'était pas la première fois.

Les hurlements cessèrent.

Naomi colla sa tête encore plus fort contre la porte, guettant le moindre son.

— Oh, non, je vous en prie, chuchota-t-elle, faites qu'elle ne soit pas morte.

Elle passa un long moment à écouter ce silence électrique, puis finit par se détacher de la porte. Il n'y avait rien qu'elle pût faire pour cette malheureuse femme. Rien que quiconque pût faire.

Naomi savait qu'elle allait devoir se montrer très coopérative. Si elle enfreignait l'une de ses règles, il la battrait. Elle ne pouvait pas laisser une chose pareille se produire.

Il paraissait tout savoir d'elle. Ses goûts vestimentaires, la taille de tous ses sous-vêtements, ses couleurs préférées, jusqu'aux lunettes de soleil qu'elle aimait porter. Il connaissait Alex, Seth Samuel et même sa copine Mary Ellen Klouk. « Cette belle, grande et blonde créature », comme il disait. Créature.

Casanova avait des goûts très spéciaux : il aimait notamment les mises en scène et les psychodrames. Il adorait décrire à Naomi toutes sortes d'actes pornographiques : relations sexuelles avec des jeunes filles prépubères ou des animaux, sadisme cauchemardesque, masochisme, domination féminine, lavements. Il décrivait tout cela avec le plus grand naturel et il lui arrivait même de jouer les poètes de la perversion. Il citait Jean Genet, John Rechy, Durrell, Sade. Cultivé, il avait sans doute reçu une bonne éducation.

« Tu es assez intelligente pour me comprendre quand je parle, lui avait-il dit à l'occasion d'une de ses visites. C'est la raison pour laquelle je t'ai choisie, ma petite chérie. »

Naomi sursauta en entendant d'autres cris. Elle courut à la porte, colla sa joue contre le bois épais et froid. Etait-ce la même femme, ou bien était-il en train de tuer quelqu'un d'autre ?

— Je vous en prie, à l'aide !

La jeune femme s'époumonait. Elle enfreignait le règlement.

— Au secours ! Je suis retenue prisonnière ici. Il y a quelqu'un ?... Je m'appelle Kate... Kate McTiernan. Quelqu'un peut m'aider ?

Naomi ferma les yeux. C'était affreux. Il fallait que cette femme se taise. Mais les appels à l'aide se multipliaient. Ce qui signifiait que Casanova n'était pas dans la maison. Il avait dû sortir.

— Au secours, je vous en prie. Je m'appelle Kate McTiernan. Je suis médecin à l'hôpital universitaire de North Carolina.

Les cris recommencèrent... dix fois, vingt fois. Et Naomi réalisa alors que ce n'étaient pas des cris de panique, mais des cris de rage !

Il ne pouvait être dans la maison. Il ne l'aurait pas laissée hurler aussi longtemps. Rassemblant tout son courage, Naomi finit par hurler aussi fort qu'elle le put :

— Arrêtez ! Il faut que vous arrêtiez d'appeler à l'aide. Il va vous tuer ! Fermez-la ! Et après ça, je ne dirai plus un mot !

Le silence retomba enfin... un silence béni. Naomi avait l'impression d'entendre la tension qui régnait autour d'elle. En tout cas, elle la sentait.

Kate McTiernan ne demeura pas longtemps muette.

— Comment vous appelez-vous ? Depuis combien de temps êtes-vous ici ? S'il vous plaît, dites-moi quelque chose... Hé, je vous parle !

Naomi ne répondit pas. Cette jeune femme avait un problème. Les derniers coups qu'elle avait reçus lui avaient-ils fait perdre la tête ?

Kate McTiernan lança un nouvel appel :

— Ecoutez-moi, on peut s'entraider. Je suis sûre que c'est possible. Savez-vous où nous sommes enfermées ?

Cette femme faisait preuve d'un courage certain... et d'une grande imprudence. Sa voix portait, mais sa gorge donnait des signes de fatigue.

— Je vous en supplie, parlez-moi. Il n'est pas là en ce moment, sinon il serait venu avec son pistolet paralysant. Vous savez que j'ai raison ! Il ne saura pas que vous m'avez parlé. Je vous en prie... il faut que j'entende encore votre voix.

Puis :

— S'il vous plaît. Rien que deux minutes. Je vous le promets. Deux minutes. Je vous en supplie. Rien qu'une minute, une seule.

Naomi s'obstinait à ne pas répondre. Peut-être était-il de retour, maintenant ? Il pouvait fort bien être dans la maison, les écouter. Voire les épier à travers les cloisons.

Kate McTiernan revint à la charge :

— D'accord, trente secondes. Et ensuite, on arrête. D'accord ? Je vous promets d'arrêter... et sinon, je continue jusqu'à ce qu'il revienne.

« Oh, mon Dieu, je t'en supplie, arrête de parler, hurlait une voix dans la tête de Naomi. Arrête tout de suite. »

— Il me tuera, mais il le fera de toute façon ! J'ai réussi à voir une partie de son visage. D'où êtes-vous ? Depuis combien de temps êtes-vous ici ?

Naomi, incapable de respirer, croyait suffoquer, mais elle resta plaquée contre la porte pour écouter chaque mot. Elle mourait d'envie de parler à la jeune femme.

— Il s'est peut-être servi d'un produit qui s'appelle le Forane. On l'utilise dans les hôpitaux. Il pourrait être médecin. Je vous en prie. Que risque-t-on — à part la torture et la mort ?

Un sourire se dessina sur les lèvres de Naomi. Kate McTiernan avait du cran, et de l'humour. C'était si bon, si incroyable, d'entendre une autre voix que la sienne...

Les mots tombèrent de sa bouche presque contre sa volonté :

— Je m'appelle Naomi Cross, dit-elle d'une voix claire. Je suis ici depuis huit jours, je crois. Il se cache derrière les murs. Il regarde tout le temps. J'ai l'impression qu'il ne ferme jamais l'œil. Il m'a violée. (C'était la première fois qu'elle prononçait ces mots à voix haute.) Il m'a violée.

La réponse de Kate ne se fit pas attendre :

— Moi aussi, il m'a violée, Naomi. Je sais ce que tu ressens... c'est horrible... cette impression d'être sale partout. C'est tellement bon d'entendre ta voix, Naomi. Je ne me sens plus aussi seule.

— Moi aussi, Kate. Mais maintenant, s'il vous plaît, taisez-vous.

En bas, dans sa chambre, Kate McTiernan sentit une immense fatigue l'envahir. Elle était épuisée, mais avait retrouvé un peu d'espoir. Elle s'était affalée contre le mur lorsqu'elle entendit les voix autour d'elle.

— Maria Jane Capaldi. Je crois que ça fait un mois que je suis ici.

— Je m'appelle Kristen Miles. Bonjour.

— Melissa Stanfield. Je suis élève infirmière. Il y a neuf semaines que je suis ici.

— Christa Akers, de North Carolina State. Deux mois en enfer.

Elles étaient au moins six.

Deuxième partie

CACHE-CACHE

36

Beth Lieberman, vingt-neuf ans, journaliste au *Los Angeles Times*, contemplait les petites lettres vertes floues qui défilaient sur l'écran de son terminal. Sous ses yeux rougis par la fatigue se déroulait l'un des sujets les plus chauds qu'on eût vu au *Times* depuis plusieurs années. C'était incontestablement l'enquête la plus importante de sa carrière, mais cela n'avait plus guère d'importance pour elle.

— C'est complètement dingue, fit Beth Lieberman à mi-voix. C'est à gerber... Les pieds... Je rêve. Les pieds...

Tôt dans la matinée, le Gentleman lui avait fait parvenir à son domicile de West Los Angeles le sixième volet de son « journal ». Comme lors des envois précédents, le tueur avait fourni des renseignements précis sur l'emplacement du corps de sa dernière victime avant de rédiger son message obsessionnel et psychopathe.

Beth Lieberman avait immédiatement contacté le FBI depuis chez elle, puis pris sa voiture pour filer aux bureaux du *Times* sur South Spring Street. A son arrivée, les fédéraux avaient obtenu la confirmation du dernier meurtre.

Le Gentleman avait laissé sa signature : des fleurs fraîches.

On avait découvert à Pasadena le cadavre d'une Japonaise de quatorze ans. A l'instar des cinq autres jeunes femmes, Sunny Ozawa avait mystérieusement disparu deux jours plus tôt, comme engloutie par le smog moite et poisseux.

Sunny Ozawa était à ce jour la plus jeune des victimes

présumées du Gentleman. Il avait disposé sur son ventre des pivoines roses et blanches. « Pour moi, la fleur évoque bien évidemment les lèvres d'un sexe de femme », avait-il écrit dans l'une de ses confessions. L'isomorphisme saute aux yeux, non ?

A sept heures moins le quart, un climat quasi irréel régnait dans les bureaux déserts du *Times*. « Etre debout à pareille heure, c'est de la folie, songea Lierberman, ou alors, il faut avoir passé la nuit à faire la fête. » Le ronron de la climatisation et la rumeur sourde de la circulation l'agaçaient.

— Pourquoi les pieds ? murmura la journaliste.

Assise devant son ordinateur, dans un état comateux, elle regrettait d'avoir un jour écrit un article sur la pornographie vendue par correspondance en Californie. Cette enquête lui avait valu d'être « découverte » par le Gentleman, qui avait fait d'elle son « contact avec les autres citoyens de la Ville des Anges ». Il clamait à qui voulait l'entendre que tous deux étaient « sur la même longueur d'ondes ».

Au terme d'innombrables réunions au plus haut niveau, le *Los Angeles Times* avait décidé de publier, page après page, le journal du tueur. Son origine ne faisait aucun doute : il avait bien été écrit par le Gentleman.

Il savait bien avant la police où trouver le corps des victimes. Il menaçait également de commettre des meurtres supplémentaires, « en prime », si l'on ne publiait pas son journal afin que chacun, à Los Angeles, pût le lire à l'heure du petit déjeuner. « Je suis le dernier en date, et de loin le meilleur », écrivait le Gentleman dans l'un de ses textes. Qui pouvait le contredire, se demandait Beth. Richard Ramirez ? Caryl Chessman ? Charles Manson ?

Pour l'instant, la tâche de Beth Lieberman consistait à servir de relais au Gentleman. C'était également à elle que revenait l'honneur de procéder à la première correction de ses écrits. Impossible de laisser tels quels des textes aussi violents et aussi descriptifs, remplis d'évocations obscènes et relatant avec une extrême sauvagerie les meurtres commis.

En tapant sur son traitement de texte les dernières pages de son journal, Lieberman entendait presque la voix du maniaque. Le Gentleman s'adressait de nouveau à elle, s'exprimait à travers elle :

Je vais vous parler de Sunny, ou du moins de ce que je sais d'elle. Ecoutez-moi, chère lectrice, cher lecteur. Restez avec moi. Elle avait des pieds menus, fins et d'une admirable facture. Voici ce dont je me souviens le mieux, voici ce qui restera à jamais gravé dans ma mémoire après cette magnifique nuit.

Beth Lieberman dut fermer les yeux. Elle ne tenait pas à écouter ces élucubrations. Une chose était certaine : c'était grâce au Gentleman que Beth Lieberman avait gagné ses premiers galons au *Times*. Sa signature figurait désormais régulièrement à la une du journal ; l'assassin avait fait d'elle une vedette.

Ecoutez-moi, restez avec moi.

Songez au fétichisme et à toutes les extraordinaires possibilités qu'il vous offre. Brisez le carcan des vieux principes, ouvrez votre esprit. Ouvrez tout de suite votre esprit ! Le fétichisme est une étonnante source de plaisirs, des plaisirs très divers que vous avez peut-être tort de méconnaître.

Inutile de larmoyer sur le sort de notre « jeune » Sunny. Sunny Ozawa était une adepte des jeux nocturnes. C'est elle qui me l'a avoué dans la plus stricte confidence, cela va sans dire. Je l'ai draguée au Monkey Bar. Nous sommes allés chez moi, dans mon discret petit pied-à-terre, et nous avons fait des expériences pour passer une agréable nuit.

Elle m'a demandé si j'avais déjà couché avec une Japonaise. Je lui ai répondu que non, mais que j'en avais toujours rêvé. Sunny m'a dit que j'étais un gentleman. Ce qui m'a flatté.

Hier soir, il m'a semblé qu'il n'y avait rien de plus libertin que de me concentrer sur des pieds de femme, de les caresser tandis que je faisais l'amour à Sunny. Je parle de pieds dorés par le soleil, chaussés de bas nylon somptueux et d'escarpins à talons hauts, relativement coûteux, de chez Saks. Je parle de pieds fins et d'une admirable facture. De pieds particulièrement doués pour la communication.

Ecoutez-moi. Le pied d'une jolie femme est un objet hautement érotique et pour en apprécier pleinement le spectacle, il faut que la femme soit allongée sur le dos et l'homme debout. C'est ce que Sunny et moi avons fait hier soir.

J'ai levé ses fines jambes et j'ai bien examiné l'endroit où elles se rejoignaient ; je voyais la vulve saillir entre les fesses.

J'ai embrassé de façon répétée la pointe de ses bas, les yeux rivés sur cette cheville au galbe superbe, dont les lignes exquises menaient au soulier noir verni.

J'ai concentré toute mon attention sur ce charmant escarpin tandis que notre ardente étreinte imprimait au pied un mouvement de plus en plus rapide. Maintenant, ses petits pieds me parlaient. J'ai senti une excitation absolument frénétique s'emparer de moi. Comme si des oiseaux sifflaient et jacassaient dans ma poitrine.

Beth Lieberman détacha les doigts de son clavier et, une fois de plus, ferma les yeux. De toutes ses forces, comme pour interrompre le flux d'images qui l'assaillait. Le Gentleman avait assassiné la jeune fille dont il parlait de manière si détachée.

Bientôt, le FBI et la police de Los Angeles débarqueraient en force dans les bureaux relativement assoupis du *Times*. Elle aurait droit aux habituelles batteries de questions. Les flics eux-mêmes ne disposaient d'aucune réponse, d'aucune piste significative, et affirmaient que le Gentleman commettait des « crimes parfaits ».

Les agents du FBI lui tiendraient la jambe pendant des heures pour l'accabler de détails horribles. Les pieds! Le Gentleman avait sectionné les pieds de Sunny Ozawa avec une lame tranchante. Sur le lieu du crime, à Pasadena, les deux pieds manquaient.

La sauvagerie dont il faisait preuve chaque fois était la seule constante. Il avait mutilé des sexes. Il avait sodomisé l'une de ses victimes, avant de la cautériser. Il avait ouvert la poitrine d'une femme qui dirigeait une banque d'affaires et lui avait arraché le cœur. Procédait-il à des expériences? Une fois sa victime choisie, il n'avait plus rien d'un gentleman. C'était le Jekyll et Hyde des années quatre-vingt-dix.

Quand Beth Lieberman rouvrit enfin les yeux, il y avait un homme grand, mince, juste à côté d'elle dans la salle de rédaction. Elle soupira bruyamment, fronça presque les sourcils.

C'était Kyle Craig, l'enquêteur du FBI.

Kyle Craig possédait une information dont elle avait absolument besoin, mais il refusait obstinément de la lui communiquer. Il savait pourquoi le directeur adjoint du FBI s'était déplacé à Los Angeles la semaine précédente. Il connaissait des secrets qu'elle devait à tout prix découvrir.

— Bonjour, madame Lieberman, lui dit-il. Qu'avez-vous à m'apprendre ?

37

Nique-tac, nique-tac, nique nique et colegram.

C'était ainsi qu'il chassait les femmes. C'était ainsi que cela se passait chaque fois. Jamais il n'était réellement en danger. Dès qu'il avait choisi son terrain de chasse, il se fondait dans le décor. Il faisait tout pour éviter les complications ou les erreurs humaines. Il avait une passion pour l'ordre et, avant toute chose, la perfection.

Cet après-midi-là, il patienta longuement sous une arcade très fréquentée d'un centre commercial en vogue de Raleigh, Caroline du Nord. Depuis son banc de marbre, au milieu du passage, il regardait de belles femmes entrer et sortir de Victoria's Secret, une boutique franchisée. La plupart des jeunes femmes étaient bien habillées. A côté de lui, un numéro du magazine *Time* et du journal *USA Today* annonçant à la une : LE GENTLEMAN FRAPPE UNE SIXIÈME FOIS À L.A.

Il se faisait la réflexion qu'en Californie, le « Gentleman » était en train de perdre les pédales. Il emportait des souvenirs macabres, s'offrait parfois deux femmes la même semaine, s'amusait à taquiner le *Los Angeles Times*, la police de Los Angeles et le FBI. Il allait se faire prendre.

Les yeux bleus de Casanova contemplèrent de nouveau le centre commercial bondé. Il était bel homme, à la manière du Casanova original. La nature, qui avait donné à l'aventurier du dix-huitième siècle la beauté, la sensualité et un vif enthousiasme pour la gent féminine, s'était montrée tout aussi généreuse à son égard.

Bien, que faisait donc la belle Anna ? Elle était discrètement entrée chez Victoria's Secret, sans aucun doute pour offrir à son copain un petit dessous en dentelle ou quelque chose dans ce goût-là. Anna Miller et Chris Chapin avaient fait leur droit ensemble à North Carolina State et aujourd'hui, Chris était associé dans un cabinet d'avocats. Ils aimaient bien échanger leurs vêtements. Se travestir pour prendre leur pied. Il savait tout d'eux.

Depuis près de deux semaines, il surveillait Anna chaque fois qu'il le pouvait. Une superbe plante de vingt-trois ans, châtain foncé, qui, sans être une seconde Dr Kate McTiernan, n'était pas loin.

Quand Anna émergea enfin de la boutique, il la regarda venir dans sa direction. Le cliquetis de ses hauts talons lui donnait un style merveilleusement hautain. Elle savait qu'elle était extraordinairement belle. C'était sans conteste ce qu'il y avait de mieux chez elle : cette suprême assurance, presque à la mesure de la sienne.

Elle avait une belle, ample et arrogante démarche. Un corps mince, tout en lignes fluides. Des jambes gainées de bas foncés, des chaussures à talons hauts parce qu'elle exerçait à temps partiel les fonctions de conseillère juridique à Raleigh. Une poitrine sculpturale qu'il lui tardait de caresser. Sous sa jupe couleur noisette, il distinguait le dessin subtil de sa culotte. Pourquoi se montrait-elle si provocante ? Parce qu'elle pouvait se le permettre.

De surcroît, elle paraissait intelligente. En tout cas prometteuse. Elle venait de manquer d'un cheveu son diplôme d'avocat. Anna était une fille chaleureuse, charmante, de bonne compagnie. Le genre de fille qu'on garde. Son petit ami l'appelait « Anna Banana ». Un petit surnom idiot, adorable, qui plaisait beaucoup au Gentleman.

Il lui suffisait de la prendre. Ce n'était pas plus compliqué que cela.

Une autre très belle femme fit brutalement irruption dans son champ de vision. Elle lui sourit, il lui sourit. Il se leva, s'étira, s'avança vers elle. Elle avait les bras chargés de paquets et de sacs de magasins.

— Bonjour, ma jolie, lui dit-il en s'approchant. Puis-je prendre certains de ces paquets ? Vous délester d'une partie de ce lourd fardeau, belle damoiselle ?

— Vous êtes bien aimable, beau jeune homme, lui répondit-elle. Comme toujours, d'ailleurs. Et toujours aussi romantique.

Casanova embrassa sa femme sur la joue et l'aida à porter ses emplettes. C'était une femme élégante, sûre d'elle. Aujourd'hui, elle était vêtue d'un jean et d'une ample et épaisse chemise de coton sous une veste de tweed fauve. Elle portait toujours ses vêtements avec beaucoup de classe et ne laissait personne indifférent. Il l'avait choisie avec le plus grand soin.

Tout en l'aidant à porter ses paquets, il savoura longuement une délicieuse réflexion : « Dix siècles ne leur suffiraient pas pour mettre la main sur moi. Ils n'ont pas le début d'une piste, ils ne savent même pas où chercher. Il leur est impossible de percer ce merveilleux déguisement, ce masque de respectabilité et de bon sens. Je suis au-dessus de tout soupçon. »

— Je t'ai surpris à admirer cette minette, lui susurra sa femme en roulant des yeux, avec un sourire entendu. Elle avait de belles jambes. Enfin, tant que tu ne la déshabilles que du regard...

— Tu m'as pris en flagrant délit, mais ses jambes ne valent pas les tiennes.

Sur son visage se dessina un grand sourire, ce beau sourire si naturel auquel il devait une partie de son charme. Mais dans sa tête résonnait un nom. Anna Miller. Il la lui fallait. Impérativement.

38

J'allais vivre des instants très difficiles. Et ce n'est qu'un doux euphémisme...

Au moment de pousser la porte de ma maison, à Washington, j'ai composé un sourire radieux aussi vraisemblable que possible. Il fallait que je m'accorde une journée de pause et, chose plus importante, j'avais promis à toute la famille d'organiser une petite réunion pour faire le point sur la situation de Naomi. Sans oublier que les enfants et Nana me manquaient. Je me faisais l'effet d'un militaire rentrant du front le temps de sa permission.

Je voulais à tout prix éviter que Nana et les petits mesurent à quel point je m'inquiétais pour Scootchie.

Je me suis penché pour embrasser Nana sur la joue :

— Rien de décisif pour l'instant, mais on commence à avancer.

Et je me suis écarté d'elle avant qu'elle ne me fasse subir un contre-interrogatoire.

Une fois dans le salon, j'ai fait mon grand numéro de cabaret, celui du père-qui-travaille. J'ai chanté *Daddy's Home, Daddy's Home*. Pas la version de Shep and the Limelites, mais la mienne. J'ai pris Jannie et Damon dans mes bras.

J'ai dit à mon fils :

— Dis donc, Damon, je te trouve plus grand, plus fort et beau comme un prince du Maroc !

A ma fille :

— Dis donc, Jannie, je te trouve plus grande, plus forte et belle comme une princesse !

Et en chœur, dans un grand piaillement, ils m'ont renvoyé à la figure mes gentilles âneries :

— Toi aussi, papa !

J'ai menacé de prendre également ma grand-mère dans mes bras, mais Nana Mama a contré mon projet d'un croisement de doigts lourd de signification. Le signe de la famille.

— Ne t'approche pas de moi, Alex.

Elle souriait tout en me foudroyant du regard. C'est le genre de choses qu'elle est capable de faire. « Il y a des dizaines d'années que je m'entraîne », aime-t-elle me dire. Et chaque fois, je lui rétorque : « Tu plaisantes, des siècles ! »

J'ai gratifié Nana d'une autre bise, énorme, avant, comment dire, d'« empaumer » les enfants. Je les maintenais comme des ballons de basket qui n'auraient été que l'extension de mes bras.

J'ai appliqué les techniques d'interrogation que j'utilise avec mes propres récidivistes :

— Alors, on a été de gentils petits diables ? On a fait sa chambre, on a terminé ses devoirs, on a mangé ses choux de Bruxelles ?

A l'unisson :

— Oui, papa !

Et Jannie d'ajouter, histoire de me convaincre :

— On a été supergentils.

— On ne serait pas en train de me raconter des histoires ? Des choux de Bruxelles ? Et des brocolis, pendant que vous y êtes ? Des gros mensonges comme ça, à papa ? L'autre soir, quand j'ai appelé à dix heures et demie, vous étiez encore debout tous les deux. Et vous me dites que vous avez été gentils ! Supergentils !

— Nana nous a laissés regarder le basket à la télé ! s'écria Damon, visiblement fier de lui, avec un grand sourire jusqu'aux deux oreilles.

Ce petit voyou a l'art de se sortir de toutes les situations, ce qui parfois m'inquiète un peu. C'est un imitateur-né, mais il n'a pas peur d'inventer sés propres textes et n'est jamais en panne d'imagination. Pour l'instant, question humour, il est à peu près au niveau de la série culte *In Living Color*.

J'ai enfin plongé la main dans mon sac de voyage pour sortir mes trésors.

— Dans ce cas, j'ai rapporté à tou'monde un petit quelque chose de mon voyage dans le Sud. Maintenant, je dis « tou'monde ». J'ai appris ça en Caroline du Nord.

— Tou'monde, reprit Jannie en gloussant comme une folle et en improvisant un pas de danse.

Un vrai petit chiot qu'on a laissé seul dans la maison le temps d'un après-midi. Quand on rentre, elle ne vous lâche plus. Comme Naomi lorsqu'elle était gamine.

J'ai sorti deux tee-shirts aux armes de l'équipe championne de basket de Duke, pour Jannie et Damon. Le tout, avec ces deux lascars, est de faire en sorte qu'ils aient la même chose. Exactement le même dessin, exactement la même couleur. Ça durera encore quelques années, après quoi aucun des deux ne supportera d'avoir quelque chose qui ressemble, ne serait-ce que vaguement, à ce qu'a l'autre.

— Merci tou'monde, ont fait les petits, l'un après l'autre.

Je sentais qu'ils m'aimaient. C'était si bon d'être à la maison. Ne fût-ce qu'en permission. Sain et sauf pour quelques heures.

Je me suis tourné vers Nana :

— Tu te dis que je t'ai sûrement oubliée.

— Jamais tu ne m'oublieras, Alex, me dit Nana Mama, et ses yeux marron me décochèrent un regard féroce.

— Tu as raison, ma vieille, lui ai-je répondu en souriant.

— Un peu, que j'ai raison !

Il fallait toujours qu'elle ait le dernier mot.

De mon sac marin bourré de mille merveilles et surprises, j'ai extrait un magnifique paquet. Nana l'a déballé. C'était le plus beau chandail que j'eusse jamais vu. Entièrement fait main, à Hillsborough, par des femmes octogénaires et nonagénaires qui gagnaient encore leur vie.

Pour une fois, Nana n'a rien trouvé à redire. Je l'ai aidée à enfiler son pull artisanal et elle ne l'a quitté que pour aller se coucher. Elle avait l'air fière, heureuse, resplendissante, et j'adorais la voir comme ça.

— C'est le plus beau des cadeaux, m'a-t-elle finalement dit avec un léger pincement dans la voix, outre le fait que tu sois de retour, Alex. Je sais que tu es coriace, mais je me suis fait du souci pour toi, en Caroline du Nord.

Nana Mama avait suffisamment de jugeote pour ne pas me poser trop de questions au sujet de Scootchie. Et elle savait très bien ce que signifiait mon silence.

39

En fin d'après-midi, une trentaine de personnes, proches ou amis de longue date, est venue envahir la maison de la Cinquième Rue. Bien entendu, toutes les conversations tournaient autour de l'enquête en Caroline, mais chacun savait que si j'avais eu de bonnes nouvelles, je les aurais déjà annoncées. Faute de quoi, je leur ai parlé de quelques pistes prometteuses qui n'existaient que dans mon imagination.

Après avoir ingurgité un peu trop de bière d'importation et de steaks bleus à souhait, Sampson et moi sommes allés dans la véranda arrière. Sampson avait besoin de m'écouter et moi, j'avais besoin d'une conversation de flics avec mon ami et équipier.

Je lui ai raconté tout ce qui s'était passé pour l'instant en Caroline du Nord. Il comprenait les difficultés liées à cette enquête, à cette chasse à l'homme. Il s'était déjà trouvé à mes côtés dans des affaires où nous ne disposions pas du moindre indice.

— Au début, lui ai-je expliqué, ils m'ont complètement tenu à l'écart. Ce que j'avais à dire ne les intéressait absolument pas. Depuis peu, ça va un peu mieux. Les inspecteurs Ruskin et Sikes m'appellent régulièrement pour me tenir au courant. Enfin, Ruskin le fait. De temps à autre, il lui arrive même de se montrer coopératif. Kyle Craig est également de la partie, mais les types du FBI refusent pour l'instant de me communiquer ce qu'ils savent.

Sampson m'écoutait avec la plus grande attention en faisant de temps en temps des remarques.

— Tu as une hypothèse, Alex?

— L'une des femmes enlevées est peut-être liée à une personnalité. Le nombre des victimes est peut-être plus élevé que ce qu'on nous raconte. Le tueur est peut-être lié à quelqu'un de puissant ou d'influent.

Après avoir entendu tous les détails, Sampson me dit:

— Rien ne t'oblige à redescendre là-bas. Il me semble qu'il y a suffisamment de « professionnels » sur l'affaire. Ne me refais pas le coup de la vendetta, Alex.

— Trop tard, j'ai déjà commencé. Je crois que Casanova est ravi de nous voir plantés devant ses crimes parfaits. Je crois qu'il est ravi de me voir, moi, planté et désespéré. Il y a encore autre chose, mais je ne sais pas encore quoi. Je crois qu'en ce moment, il a le feu au cul.

— Mouais... Eh bien, moi, j'ai comme l'impression que

toi aussi, tu as le feu au cul. Laisse-lui du champ, Alex. Ne joue pas les Sherlock Holmes avec ce détraqué de première.

Je n'ai rien répondu. J'ai simplement secoué la tête, une tête excessivement dure.

Il a repris :

— Et si tu ne réussis pas à le coincer ? Si tu ne réussis pas à boucler cette affaire ? Il faut que tu y penses, ma poule.

S'il était une éventualité que je me refusais à envisager, c'était bien celle-ci.

40

Sitôt réveillée, Kate McTiernan comprit que quelque chose n'allait pas du tout, que son invraisemblable situation avait encore empiré.

Elle n'avait aucune notion de l'heure et du jour, ignorait où elle était détenue. Sa vision était floue, son pouls irrégulier. Tous ses signes vitaux paraissaient anormaux.

Au cours de rares moments de conscience, elle était passée d'un sentiment de détachement extrême à la dépression, puis à la panique. Que lui avait-il donné ? Quel produit pouvait induire de tels symptômes ? Si elle parvenait à trouver la réponse, cela prouverait qu'elle avait encore tous ses esprits, qu'elle était encore capable de raisonner clairement.

Peut-être lui avait-il donné de la Klonopine...

Le plus drôle, c'était que la Klonopine était généralement prescrite comme anxiolytique. Mais s'il lui avait administré une dose initiale suffisamment importante, disons cinq à dix milligrammes, les effets secondaires auraient été comparables à ce qu'elle ressentait en ce moment.

À moins qu'il n'eût utilisé des capsules de Marinol ?

Elles servaient à atténuer les nausées pendant une chimiothérapie. Kate savait que le Marinol était d'une extrême effi-
cacité. Deux cents milligrammes par jour, mettons, et c'était
l'agitation extrême. Bouche pâteuse, troubles de la percep-
tion, périodes de psychose maniaco-dépressive. Et entre
quinze cents et deux mille milligrammes, la dose devenait
mortelle.

Grâce à ses produits puissants, Casanova avait anéanti
ses projets d'évasion. Elle ne pouvait l'affronter dans un tel
état; son entraînement de karatéka ne lui serait d'aucun
secours. Il avait pensé à tout.

— Sale enculé, fit-elle à voix haute, elle qui ne jurait
quasiment jamais.

Et, mâchoires serrées, elle renchérit dans un soupir :

— Sale petit enculé.

Elle ne voulait pas mourir. Elle n'avait que trente et un
ans. Ses études enfin achevées, elle avait tout pour devenir
un bon médecin, ou du moins elle l'espérait. « Pourquoi
moi ? Faites que ça n'arrive pas. Ce type, ce barjo monstrueux, va me tuer comme ça, sans raison ! »

Des frissons glacés lui parcoururent le dos. Elle crut
qu'elle allait vomir, ou même perdre conscience. Hypoten-
sion orthostatique, songea-t-elle. C'était le terme médical utilisé lorsque quelqu'un s'évanouissait en se levant brutalement d'un lit ou d'une chaise.

Elle ne pouvait pas lutter ! Il la voulait sans défense, et
avait apparemment réussi. Accablée par cette idée, la pire de
toutes, elle fondit en larmes. Et cet aveu de faiblesse ne fit
que raviver sa colère.

« Je ne veux pas mourir.

Je ne veux pas mourir.

Comment faire pour empêcher cela ?

Comment arrêter Casanova ? »

Un silence absolu régnait de nouveau dans la maison.
Casanova avait dû s'absenter. Elle avait désespérément
besoin de parler à quelqu'un, de parler aux autres prisonnières. Il fallait qu'elle prenne son courage à deux mains.

Peut-être était-il caché dans la maison. Il attendait. Il
l'épiait en cet instant même.

Lorsque enfin elle lança son appel, le son rocailleux de
sa voix la surprit.

— Ohé, c'est Kate McTiernan. S'il vous plaît, écoutez-moi. Il m'a donné beaucoup de médicaments. Je crois qu'il va bientôt me tuer, il me l'a dit. J'ai très peur... je ne veux pas mourir...

Elle répéta son message, mot pour mot.

Le réitéra une nouvelle fois.

Silence. Aucune réaction. Les autres jeunes femmes étaient aussi terrorisées qu'elle, et à juste titre. Puis une voix venue du haut flotta jusqu'à elle. La voix d'un ange.

Kate sentit son cœur faire un bond dans sa poitrine. Cette voix, elle la connaissait. Elle tendit l'oreille pour ne pas perdre un mot du message de sa courageuse amie.

— C'est Naomi. On trouvera peut-être un moyen de s'entraider, Kate. De temps en temps, il nous réunit. Toi, tu es encore en période de mise à l'épreuve. Au début, on a toutes été enfermées en bas. Surtout ne te bats pas contre lui ! Il faut qu'on arrête de parler, c'est trop dangereux. Tu ne vas pas mourir, Kate.

Une autre jeune femme lança :

— Sois forte, Kate. Sois forte pour nous toutes. Mais pas trop.

Puis les voix s'interrompirent, et un voile de silence et de solitude retomba sur la cellule de Kate.

Le produit que Casanova lui avait injecté était en train d'agir pleinement. Kate McTiernan crut basculer dans la folie.

41

Casanova allait la tuer, non ? Et c'était pour bientôt.
Dans le silence de son terrible isolement, Kate ressentit

un irrépressible besoin de prier, de parler à Dieu. Même en ce lieu grotesque et abominable, Dieu l'entendrait, non ?

« Je regrette de n'avoir que partiellement cru en Vous ces dernières années. J'ignore si je suis agnostique, mais au moins je suis franche. J'ai un solide sens de l'humour, même lorsque l'humour n'est pas de mise.

« Je sais que l'heure n'est pas aux échanges de services, mais si Vous me sortez de là, je Vous en serai éternellement reconnaissante.

« Désolée pour tout. Je ne cesse de me dire que ça ne peut pas m'arriver à moi, et c'est pourtant ce qui est en train de se produire... Je Vous en supplie, aidez-moi. Je Vous ai connu mieux inspiré... »

Elle priait avec tant de force et de concentration qu'elle ne l'entendit pas pousser la porte. Il se déplaçait toujours avec la discrétion d'un fantôme, d'un spectre.

— Tu n'écoutes jamais ce qu'on te dit, hein ! lui cria Casanova. Tu ne retiens jamais la leçon !

Il tenait à la main une seringue d'hôpital et portait un masque mauve barbouillé d'épaisses traces de peinture blanche et bleue. C'était le masque le plus horrible, le plus inquiétant à ce jour. Or ses masques n'illustraient-ils pas ses humeurs ?

Kate voulut lui dire « Ne me faites pas de mal », mais seul un souffle imperceptible passa entre ses lèvres.

Il allait la tuer.

A peine capable de se tenir debout ou même assise, elle parvint néanmoins à esquisser un semblant de sourire.

— Bonjour... ça va ? réussit-elle à bredouiller.

Et aussitôt, elle se demanda si cela avait un sens. Elle ne savait pas trop.

Il lui répondit quelque chose, quelque chose d'important, mais elle ignorait de quoi il s'agissait. Les mots mystérieux roulaient à l'intérieur de son crâne, réduits à un salmigondis dépourvu de toute signification. Pourtant, elle essayait d'écouter ce qu'il disait. Elle essayait de toutes ses forces...

— Le Dr Kate... a parlé aux autres... enfreint le règlement ! La meilleure fille, la meilleure... Tu aurais pu être... si maligne que tu es une idiote !

Kate hocha la tête comme si elle comprenait ce qu'il venait de lui dire, comme si elle avait parfaitement suivi son raisonnement. Il savait manifestement qu'elle avait parlé aux autres. Etait-il en train de lui expliquer qu'elle était si maligne qu'elle était idiote ? Il n'avait pas vraiment tort. Bien vu, bonhomme.

— Je voulais... parler, finit-elle par articuler.

Elle avait l'impression d'avoir la langue emprisonnée dans une moufle de laine. Ce qu'elle voulait dire, c'était : « Discutons. Discutons de tout ça. Il faut qu'on discute. »

Mais discuter ne semblait pas faire partie de ses préoccupations immédiates. Il paraissait replié sur lui-même, très distant. L'Homme de Glace. Il avait quelque chose de très inhumain. Ce masque hideux. Aujourd'hui, il incarnait la Mort.

Il se trouvait à moins de trois mètres d'elle, brandissant son pistolet paralysant et sa seringue. « Docteur, hurla une voix dans sa tête. Il doit être médecin... »

Au prix d'immenses efforts, elle parvint à murmurer :

— Veux pas mourir... serai gentille... m'habillerai... hauts talons...

— Vous auriez dû y songer plus tôt, docteur Kate, ce qui vous aurait évité d'enfreindre mes consignes chaque fois que vous l'avez pu. J'ai commis une erreur avec vous. D'ordinaire, je ne commets pas d'erreur.

Sachant que la décharge électrique de l'arme l'immobiliserait, elle tenta de se concentrer sur ce qu'elle pouvait faire pour se tirer d'affaire.

Elle passa en pilotage automatique et s'appuya sur les réflexes qu'elle avait appris à développer. « Un seul coup, direct et bien franc », songea-t-elle. Mais dans les circonstances actuelles, cela paraissait impossible. Elle puisa néanmoins au plus profond d'elle-même. Une concentration totale. Toutes ses années de karaté débouchaient sur une infime chance de sauver sa vie.

Une ultime chance.

Au dojo, on lui avait dit mille fois de choisir une cible et une seule, puis d'utiliser la force et l'énergie de l'adversaire contre lui. Il lui fallait se concentrer pleinement, autant qu'elle le pouvait.

Il s'avança vers elle et leva le pistolet paralysant à hauteur de sa poitrine. Ses gestes étaient parfaitement calculés.

Kate poussa un *ki-aï!* rauque ou quelque chose d'approchant. Il lui était difficile de faire mieux. Et avec toute la force qui lui restait, elle donna un violent coup de pied en visant les reins. Un coup qui pouvait le rendre infirme. Mais ce qu'elle voulait, c'était le tuer.

Kate manqua le coup de pied de sa vie, mais il se passa pourtant quelque chose. Elle entra solidement en contact avec des os et de la chair.

Pas les reins, loin de la cible visée. Le coup avait atteint la hanche, ou le haut de la cuisse. Mais il avait fait mal, et rien d'autre ne comptait.

Casanova poussa un jappement de douleur, tel un chien heurté par une voiture. Elle lut la surprise dans ses yeux. Il recula en titubant.

Et le méchant ogre s'écroula brutalement. Kate McTiernan eut envie de hurler sa joie.

Elle l'avait blessé.

Casanova était à terre.

42

De retour dans le Sud, je me suis replongé dans cette horrible affaire de meurtres et d'enlèvements. Sampson avait raison : cette fois-ci, j'agissais pour des raisons personnelles. Et cette enquête, du genre impossible, allait peut-être effectivement s'étirer sur des années.

On faisait tout ce qui était faisable. Onze suspects étaient sous surveillance à Durham, à Chapell Hill ainsi qu'à Raleigh. Parmi eux, des maniaques divers, mais aussi des universitaires, des médecins et même un flic à la retraite qui vivait à Durham. Les crimes étant « parfaits », le FBI avait passé au crible tous les flics du secteur.

Ces suspects ne m'intéressaient pas. Moi, je devais suivre les pistes délaissées par les autres. C'était ce que prévoyait le marché conclu avec Kyle Craig et le FBI. Je jouais le rôle de l'exécuteur.

A l'époque, il y avait plusieurs affaires en cours à travers le pays. J'ai lu des centaines de rapports détaillés du FBI. A Austin, au Texas, un tueur d'homosexuels. A Ann Arbor et à Kalamazoo, dans le Michigan, un assassin qui ne s'en prenait qu'aux vieilles dames. Des tueurs en série à Chicago, North Palm Beach, Long Island, Oakland et Berkeley.

J'ai lu jusqu'à ce que les yeux m'en piquent. Et je ne parle pas de mon ventre.

Il y avait une sale histoire qui faisait la une dans tout le pays — le Gentleman, à Los Angeles. Je me suis branché sur Nexus pour sortir le « journal » du meurtrier. Le *Los Angeles Times* publiait ses confidences depuis le début de l'année.

J'ai commencé à lire le journal du tueur de L.A., puis je suis passé directement à l'avant-dernier papier publié dans le *Times*. Et ce que j'ai lu sur mon écran m'a coupé le souffle. J'avais du mal à le croire.

Je suis revenu au début du texte et je l'ai intégralement relu, très lentement, mot après mot.

Il y était question d'une jeune femme « détenue » par le Gentleman en Californie.

Le nom de la jeune femme : Naomi C. Situation professionnelle : étudiante en droit, deuxième année.

Description : race noire, très belle. Vingt-deux ans.

Naomi avait vingt-deux ans... elle était en deuxième année de droit... Comment un ignoble assassin qui tuait les gens pour le plaisir, à Los Angeles, pouvait-il connaître Naomi Cross ?

43

J'ai immédiatement appelé la journaliste qui présentait les extraits du journal. Elle s'appelait Beth Lieberman. J'ai composé le numéro de sa ligne directe; c'est elle qui a décroché.

Le cœur battant, j'ai tenté de lui résumer ma situation :

— Je m'appelle Alex Cross. Je suis inspecteur de la criminelle et je travaille sur l'affaire des meurtres de Casanova, en Caroline du Nord.

— Je sais très bien qui vous êtes, docteur Cross, m'a-t-elle coupé. Vous êtes en train d'écrire un livre dessus. Moi aussi. Pour des raisons évidentes, je ne pense pas avoir quoi que ce soit à vous confier, docteur Cross. Mon projet est déjà sur le bureau de tous les éditeurs new-yorkais.

— Ecrire un livre? Qui vous a raconté ça? Je ne suis pas en train d'écrire quoi que ce soit. (En dépit de ce que me dictait mon instinct, j'ai vite élevé la voix.) Je suis en train d'enquêter sur une vague d'enlèvements et de meurtres en Caroline du Nord. Voilà ce que je suis en train de faire.

— Le chef des inspecteurs de Washington n'est pas de cet avis, docteur Cross. C'est lui que j'ai appelé quand j'ai lu que vous étiez sur l'affaire Casanova.

« Les nuls sont de sortie », me suis-je dit. Mon ancien patron de Washington, George Pittman, était un con fini qui ne m'appréciait pas particulièrement.

— J'ai écrit un livre sur Gary Soneji, ai-je expliqué. Au passé composé. Il fallait que je me libère. Croyez-moi, je suis...

— Hors circuit!

Et vlan! elle m'a raccroché au nez.

— Connasse! j'ai fait dans mon combiné muet.

J'ai rappelé le journal pour tomber, cette fois, sur une secrétaire qui m'a sorti dans un staccato :

— Je suis désolée, mais Mme Lieberman est absente aujourd'hui.

J'ai eu un coup de sang.

— Elle a dû partir pendant les dix dernières secondes, le temps que je refasse le numéro. Soyez gentille de me repasser Mme Lieberman. Je sais qu'elle est là, passez-la-moi.

Et la secrétaire, à son tour, m'a raccroché au nez.

— Et deux connasses, deux ! Allez vous faire foutre !

Maintenant, on refusait de coopérer avec moi dans deux villes différentes, dans le cadre de la même affaire, et cela m'énervait d'autant plus que j'avais l'impression d'avoir soulevé un lièvre. Existait-il un rapport étrange entre Casanova et le tueur de la côte Ouest ? Comment le Gentleman pouvait-il connaître Naomi Cross ? Me connaissait-il, moi aussi ?

Ce n'était qu'une idée en l'air, mais trop intéressante pour que je l'écarte. J'ai appelé le rédacteur en chef du *Los Angeles Times*, qui s'avéra plus facile à joindre que sa journaliste. La voix de son assistant était sèche, efficace mais aussi agréable qu'un brunch dominical au Ritz-Carlton de Washington.

Je lui dis que j'étais le Dr Alex Cross, que j'avais participé à l'enquête sur l'affaire Gary Soneji et que je disposais d'informations importantes au sujet du Gentleman. Ce qui, pour les deux tiers, était la stricte vérité.

— Je vais en parler à M. Hills, m'a répondu l'assistant comme s'il était absolument enchanté de m'entendre.

J'aurais aimé avoir à ma disposition un collaborateur de ce genre.

J'ai très vite eu le rédacteur en chef au bout du fil.

— Alex Cross ? Dan Hills. J'ai entendu parler de vous par la presse au moment de l'affaire Soneji. Content de vous avoir, surtout si vous pouvez nous aider dans cette histoire plutôt compliquée.

En m'entretenant avec Dan Hills, j'imaginais un homme de grand gabarit, pas loin de la cinquantaine, coriace mais cultivant le chic californien. Chemise à petites rayures, manches retroussées jusqu'aux coudes. Cravate peinte à la main. Un pur produit de Stanford. Il m'a demandé de l'appeler Dan. Oui, je pouvais l'appeler Dan. Il avait l'air sympa. Il comptait sûrement à son actif un ou deux Pulitzer.

Je lui ai parlé de Naomi et de ma participation à l'enquête sur l'affaire Casanova en Caroline. Je lui ai également signalé que Naomi était mentionnée dans le journal du tueur de L.A.

— Navré pour la disparition de votre nièce, m'a dit Dan Hills. J'imagine ce que vous devez endurer. (Silence au bout du fil. J'ai eu peur que Dan ne s'apprête à me servir un laïus politiquement ou socialement correct.) Beth Lieberman est une jeune journaliste, douée. Pas facile, mais très professionnelle. C'est un sujet énorme, pour elle comme pour nous.

Je l'ai interrompu, il le fallait :

— Ecoutez-moi. Quand elle était à l'école, Naomi m'écrivait quasiment toutes les semaines. Ces lettres, je les ai toutes conservées. J'ai participé à son éducation. On est très proches. Et ça, pour moi, c'est énorme.

— Je comprends. Je vais voir ce que je peux faire, mais je ne vous promets rien.

— C'est entendu.

Fidèle à sa parole, Dan Hills m'a rappelé dans les bureaux du FBI moins d'une heure après.

— Bon, les grosses têtes se sont réunies et j'ai parlé à Beth. Comme vous pouvez vous en douter, cela nous place tous deux dans une situation délicate.

— Je vois ce que vous voulez dire, ai-je fait, prêt à encaisser le coup.

Mais une surprise m'attendait.

— La version non expurgée du journal envoyé par le Gentleman fait mention de Casanova. Apparemment, il se pourrait qu'ils soient en contact, et même qu'ils partagent leurs exploits. Presque comme s'ils étaient amis. On dirait que, je ne sais pour quelles raisons, ils communiquent entre eux.

Eurêka !

Les deux monstres étaient en relation.

A présent, j'avais une petite idée de ce que le FBI avait tenu secret, de ce qu'il craignait de voir révélé au grand jour.

Les deux tueurs en série opéraient à travers tout le pays.

44

« Sauve-toi! Cours! Bouge tes fesses! Tire-toi d'ici tout de suite! »

Kate McTiernan franchit d'un pas chancelant le seuil de la lourde porte de bois qu'il avait laissée ouverte.

Elle ignorait l'état de Casanova et ne songeait qu'à une chose : fuir. « Va-t'en! Eloigne-toi de lui pendant que tu le peux. »

Sa tête lui jouait des tours. Des images confuses s'y enchevêtraient sans aucune logique. La substance qu'il lui avait administrée était en train de produire tous ses effets. Elle était complètement déboussolée.

Kate passa la main sur son visage; ses joues étaient mouillées. Pleurait-elle? Une question à laquelle elle n'était même pas en mesure de répondre.

Elle gravit à grand-peine les hautes marches d'un escalier de bois. Menaient-elles à un autre étage? Venait-elle de monter par là? Elle ne s'en souvenait déjà plus. Elle ne se souvenait de rien.

Elle était en proie à une confusion totale. Avait-elle réellement fait tomber Casanova ou souffrait-elle d'hallucinations?

S'était-il lancé à sa poursuite? Etait-il déjà derrière elle, dans l'escalier? Le sang lui martelait les tempes et les vertiges qu'elle éprouvait menaçaient de lui faire perdre l'équilibre.

Naomi, Melissa Stanfield, Christa Akers. Où étaient-elles enfermées?

Kate avait toutes les peines du monde à se repérer dans la maison. Elle louvoya, comme saoule, dans l'immense couloir. Dans quel étrange bâtiment se trouvait-elle? Cela ressemblait à une maison. Les murs étaient neufs, fraîchement construits, mais quelle était cette maison?

— Naomi! voulut-elle crier, mais sa gorge ne laissa échapper qu'un faible son.

Elle ne parvenait pas à se concentrer, à fixer son attention pendant plus de quelques secondes. Qui était Naomi? Elle ne s'en souvenait plus précisément.

Elle s'arrêta et tira violemment sur un bouton de porte. La porte refusa de s'ouvrir. Pourquoi cette porte était-elle verrouillée? Que recherchait-elle? Que faisait-elle ici? La drogue l'empêchait de raisonner normalement.

« Je suis en train d'entrer en état de choc », se dit-elle. Elle avait froid et l'engourdissement la gagnait peu à peu. Dans sa tête, toutes ses pensées s'emballaient.

« Il arrive, il va me tuer. Il arrive derrière moi! »

« Sauve-toi! s'intima-t-elle. Trouve la sortie. Ne pense plus qu'à cela! Ramène de l'aide. »

Elle parvint au pied d'un autre escalier de bois qui semblait très ancien, comme s'il datait d'une autre époque.

Incapable de conserver l'équilibre plus longtemps, elle piqua du nez et manqua se fracasser le menton sur la seconde marche. En rampant sur les genoux, à tâtons, elle poursuivit son ascension. Elle montait un escalier. Qui menait où? Dans un grenier? Jusqu'où irait-elle? Casanova l'attendait-il là-haut, avec son arme paralysante et sa seringue?

Et soudain, elle se retrouva dehors! Elle était bel et bien sortie de la maison. Elle avait trouvé le moyen.

Une aveuglante herse de rayons de soleil força Kate McTiernan à cligner des yeux, mais jamais le monde ne lui parut aussi beau. Elle inspira à pleins poumons l'air parfumé de diverses essences d'arbres: les chênes, les sycomores et les immenses pins de la Caroline, glabres jusqu'à la crête. Elle regarda la forêt et le ciel haut, si haut, avant de fondre en larmes.

Kate leva les yeux vers les pins géants. De cime en cime couraient ces lianes qu'on appelait les *scuppernongs*. Elle avait passé toute son enfance dans ces forêts.

Fuir. Soudain, elle se rappela Casanova. Elle voulut courir et tomba au bout de quelques pas. Elle se redressa en s'aidant des mains et des genoux. « Sauve-toi! Fiche le camp d'ici! »

Kate tourna sur elle-même en décrivant un cercle complet, sans s'arrêter. Une fois, deux fois, trois fois, et elle faillit retomber.

« Non, non, non ! » hurla une voix en elle. Elle n'en croyait pas ses yeux, ne pouvait se fier à ses sens.

C'était plus bizarre, plus dingue que tout. Un mauvais rêve terrifiant. Il n'y avait pas de maison ! Kate virevoltait sous les immenses pins sans voir l'ombre d'une maison.

La maison, l'endroit où elle avait été retenue prisonnière, avait totalement disparu.

45

« Cours ! Remue tes jambes le plus vite possible, l'une après l'autre. Plus vite ! Plus vite que ça, ma petite. Il faut lui échapper. »

Elle tenta de se concentrer sur le chemin à suivre dans ces bois sombres et denses. Telles des ombrelles, les grands pins de Caroline filtraient le soleil au-dessus des feuillus et les arbrisseaux privés de lumière semblaient avoir honte de leurs troncs squelettiques.

A présent, il devait s'être lancé à sa poursuite. Il allait forcément tenter de la rattraper et, s'il y parvenait, il la tuerait. Elle était persuadée de ne pas l'avoir blessé gravement, et ce n'était pourtant pas faute d'avoir essayé.

Courant, trébuchant, Kate s'engagea dans une course chaotique sur le sol mou et spongieux jonché d'aiguilles de pin et de feuilles. Çà et là jaillissaient de longues et minces racines de bruyère en quête de lumière, et Kate avait l'impression de leur ressembler.

« Il faut que je souffle un peu... que je me cache... que j'attende que la drogue ait cessé d'agir, marmonnait-elle. Ensuite, j'irai chercher de l'aide... logique... j'appellerai la police. »

Derrière elle, elle entendit des bruits de branches brisées. Il hurlait son nom :

— Kate ! Kate ! Arrête-toi tout de suite !

L'écho de sa voix roulait comme le tonnerre à travers les bois.

L'aplomb dont il faisait preuve signifiait qu'il n'y avait personne dans un rayon de plusieurs kilomètres, personne qui pût la secourir dans cette maudite forêt. Elle ne pouvait compter que sur elle-même.

— Kate, je vais t'attraper ! C'est inévitable, alors arrête de courir !

Elle affronta la pente d'une colline rocheuse en ayant l'impression de faire l'ascension de l'Everest, tant sa fatigue était grande. Un serpent noir se dorait au soleil sur une pierre plate. Pensant voir une branche morte qui aurait pu lui tenir lieu de canne, Kate faillit se baisser pour le ramasser. Quand le reptile, surpris, décampa, elle craignit d'être de nouveau victime d'hallucinations.

— Kate ! Kate ! Tu es perdue ! Maintenant, je suis fâché !

Elle tomba dans un amas de rocaille envahi de chèvrefeuille. Une douleur aiguë lui cisailla la jambe gauche, mais elle se redressa. « Ne fais pas attention au sang, ne fais pas attention à la douleur. Ne t'arrête pas. »

« Il faut que tu t'échappes, que tu trouves du secours. Contente-toi de courir, courir, courir. Tu es plus intelligente, plus rapide, plus débrouillarde que tu ne l'imagines. Tu vas t'en sortir ! »

Elle l'entendit gravir le versant escarpé de la butte qu'elle venait de franchir. Il était tout près.

— Je suis là, Kate ! Hé, Kate, je suis juste derrière toi ! J'arrive !

Piquée par un mélange de curiosité et de terreur, elle ne put s'empêcher de tourner la tête.

Il grimpait avec facilité. Par instants, elle distinguait entre les arbres presque noirs, en contrebas, sa chemise de flanelle blanche et ses longs cheveux blonds. Casanova ! Il portait toujours son masque et tenait à la main son arme paralysante, ou quelque autre pistolet.

Il riait à gorge déployée. Pourquoi riait-il en un pareil moment ?

Kate cessa de courir. Ses derniers espoirs de fuite s'évanouirent brutalement et, comme foudroyée par le choc, incrédule, elle laissa échapper une plainte angoissée. Elle allait mourir là, elle le savait.

Elle murmura : « Dieu décidera. » Son pouvoir s'arrêtait là.

La pente abrupte s'achevait sur un précipice, une faille rocheuse profonde d'au moins trente mètres. Seuls quelques pins rabougris s'accrochaient aux parois lisses avec l'énergie du désespoir. Nul endroit où elle pût se dissimuler, nul endroit où elle pût se réfugier. Kate songea que c'était là un lieu bien triste et bien désert pour terminer sa vie.

— Ma pauvre Katie! hurla Casanova. Ma pauvre petite!

Elle se retourna. Il était là! A quinze, dix, sept mètres d'elle. Tout en progressant, malgré la forte pente, il la regardait. Il ne la quittait pas des yeux. Le masque noir paraissait immobile, figé dans sa direction.

Kate tourna le dos à Casanova, à son masque mortuaire, et contempla le canyon aux parois hérissées de rochers et d'arbres. « Trente mètres, peut-être davantage », se dit-elle. Le vertige qui s'emparait peu à peu d'elle lui faisait aussi peur que l'homme qui la poursuivait.

Elle entendit Casanova hurler son nom :

— Kate, non!

Mais cette fois, elle ne se retourna pas.

Kate McTiernan sauta dans le vide.

Elle replia ses genoux contre sa poitrine. « Fais comme si tu sautais dans un trou d'eau », se dit-elle.

Tout en bas, il y avait un torrent. Le filet d'eau bleu argent se rapprochait d'elle à une vitesse inimaginable et le grondement enflait dans ses oreilles.

Elle en ignorait la profondeur. Cinquante centimètres? Un mètre, peut-être? Trois si la chance de sa vie devait se présenter en cet instant précis, ce dont elle avait de bonnes raisons de douter.

Elle l'entendit hurler, là-haut :

— Kate! Tu es morte!

Elle distingua des crêtes d'écume, ce qui impliquait la présence de rochers sous l'eau. « Oh, mon Dieu, je ne veux pas mourir. »

Et avec une violence inouïe, elle percuta la dalle d'eau glacée.

Elle toucha le fond si vite qu'on eût dit que le torrent était à sec. Une explosion de douleur la submergea. Elle but la tasse et comprit qu'elle allait se noyer. Mais elle allait mourir de toute manière. Il ne lui restait plus de forces — Dieu déciderait.

46

L'inspecteur Nick Ruskin m'a appelé de Durham pour m'informer qu'on venait de découvrir le corps d'une autre femme et qu'il ne s'agissait pas de Naomi. Deux gamins qui avaient séché leurs cours pour s'offrir une partie de pêche au bord de la Wykagil avaient eu la désagréable surprise de ramener au bout de leurs lignes une jeune femme de trente et un ans, interne à Chapel Hill.

Ruskin est venu me prendre devant le Washington Duke Inn dans sa Saab turbo excessivement verte. Ces temps derniers, Davey Sikes et lui essayaient de se montrer plus coopératifs. Sikes avait pris une journée de repos, la première depuis un mois, selon son équipier.

Ruskin paraissait sincèrement content de me voir. Il a sauté de sa voiture devant l'hôtel et m'a secoué la main comme si nous étions de vieux amis. Comme d'habitude, il était vêtu comme un prince. Blouson Armani noir, hors de prix, et tee-shirt à poche assorti.

Ma situation dans le nouveau Sud commençait à s'améliorer. J'avais l'impression que Ruskin avait appris que j'étais en contact avec le FBI et qu'il souhaitait profiter de mes informations privilégiées. L'inspecteur Nick Ruskin était du genre remuant, et cette affaire pouvait mettre sa carrière sur orbite.

— C'est la première fois qu'on avance de façon significative.

— Qu'avez-vous appris jusqu'à présent sur cette interne ? lui ai-je demandé sur la route de l'hôpital universitaire de North Carolina.

— Pour l'instant, elle s'accroche. Apparemment, elle a descendu la Wykagil en glissant comme un poisson. Ils disent que c'est un vrai miracle ; aucune fracture importante. Mais elle est en état de choc, ou pire. Elle ne peut pas ou ne veut pas parler. Les toubibs utilisent des expressions du genre « choc catatonique, posttraumatique ». Trop tôt pour savoir. Au moins, elle est vivante.

Ruskin avait de l'enthousiasme à revendre et parfois, un certain charisme. Il voulait profiter de mes contacts, cela ne faisait aucun doute. Peut-être pourrais-je bénéficier des siens...

— Personne ne sait comment elle s'est retrouvée dans la rivière, ni comment elle a fait pour échapper à Casanova, me dit Ruskin alors que nous pénétrions dans la ville universitaire de Chapel Hill.

Imaginer Casanova traquant ses étudiantes, ici, me donnait presque la chair de poule ; c'était un endroit si charmant, qui paraissait si vulnérable.

— Ni si elle se trouvait bien avec Casanova, ai-je souligné. On ne le sait pas avec certitude.

— On sait que dalle, camarade... a soupiré Ruskin en engageant la voiture dans une rue latérale. (Un panneau indiquait HÔPITAL.) Mais je vais vous dire une chose : cette histoire va faire du bruit. C'est le grand déploiement. Tenez, regardez.

Sur ce point, Ruskin avait raison. Devant l'hôpital universitaire de North Carolina, le cirque des médias venait de planter son chapiteau. Les journalistes de la télévision et de la presse écrite avaient envahi le parking, le hall d'entrée et jusqu'aux paisibles pelouses délicatement vallonnées de l'université.

A notre arrivée, on a tous deux eu droit aux photographes. Ruskin était toujours la star de la police locale ;

apparemment, les gens l'aimaient bien. Moi, j'étais en passe de devenir dans cette affaire un second rôle connu, ou tout au moins un objet de curiosité. Mes exploits dans l'affaire Gary Soneji avaient déjà été colportés par les flics du coin. J'étais le professeur-inspecteur Cross, docteur ès monstres humains des contrées septentrionales.

— Dites-nous ce qui se passe, lança une journaliste. Soyez sympa, Nick. Qu'est-il réellement arrivé à Kate McTiernan?

— Si la chance nous sourit, elle pourra peut-être nous le dire.

Ruskin l'a gratifiée d'un large sourire en poursuivant son chemin jusqu'à ce que nous soyons hors de portée de la presse, à l'intérieur du bâtiment.

Nous étions loin d'être les premiers, mais on nous a autorisés à voir l'interne plus tard dans la soirée. Kyle Craig a fait le nécessaire pour que je n'aie pas de problèmes. Les médecins avaient établi que Katelya McTiernan ne souffrait pas d'une névrose, mais d'un syndrome de stress posttraumatique. Le diagnostic paraissait raisonnable.

Ce soir-là, je ne pouvais strictement rien faire, mais je suis resté après le départ de Nick Ruskin pour lire les feuilles de soins et les comptes rendus. J'ai consulté les rapports de la police locale indiquant que la jeune femme avait été découverte par deux gamins de douze ans qui avaient fait l'école buissonnière pour aller au bord de l'eau pêcher et fumer des cigarettes.

J'avais une petite idée de la raison qui avait poussé Nick Ruskin à m'appeler. C'était un rusé. Il avait compris que l'état actuel de Kate McTiernan pourrait amener les responsables de l'enquête à faire appel à mes compétences de psychologue, d'autant que j'avais déjà eu affaire, par le passé, à ce type de traumatisme.

Katelya McTiernan. Rescapée. Mais de justesse. Le premier soir, je suis resté une bonne demi-heure près de son lit. Son goutte-à-goutte était branché sur un moniteur électronique; on avait placé les barres du lit en position haute. Il y avait déjà des fleurs dans la chambre. Un poème de Sylvia Plath intitulé « Les tulipes » m'est venu à l'esprit, un poème d'une infinie tristesse dans lequel l'auteur évoque sa vision bien peu sentimentale des fleurs qu'elle avait reçues dans sa chambre d'hôpital, après une tentative de suicide.

J'ai essayé de me rappeler à quoi ressemblait Kate McTiernan avant ses yeux au beurre noir. J'avais vu des photos. Avec son visage enflé et couvert d'ecchymoses, on aurait dit qu'elle portait des lunettes de motard ou un masque à gaz. Autour de la mâchoire, les chairs étaient encore plus boursouflées. Selon le compte rendu des médecins, elle avait également perdu une dent, à la suite d'un coup, au moins deux jours avant qu'on l'eût repêchée dans la rivière. Il l'avait battue. Casanova, celui qui revendiquait le titre de séducteur.

J'avais mal pour elle, j'avais envie de lui dire que tout allait s'arranger.

J'ai posé doucement ma main sur la sienne et j'ai répété continuellement la même phrase :

— Kate, vous êtes parmi vos amis. Vous êtes dans un hôpital de Chapel Hill, Kate, et il ne peut plus rien vous arriver.

J'ignorais si la jeune femme, sérieusement blessée, était capable de m'entendre ou de me comprendre. Je voulais simplement lui dire quelques mots apaisants avant de l'abandonner à la nuit.

Et en la regardant, j'ai entrevu l'image du visage de Naomi. Je ne pouvais l'imaginer morte. « Est-ce que Naomi va bien, Kate McTiernan ? Avez-vous vu Naomi Cross ? » avais-je envie de lui demander, mais de toute manière, elle ne m'aurait pas répondu.

— Il ne peut plus rien vous arriver, Kate. Dormez bien. Il ne peut plus rien vous arriver.

Kate McTiernan était incapable de dire un mot de ce qui s'était produit. Elle venait de vivre un cauchemar épouvantable, bien pire que tout ce que je pouvais concevoir.

Elle avait vu Casanova, et en avait perdu l'usage de la parole.

47

Nique-tac.

Un jeune avocat nommé Chris Chapin avait ramené chez lui une bouteille de vin de Californie, un chardonnay de Beaulieu qu'il était en train de déguster au lit en compagnie de sa fiancée, Anna Miller. C'était le week-end, enfin. Chris et Anna reprenaient goût à la vie.

— Encore une semaine de bagne qui s'achève. Quel bonheur !

Chris, vingt-quatre ans, les cheveux blond-roux, était associé d'un prestigieux cabinet d'avocats de Raleigh. Ce n'était pas tout à fait Mitch McDeere dans *La Firme* — on ne lui avait pas offert une décapotable de marque allemande en cadeau de bienvenue —, mais sa carrière juridique avait pris un bon départ.

— Dommage que j'aie un texte à rendre lundi, fit Anna en grimaçant. (Elle était en troisième année de droit.) Et qui plus est, pour ce sadique de Stacklum.

— Pas ce soir, Anna Banana. Stacklum n'a qu'à aller se faire voir. Occupe-toi plutôt de moi.

— C'est sympa d'avoir pensé au vin, fit Anna.

Un sourire dévoila enfin ses belles dents blanches.

Chris et Anna étaient pleins d'attentions l'un pour l'autre. Tout le monde le disait, tous leurs amis avocats. Ils se complétaient, avaient grosso modo la même vision du monde et, surtout, étaient suffisamment intelligents pour s'accepter tels qu'ils étaient. Chris faisait de son métier une véritable obsession. Pas de problème. Anna éprouvait le besoin de courir les antiquaires au moins deux fois par mois et dépensait sans compter. Pas de problème.

— Je crois que ce vin mériterait de respirer un peu plus, dit Anna avec un sourire espiègle. Tiens, et puisqu'on a du temps devant nous...

Elle fit glisser les bretelles du soutien-gorge à balconnets en dentelle blanche qu'elle avait acheté avec la culotte assortie chez Victoria's Secret, au centre commercial.

— Ouais, souffla Chris Chapin. Quand je pense que c'est le week-end !

Ils se jetèrent dans les bras l'un de l'autre et commencèrent à se déshabiller mutuellement en s'embrassant, en se caressant, en s'abandonnant totalement au plaisir de l'instant.

Au beau milieu de leurs étreintes, Anna Miller éprouva une étrange impression.

Elle sentait une présence dans la chambre. Elle s'écarta de Chris.

Il y avait quelqu'un debout devant le lit !

Il portait un masque peint aux motifs sinistres. Des dragons rouge et jaune, menaçants. Des créatures grotesques, en furie, qui semblaient s'affronter à coups de griffes.

— Qui êtes-vous ? C'est quoi, ça ? fit Chris d'une voix tremblante.

Il tâtonna sous le lit, à la recherche de sa batte de base-ball, trouva enfin le manche :

— Hé, je t'ai posé une question, connard !

L'intrus poussa un feulement de bête sauvage :

— Voilà ma réponse, connard.

Casanova tendit le bras droit. Dans son poing, il serrait un Luger. Il fit feu, une fois, et un grand trou rouge s'ouvrit dans le front de Chris Chapin. L'impact projeta le corps nu du jeune avocat contre la tête de lit. La batte de base-ball tomba sur le sol.

D'un geste rapide, Casanova sortit une seconde arme, un pistolet paralysant. Il visa Anna en pleine poitrine.

— Navré pour tout, lui murmura-t-il en l'emportant. Je suis vraiment navré mais, c'est promis, je me rachèterai.

Anna Miller était le nouveau grand amour de Casanova.

48

Le lendemain matin, ce fut le début d'une troublante énigme médicale. A l'hôpital universitaire de North Carolina, tout le monde s'avouait perplexe, moi le premier.

Kate McTiernan avait commencé à parler de très bonne heure. Je n'étais pas sur place, mais apparemment Kyle Craig se trouvait dans sa chambre dès l'aube. Malheureusement, les déclarations de notre précieux témoin étaient inintelligibles.

Notre interne au coefficient intellectuel élevé a tenu des propos incohérents pendant presque toute la matinée. Par moments, on aurait dit qu'elle avait basculé dans la folie; elle s'exprimait dans une langue incompréhensible. Les rapports médicaux indiquaient qu'elle souffrait de tremblements, de convulsions et de crampes abdominales et musculaires.

Je suis allé la voir en fin d'après-midi. On craignait toujours qu'elle n'eût subi des lésions cérébrales. Pendant ma visite, elle est restée le plus souvent silencieuse et sans réactions. Une fois, elle a tenté de parler, mais c'est un hurlement terrifiant qui est sorti de sa bouche.

Le médecin responsable est passé pendant que je me trouvais dans la chambre. On s'était déjà parlé une ou deux fois dans la journée. Le Dr Maria Ruocco ne tenait pas spécialement à me dissimuler des informations concernant sa patiente. En fait, elle s'est montrée extrêmement agréable et toute disposée à me rendre service. Elle me disait qu'elle voulait nous aider à arrêter l'individu, ou plutôt le monstre, qui avait infligé un tel traitement à la jeune interne.

Je soupçonnais que Kate McTiernan se croyait encore captive et en la regardant se battre contre des forces invisibles, j'ai deviné qu'elle devait être une redoutable adversaire. J'ai fini par prendre racine dans sa chambre d'hôpital.

Je me suis porté volontaire pour veiller Kate McTiernan durant de longues périodes, un privilège que personne n'a cherché à me disputer. Peut-être finirait-elle par me dire quelque chose. Une phrase, voire un simple mot, pouvait nous mettre sur la piste de Casanova. Il nous suffisait d'un indice pour mobiliser toutes les forces.

— Il ne peut plus rien vous arriver, Kate, lui murmurais-je régulièrement.

Elle ne semblait pas m'entendre, mais je m'obstinais.

Ce soir-là, sur le coup de neuf heures et demie, il m'est venu une idée, une idée irrésistible. L'équipe médicale assignée à Kate McTiernan avait déjà quitté les lieux. Alors, j'ai appelé le FBI pour les persuader de me permettre d'appeler le Dr Ruocco chez elle, près de Raleigh.

Arrivée au téléphone, le Dr Ruocco a commencé par me demander :

— Alex, vous êtes encore à l'hôpital ?

Mon coup de téléphone nocturne à son domicile semblait l'avoir davantage surprise que dérangée. Nous avions déjà eu de longues conversations au cours de la journée. Tous deux anciens de Johns Hopkins, nous avions comparé nos expériences. Très intéressée par l'affaire Soneji, elle avait lu mon livre. J'ai commencé à lui exposer ma théorie et je lui ai raconté ce que j'avais déjà fait.

— Comme d'habitude, je n'arrivais pas à penser à autre chose. J'essayais d'imaginer comment il faisait pour que ses victimes restent dociles. Je me suis dit qu'il devait les droguer, en utilisant peut-être une substance sophistiquée. J'ai appelé votre labo pour connaître les résultats de l'examen toxicologique. On a trouvé du Marinol dans ses urines.

Le Dr Ruocco a eu l'air aussi surprise que moi.

— Du Marinol ? Hum... Comment a-t-il fait pour lui trouver du Marinol ? Là, je n'en reviens pas. Mais c'est bien vu, ça tient presque du génie. S'il cherchait à la maintenir dans un état de soumission totale, le Marinol est un bon choix.

— Cela n'expliquerait-il pas les réactions névrotiques d'aujourd'hui ? Des tremblements, des convulsions, des hallucinations... tout correspond, si on y réfléchit bien.

— Vous avez peut-être raison, Alex. Du Marinol ! Les symptômes de manque peuvent ressembler à s'y méprendre à la pire des crises de delirium tremens. Mais comment se fait-il qu'il en sache autant sur le Marinol et ses méthodes d'utilisation ? Ce n'est pas à la portée du premier pékin venu.

Je m'étais posé la même question.

— Il a peut-être suivi une chimiothérapie ? On l'a peut-être traité pour un cancer, et il a pris du Marinol. Il est peut-être défiguré, mutilé...

— Et si c'était un médecin ? Ou un pharmacien ?

J'avais déjà envisagé ces hypothèses. Il pouvait même s'agir d'un médecin exerçant à l'hôpital universitaire.

— Ecoutez, notre interne préférée pourrait nous apprendre sur lui quelque chose qui nous aiderait à l'arrêter. Peut-on faire quoi que ce soit pour réduire la durée de la période de manque ?

— Je serai là dans environ vingt minutes. Même pas. On verra ce qu'on peut faire pour sortir la pauvre fille de son mauvais rêve. Je crois qu'on aimerait tous les deux parler à Kate McTiernan.

49

Une demi-heure plus tard, le Dr Maria Ruocco m'avait rejoint dans la chambre du Dr Kate McTiernan. Je n'avais divulgué ma découverte ni à la police de Durham, ni au FBI. Je voulais d'abord parler à l'interne. Cela risquait d'être le premier développement majeur de notre enquête.

Maria Ruocco a passé près d'une heure à ausculter sa précieuse patiente. L'esprit pratique mais convivial, les cheveux blond cendré, c'était une femme très séduisante qui devait approcher la quarantaine. Un petit côté provinciale de bonne famille, mais vraiment bien. Je me suis demandé si Casanova avait déjà suivi le Dr Ruocco.

— La pauvre gosse est en plein dedans, me dit-elle. Elle avait presque assez de Marinol dans le sang pour y rester.

— J'aimerais savoir si c'est ce qui était prévu. Elle faisait peut-être partie de ses rejets. Bon sang, il faut que je lui parle.

Kate McTiernan semblait dormir. D'un sommeil agité, sans doute, mais elle dormait. Pourtant, dès que les mains du Dr Ruocco l'ont effleurée, elle s'est mise à gémir tandis qu'un masque de peur tordait son visage tuméfié. Une terreur palpable, inquiétante, presque comme si nous l'observions durant sa captivité.

Le Dr Ruocco faisait preuve d'une extrême douceur, mais les plaintes et les gémissements se sont prolongés. Jusqu'au moment où, enfin, Kate McTiernan a parlé. Sans ouvrir les yeux.

— Ne me touchez pas! Ne me touchez pas! N'essayez pas de me toucher, espèce d'enculé! (Elle n'avait toujours pas ouvert les yeux. En fait, elle serrait les paupières de toutes ses forces.) Ne t'approche pas de moi, salaud!

Le Dr Ruocco savait garder la tête froide — et le sens de l'humour — dans les circonstances les plus difficiles :

— Ah, ces jeunes toubibs! Ça ne respecte vraiment plus rien. Et cette façon de parler... Je m'excuse, mais merde!

En regardant Kate McTiernan, nous avions l'impression d'assister à une séance de torture. J'ai repensé à Naomi. Se trouvait-elle en Caroline du Nord? Ou alors en Californie? Etait-elle en train de vivre le même cauchemar? J'ai chassé de ma tête ces images perturbantes. Un problème après l'autre.

Il a fallu une demi-heure au Dr Ruocco pour traiter Kate McTiernan. Une dose de Librium par perfusion, puis elle rebrancha le moniteur cardiaque. Lorsqu'elle eut terminé, l'interne sombra dans un sommeil encore plus profond. Ce n'était pas ce soir qu'elle allait nous révéler ses secrets.

— J'aime votre façon de travailler, ai-je chuchoté au Dr Ruocco. Vous vous êtes bien débrouillée.

Maria Ruocco m'a fait signe de l'accompagner hors de la chambre. Dans le couloir plongé dans la pénombre régnait ce calme étrange qu'on ne trouve que dans les hôpitaux, la nuit. Je ne cessais de me dire que Casanova pouvait très bien être médecin à la faculté, qu'il pouvait même se trouver dans ces murs, fût-ce à une heure aussi tardive.

— Alex, nous avons fait tout ce que nous pouvions faire pour l'instant. Laissons le Librium agir. D'après mon décompte, trois agents du FBI, plus deux des meilleurs éléments de la police de Durham, sont là cette nuit pour protéger le Dr McTiernan du croque-mitaine. Pourquoi ne pas rentrer à votre hôtel et dormir un peu ? Et que diriez-vous d'un soupçon de Valium, mon brave homme ?

J'ai répondu à Maria Ruocco que je préférais dormir à l'hôpital.

— Je ne pense pas que Casanova s'attaquera à elle ici, mais on ne sait jamais. Il pourrait malgré tout essayer. (Surtout si Casanova est un médecin d'ici, me disais-je, mais je ne lui ai pas fait la remarque.) Qui plus est, je sens qu'elle a quelque chose pour moi, depuis la première fois que je l'ai vue. Elle a peut-être connu Naomi.

Le Dr Maria Ruocco a levé les yeux vers moi (je devais la dépasser d'une bonne tête) et m'a fait, le visage grave :

— Vous avez l'air normal, il vous arrive de parler comme quelqu'un de normal, mais vous êtes bon pour l'asile.

Elle m'a gratifié d'un large sourire. Ses yeux bleu clair pétillaient de malice.

— Et par-dessus le marché, lui ai-je dit, je suis armé et dangereux.

— Bonne nuit, docteur Cross.

Elle m'a envoyé un baiser léger comme une plume.

— Bonne nuit, docteur Ruocco. Et encore merci.

Comme elle s'éloignait, je lui ai rendu son baiser.

Dans la chambre de Kate McTiernan, j'ai mal dormi. J'avais rapproché deux inconfortables fauteuils club et gardé mon arme sur le ventre. De quoi faire de beaux rêves.

50

— Qui êtes-vous ? Qui êtes-vous, monsieur ?

Une voix puissante, aiguë, m'a réveillé en sursaut. Tout près de moi, presque contre mon visage. Je me suis immédiatement souvenu que je me trouvais à l'hôpital universitaire de North Carolina. Je me suis souvenu de l'endroit exact où je me trouvais dans cet hôpital. J'étais avec Kate McTiernan, notre inestimable témoin.

— Je suis un policier, ai-je répondu à l'interne traumatisée, d'une voix aussi douce et rassurante que possible. Je m'appelle Alex Cross. Vous êtes à l'hôpital universitaire de North Carolina. Tout va bien.

Kate McTiernan a paru sur le point de fondre en larmes, puis elle s'est ressaisie. En la voyant faire preuve d'une telle maîtrise d'elle-même, j'ai compris comment elle avait pu survivre et à Casanova, et au torrent. La jeune femme que je venais de veiller avait un tempérament d'acier.

— Je suis à l'hôpital ?

— Elle avalait un peu les mots, mais s'exprimait au moins de manière cohérente.

— Eh oui, lui ai-je dit en levant la main, paume à l'extérieur. Maintenant, vous ne risquez plus rien. Attendez, je cours chercher un médecin. Je vous demande une minute.

Elle avait toujours du mal à articuler ses mots, mais sa détermination avait quelque chose d'effrayant.

— Attendez un instant. Je suis médecin. Laissez-moi le temps de retrouver mes marques avant de faire entrer des visiteurs. Je dois reprendre mes esprits. Vous êtes policier ?

J'ai hoché la tête. Je voulais faire en sorte que tout se passe le mieux possible. Après ce qu'elle avait enduré au cours des derniers jours, j'avais envie de la prendre dans mes bras, de lui tenir la main, de la soutenir sans la brusquer. J'avais également envie de lui poser une centaine de questions extrêmement importantes.

Kate McTiernan a détourné son regard.

— Je crois qu'il m'a droguée. A moins que tout ceci n'ait été qu'un cauchemar ?

— Non, ce n'était pas un cauchemar. Il s'est servi d'un antinauséeux très puissant, le Marinol.

Je lui ai dit ce que nous avions appris jusque-là, en veillant à ne pas l'orienter dans la mauvaise direction.

— J'ai dû complètement disjoncter.

Elle a voulu siffler, mais un drôle de son est sorti de sa gorge. On remarquait sa dent manquante. Elle devait avoir la bouche sèche. Ses lèvres, surtout celle du haut, étaient tuméfiées.

Curieusement, je me suis surpris à sourire.

— Vous avez sûrement passé un certain temps sur la planète Bizarroïde. Content de vous revoir.

— Ça fait du bien d'être de retour, m'a-t-elle murmuré, les yeux gonflés de larmes. Désolée, j'ai tout fait pour ne pas pleurer dans cet endroit horrible. Je ne voulais pas lui laisser voir une faiblesse qu'il aurait pu exploiter. Maintenant, j'ai envie de pleurer. Je crois que je vais le faire.

— Allez, pleurez autant que vous le voulez, ne vous retenez pas.

J'ai parlé à mi-voix, la gorge nouée, en peinant à retenir mes larmes, moi aussi. Un étau me broyait la poitrine. J'ai fait deux pas jusqu'au lit et j'ai doucement tenu la main de Kate tandis qu'elle laissait aller ses larmes.

— Vous n'avez pas l'accent du Sud, m'a-t-elle dit lorsqu'elle a enfin repris la parole.

A ma grande surprise, elle était déjà en train de reprendre possession de ses moyens.

— En fait, je suis de Washington. Ma nièce a disparu de la faculté de droit de Duke il y a dix jours. C'est pour cela que je suis descendu en Caroline du Nord. Je suis inspecteur.

Elle m'a regardé comme si enfin elle me voyait ; quelque chose d'important semblait lui revenir à l'esprit.

— Dans la maison où j'étais prisonnière, il y avait d'autres femmes. Nous ne devions pas parler. Casanova interdisait formellement toute communication, mais je n'ai pas respecté ses consignes. J'ai parlé à une femme qui s'appelait Naomi...

Je ne lui ai pas laissé le temps de poursuivre :

— Ma nièce s'appelle Naomi Cross. Elle est en vie ? Elle va bien ? (J'ai cru que mon cœur allait imploser.) Dites-moi ce dont vous vous souvenez, Kate. Je vous en prie.

Le visage de Kate McTiernan s'est crispé.

— J'ai parlé à une Naomi, mais je ne me souviens plus de son nom de famille. J'ai aussi parlé à une Kristen. Les produits qu'il nous a donnés... Oh, mon Dieu, c'était votre nièce ?... Tout est si flou, si sombre maintenant. Je suis désolée...

La voix de Kate s'effilocha comme si quelqu'un l'avait privée d'air.

J'ai gentiment serré sa main.

— Non, non. Grâce à vous, je n'ai jamais autant espéré depuis que je suis ici.

Le regard grave de Kate McTiernan restait plongé dans le mien, comme si elle revoyait quelque chose d'horrible qu'elle cherchait à effacer de sa mémoire.

— Il y a encore beaucoup de choses dont je ne me souviens pas pour l'instant. Je crois que cela fait partie des effets secondaires du Marinol... Je me rappelle qu'il s'apprêtait à me faire une autre piqûre. Je lui ai donné un coup de pied, je lui ai fait assez mal pour avoir le temps de filer. Enfin, je pense que c'est ce qui s'est passé... Il y avait une forêt, une forêt très dense. Des pins de Caroline, de la mousse qui pendait aux branches un peu partout... Je me souviens d'une chose, je vous assure que je n'invente rien... la maison... enfin, là où nous étions prisonnières, elle a disparu. La maison où on nous gardait a disparu sous mes yeux, comme ça.

Kate McTiernan secouait lentement la tête et sa chevelure balayait son visage. Elle écarquillait les yeux, comme stupéfaite d'entendre son propre témoignage.

— Voilà ce dont je me souviens. Comment est-ce possible ? Une maison qui disparaît ?

J'ai vu qu'elle était en train de revivre un passé proche, terrifiant. J'étais à ses côtés. J'avais été le premier à écouter le récit de son évasion ; le seul, pour l'instant, à entendre la voix de notre témoin.

51

Encore perturbé, énervé par la fuite du Dr Kate McTiernan, Casanova était en train de passer une très mauvaise nuit. Réveillé depuis des heures, il ne cessait de se retourner. Ce n'était pas bien. C'était dangereux. Il avait commis sa première erreur.

Puis quelqu'un lui chuchota dans le noir :

— Ça va ? Tu te sens bien ?

Une fraction de seconde, cette voix de femme le surprit. Il avait été Casanova. A présent, l'heure était venue d'endosser en souplesse son autre personnage : le mari modèle.

Il tendit le bras et caressa tendrement l'épaule nue de sa femme.

— Ça va, pas de problème. C'est juste que j'ai un peu de mal à dormir.

— J'avais remarqué. Difficile de faire autrement. Tu ne tiens pas en place...

Il devinait un sourire sous sa voix ensommeillée. Elle était d'une grande bonté, et elle l'adorait.

— Désolé, chuchota Casanova.

Il déposa un baiser sur l'épaule de son épouse, fit glisser ses doigts sur ses cheveux. En songeant aux cheveux de Kate McTiernan. Kate avait des cheveux châtains, bien plus longs.

Sans cesser de caresser la chevelure de sa femme, il reprit peu à peu le cours de ses réflexions torturées. A qui pouvait-il encore parler ? A personne. Certainement pas en Caroline du Nord, pas même dans ce Triangle des Chercheurs, royaume des prétentieux.

Finalement, il se leva et, d'un pas traînant, descendit au rez-de-chaussée, pénétra dans son bureau puis, sans un bruit, referma et verrouilla la porte.

Il regarda sa montre. Trois heures du matin, ce qui faisait minuit à Los Angeles. Il donna son coup de téléphone.

A vrai dire, Casanova avait quelqu'un à qui parler. Une seule personne au monde.

— C'est moi, dit-il en entendant la voix familière à l'autre bout du fil. Je me sens un peu déphasé, ce soir. Evidemment, j'ai pensé à toi.

— Serais-tu en train de sous-entendre que je mène une vie de débauche et de folie? gloussa le Gentleman.

— Cela va sans dire.

Casanova se sentait déjà mieux. Il y avait tout de même quelqu'un capable de l'écouter et de partager ses secrets :

— Hier, j'en ai pris une autre. Il faut que je te parle d'Anna Miller. Elle est délicieuse, mon cher ami.

52

Une fois de plus, Casanova avait frappé.

Une autre étudiante, une belle et brillante jeune femme du nom d'Anna Miller avait été enlevée dans l'appartement en rez-de-jardin qu'elle partageait avec son ami, un avocat, près de l'université d'Etat de Caroline du Nord, à Raleigh. Le petit copain avait été abattu dans leur lit, ce qui était une nouveauté chez Casanova. Il n'avait laissé aucun message, aucun autre indice sur les lieux du crime. Après avoir commis une erreur, il tenait à nous faire savoir qu'il avait retrouvé le chemin de la perfection.

J'ai passé de longues heures en compagnie de Kate McTiernan à l'hôpital universitaire de North Carolina. Nous nous entendions bien et il me semblait que nous allions devenir amis. Elle voulait m'aider à établir le profil psychologique de Casanova. Elle me racontait tout ce qu'elle savait de lui et des jeunes femmes qu'il détenait.

D'après ce qu'elle savait, il y avait six femmes otages, dont elle. Il était possible qu'elles fussent plus nombreuses.

Selon Kate, Casanova était extrêmement bien organisé. Il était capable de consacrer des semaines entières à la préparation de ses enlèvements afin d'étudier ses proies dans le plus grand détail.

Tout laissait croire qu'il avait lui-même « bâti » la maison de l'horreur. Il avait installé la plomberie, un système d'interphone spécial et la climatisation, apparemment pour le confort de ses prisonnières. Kate ayant cependant toujours vu la maison dans un état second, il lui était difficile de la décrire avec précision.

Casanova était peut-être un maniaque de l'obéissance, jaloux et violent, extrêmement possessif. Sexuellement actif, il pouvait entretenir plusieurs érections au cours d'une même nuit. Il avait une obsession : le sexe et les pulsions sexuelles masculines.

Il pouvait aussi se montrer, à sa manière, prévenant et « romantique », pour reprendre son propre terme. Il aimait cajoler, embrasser, converser avec les jeunes femmes des heures durant. Il leur disait qu'il les aimait.

En milieu de semaine, le FBI et la police de Durham ont fini par se mettre d'accord sur le choix d'un local, dans l'hôpital, où Kate McTiernan pourrait pour la première fois parler à la presse, et ce en toute sécurité. La conférence s'est tenue à son étage, dans un grand hall d'entrée.

Le couloir blanc était bondé jusqu'aux panneaux lumineux indiquant les sorties de secours. Journalistes serrant leurs calepins, reporters de télévision, minicaméra juchée sur l'épaule, sans oublier quelques policiers équipés d'armes automatiques. Au cas où. Les inspecteurs de la criminelle Nick Ruskin et Davey Sikes sont restés aux côtés de Kate durant toute la durée de l'enregistrement.

Kate McTiernan était bien partie pour devenir célèbre dans tout le pays. Le grand public allait faire la connaissance de la jeune femme qui s'était enfuie de la maison de l'horreur. J'étais sûr que Casanova, lui aussi, la regarderait. Et j'espérais qu'il ne se trouvait pas à l'hôpital, là, avec nous.

Un infirmier, visiblement adepte de body-building, a poussé Kate dans le couloir surpeuplé, au milieu du brouhaha général. L'hôpital lui avait imposé le fauteuil roulant. Elle portait un pantalon de jogging bien large aux armes de la fac et un tee-shirt de coton blanc, tout simple. Ses cheveux châtains, longs et brillants, flottaient sur ses épaules. Les boursouflures de son visage tuméfié avaient bien fondu. « Je commence à ressembler à ce que j'étais avant », m'avait-elle dit. « Mais je ne me sens plus comme avant, Alex. A l'intérieur. »

L'encombrant fauteuil poussé par l'infirmier était presque en haut de l'estrade hérissée de micros quand Kate, à la surprise générale, s'est lentement levée pour faire le reste du chemin à pied.

Les journalistes se sont rapprochés du témoin principal.

— Bonjour, je m'appelle Kate McTiernan. J'ai une très brève déclaration à faire, et après je ne vous embêterai plus.

Elle parlait d'une voix forte et vibrante, et pour tous ceux qui la voyaient, qui l'écoutaient, faisait preuve d'une belle assurance. Sa décontraction et son esprit suscitèrent rires et sourires dans la foule. Un ou deux journalistes voulurent lui poser des questions, mais le bruit de fond était désormais tel qu'on avait du mal à les entendre. D'un bout à l'autre du couloir noir de monde se jouait une symphonie pour flashes et moteurs d'appareils photo.

Kate s'est interrompue, et aussitôt un silence relatif a repris possession des lieux. On crut d'abord qu'elle ne se sentait plus capable d'affronter la conférence de presse. Un médecin qui se trouvait à proximité s'avança, mais elle l'éloigna d'un geste.

— Tout va bien, je vous remercie. Je vous assure. Si je sens que je commence à avoir des vertiges ou quoi que ce soit, je m'installerai dans le fauteuil comme une gentille malade. Je vous le promets. Je ne vais pas jouer les héroïnes.

Nul ne pouvait le nier : elle maîtrisait la situation. Plus âgée que la plupart des étudiants et des internes de la faculté de médecine, Kate avait toutes les apparences d'un authentique médecin.

Elle a balayé la salle du regard. Curieuse, semblait-il, et peut-être un peu abasourdie. Après quoi, elle s'est excusée de cette brève interruption :

— J'étais en train de mettre un peu d'ordre dans mes idées... Je voudrais vous dire ce que je peux sur ce qui m'est arrivé — et j'ai bien l'intention de vous dire tout ce que je peux — mais cela s'arrêtera là. Je ne répondrai pas aux questions des journalistes. J'aimerais que chacun respecte les termes de cet accord. Entendu ?

Le calme de Kate McTiernan face aux caméras de télévision avait de quoi impressionner. Elle affichait une aisance surprenante en de telles circonstances, à la manière d'une vraie professionnelle. Je l'avais trouvée très sûre d'elle, très confiante dans les moments importants. Et en d'autres occasions, elle s'était révélée aussi fragile, aussi inquiète que nous.

— Tout d'abord, je voudrais m'adresser à tous les proches, à tous les amis des disparues. Je vous en prie, ne perdez pas espoir. L'homme connu sous le nom de Casanova n'attaque que si ses ordres explicites ne sont pas respectés. J'ai enfreint ses règles, ce qui m'a valu d'être sauvagement battue, mais j'ai réussi à prendre la fuite. D'autres femmes se trouvent dans les lieux où j'ai été retenue prisonnière. Mes pensées les accompagnent, à un point que vous ne pouvez imaginer. Je suis convaincue, au plus profond de moi-même, qu'elles sont toujours saines et sauves.

Inexorablement, les journalistes se rapprochaient de Kate McTiernan qui, malgré son corps meurtri, resplendissait d'une force quasi magnétique. Elle plaisait aux caméras. Et bientôt, je le savais, elle plairait aussi au grand public.

Elle a passé l'instant suivant à tout faire pour rassurer les familles des jeunes femmes disparues, en insistant une fois de plus sur le fait que Casanova s'en était pris à elle pour la seule raison qu'elle avait enfreint ses consignes. Je me suis fait la réflexion qu'elle était peut-être également en train d'adresser un message à Casanova : « La responsable, c'est moi, pas les autres femmes. »

En la regardant, je me posais des questions : N'enlève-t-il que des femmes extraordinaires ? Des femmes qui ne sont pas simplement belles, mais qui, à tous points de vue, ont quelque chose de spécial ? Qu'est-ce que cela signifie ? Quel est l'objectif de Casanova ? A quel jeu joue-t-il ?

J'avais tendance à penser que le tueur était obsédé par la beauté physique, mais qu'il ne supportait pas d'être en compagnie de femmes moins intelligentes que lui. Je devinais également qu'il était en manque d'activité sexuelle.

Arrivée au terme de son récit, Kate avait les yeux brillants de larmes pareilles à des gouttes de cristal. Ses derniers mots furent :

— Je vous remercie d'avoir transmis ce message aux familles des jeunes femmes qui ont disparu. J'espère que cela les aidera. Je vous en prie, plus de questions pour l'instant. Il m'est encore impossible de me souvenir de tout ce qui m'est arrivé. Je vous ai dit ce que je pouvais.

Il y a d'abord eu un silence surnaturel. Pas une seule question. Elle avait été suffisamment claire. Puis les journalistes et le personnel hospitalier l'ont applaudie à tout rompre. Ils savaient, tout comme Casanova, que Kate McTiernan était une femme extraordinaire.

Une crainte me tenaillait. Casanova était-il parmi eux, lui aussi en train d'applaudir ?

53

A quatre heures du matin, après avoir chargé de vivres et de matériel un sac à dos Lands' End vert et gris flambant neuf, Casanova prit la route de son repaire. Il allait profiter d'une pleine matinée pour savourer des plaisirs auxquels il songeait depuis longtemps. Il s'était trouvé une expression pour désigner ses jeux interdits : « tomber les filles ».

Durant le trajet en voiture comme durant la marche à travers bois, il fantasma sur Anna Miller, sa dernière captive. Il ne cessa de se repasser le film de ce qu'il allait faire aujourd'hui à Anna. Il se rappela quelque chose, une phrase de F. Scott Fitzgerald tout à fait merveilleuse et parfaitement de circonstance : *Le baiser est né lorsque le premier reptile mâle a léché la première reptile femelle, sous-entendant de façon flatteuse qu'elle était aussi succulente que le petit reptile qu'il avait dévoré la veille en guise de dîner.* Tout cela était biologique, n'est-ce pas ? Nique-tac.

Arrivé à son refuge secret, il mit les Stones à fond. *Beggar's Banquet*, album incomparable. Aujourd'hui, il avait besoin d'écouter du rock antisocial, du rock qui déménageait. Mick Jagger avait cinquante ans, non ? Et lui n'en avait que trente-six. C'était son heure.

Il prit la pose, nu, devant un miroir large comme la pièce et admira son corps mince et musclé. Il coiffa ses cheveux en arrière, puis passa une longue robe de cérémonie en soie satinée, peinte à la main, qu'il avait rapportée de Bangkok. Il la laissa ouverte afin de s'exhiber.

Il choisit un masque différent, un magnifique masque de Venise qu'il avait d'ailleurs acheté pour ce genre d'occasion. Un moment de mystère et d'amour. Il était enfin prêt à voir Anna Miller.

Anna était si fière. Absolument inaccessible. Elle avait un physique merveilleux. Il devait la briser sans tarder.

Rien ne pouvait égaler cette sensation physique et psychique : le flux d'adrénaline, le cœur cognant dans sa poitrine, l'ivresse qui s'emparait de son corps tout entier. Il apporta du lait chaud dans une cruche de verre. Ainsi qu'un petit panier en osier renfermant le cadeau-surprise d'Anna.

A dire vrai, l'événement avait été prévu, à l'origine, pour le Dr Kate. Il aurait aimé partager cet instant avec elle.

Il avait mis du rock'n roll à pleine puissance afin qu'Anna sache que l'heure était venue de se préparer. C'était un signal. Lui, en tout cas, était prêt à la recevoir. Une pleine cruche de lait chaud. Un long tuyau muni d'un embout. Et un petit cadeau tout mignon dans le panier en osier. Que la fête commence !

54

Casanova ne parvenait pas à détacher son regard d'Anna Miller. Autour de lui, l'air était devenu électrique, chargé de hautes espérances. Casanova sentait qu'il ne se maîtrisait plus vraiment. Ça ne lui ressemblait pas. Cela ressemblait davantage au Gentleman.

Il regarda son œuvre, sa création, rivé à une pensée : Anna n'est jamais apparue ainsi aux yeux de quiconque.

Anna Miller était allongée sur le plancher nu de la chambre du bas. Elle ne portait que ses bijoux, qu'il lui avait demandé de conserver. Une lanière de cuir lui liait les mains dans le dos. Et un confortable coussin lui relevait les fesses.

Une corde fixée à une poutre maintenait à la verticale les jambes parfaites d'Anna. C'était ainsi qu'il la voulait, c'était exactement ce qu'il avait imaginé tant de fois.

« Tu peux faire tout ce que tu as envie de faire », se dit-il.

Donc, il le fit.

Presque tout le lait était déjà à l'intérieur d'Anna. Pour y parvenir, il avait utilisé le tuyau et l'embout.

Elle lui faisait un peu penser à Annette Bening, songea-t-il, si ce n'était que désormais, elle lui appartenait. Ce n'était pas une image vacillante sur l'écran d'une salle de complexe. Elle allait l'aider à oublier Kate McTiernan, et le plus tôt serait le mieux.

Anna avait perdu de sa superbe ; elle était devenue nettement moins inaccessible. Casanova était toujours curieux de savoir combien de temps il fallait pour briser la volonté de quelqu'un. En général, cela allait assez vite. Surtout en ces temps bien tristes où il n'y en avait que pour les poules mouillées et les enfants gâtés.

— Je vous en prie, enlevez-moi ça. Ne me faites pas ça. J'ai été gentille, non ?

Anna plaidait sa cause avec une grande force de conviction. Elle avait un visage si beau, si intéressant lorsqu'elle était heureuse, et plus encore lorsqu'elle souffrait.

Chaque fois qu'elle parlait, ses fesses se soulevaient brutalement. Un spectacle hors du commun dont il inscrivait tous les détails dans sa mémoire, afin de les savourer par la suite. Tout comme l'inclinaison précise de son derrière.

— Il ne vous fera pas de mal, Anna, lui dit-il en toute honnêteté. Il a la gueule cousue. Je l'ai cousue moi-même. Ce serpent est inoffensif. Jamais je ne vous ferais du mal.

— Vous n'êtes qu'un malade! lui cracha Anna. Un type immonde! Un sadique!

Il se contenta de hocher la tête. Il avait voulu voir l'authentique Anna et il était servi : encore un dragon qui jouait des mâchoires.

Casanova regardait le lait s'écouler lentement, goutte à goutte, de l'anus d'Anna. Le petit serpent noir, lui aussi, regardait. Attiré par le doux parfum du lait tiède, il s'approcha en ondulant sur le parquet. Une scène tout à fait splendide, qui illustrait à la perfection le mythe de la belle et la bête.

Vif mais prudent, le reptile noir observa un temps d'arrêt, puis, brusquement, piqua de la tête et pénétra en douceur à l'intérieur d'Anna Miller. Puis, méthodiquement, il ramena anneau par anneau le reste de son corps et poursuivit sa progression.

De très près, Casanova regarda les magnifiques yeux d'Anna s'écarquiller. Combien d'autres hommes avaient jamais assisté à un tel spectacle ou connu les émotions qu'il ressentait en cet instant? Combien de ces hommes vivaient encore?

C'était à l'occasion de voyages en Thaïlande et au Cambodge qu'il avait pour la première fois entendu parler de cette pratique sexuelle destinée à élargir l'anus. Aujourd'hui, il avait lui-même procédé à ce cérémonial. Et il se sentait beaucoup mieux. Voilà qui effaçait presque la perte de Kate, et d'autres pertes.

Telle était l'exquise et insolite beauté des jeux auxquels il avait choisi de se livrer dans son repaire. Il adorait cela. Il lui était totalement impossible de s'arrêter.

Et nul autre ne pouvait l'arrêter. Ni la police, ni le FBI, ni le Dr Alex Cross.

55

Kate avait encore toutes les peines du monde à se rappeler les détails de cette fameuse journée où elle s'était évadée de l'enfer. Elle a accepté de se laisser hypnotiser, ou du moins de me laisser tenter l'expérience, mais selon elle, ses défenses naturelles risquaient d'être trop fortes. On a décidé de le faire à l'hôpital, en fin de soirée, à un moment où elle serait déjà fatiguée et sans doute plus réceptive.

Hypnotiser quelqu'un est un processus qui peut s'avérer relativement simple. J'ai d'abord demandé à Kate de fermer les yeux, puis de respirer lentement et de manière régulière. Ce soir-là, j'allais peut-être enfin faire la connaissance de Casanova. A travers les yeux de Kate, j'allais peut-être voir comment il opérait.

— J'inspire le bon air et j'expire le mauvais, me dit Kate, dont le sens de l'humour faiblissait rarement. Quelque chose de ce genre ou je me trompe, docteur Cross ?

— Essayez de faire le vide dans votre esprit, Kate.

— Je ne sais pas si c'est très raisonnable, m'a-t-elle fait en souriant. C'est un peu le cirque, là-dedans. Ou disons que ça ressemble à un vieux, vieux grenier rempli de commodes et d'armoires qu'on n'a jamais ouvertes.

Sa voix commençait à flancher, ce qui était plutôt bon signe.

— Maintenant, je lui ai dit, partez de cent et comptez lentement jusqu'à zéro. Commencez dès que vous vous sentez prête.

Elle s'est endormie sans problème. Ce qui signifiait sans doute qu'elle avait une certaine confiance en moi. Ma responsabilité à son égard était par conséquent d'autant plus grande.

A présent, Kate était vulnérable et je ne voulais en aucun cas lui faire de mal. Pendant quelques minutes, nous avons discuté comme nous le faisions fréquemment lorsqu'elle était consciente et éveillée. Dès notre première rencontre, nous avions apprécié nos conversations.

Puis j'ai posé une question plus dirigée :

— Vous souvenez-vous avoir été enfermée dans cette maison avec Casanova ?

— Oui, maintenant, je me rappelle beaucoup de choses. Je me rappelle la nuit où il est venu chez moi. Je le revois me porter à travers une espèce de forêt jusqu'à l'endroit où il m'a gardée. Il me portait comme si je ne pesais pas plus lourd qu'une plume.

— Kate, parlez-moi de cette forêt que vous avez traversée.

Ce fut le premier épisode vraiment intense. Elle avait rejoint Casanova. Elle était en son pouvoir, captive. Le silence qui régnait dans l'hôpital m'a soudain paru palpable.

— Il faisait extrêmement sombre. C'était un bois très dense, très inquiétant. Il avait une lampe-torche suspendue à son cou par une ficelle, une cordelette... Il a une force inimaginable. Physiquement, j'avais l'impression d'avoir affaire à une bête. Lui, il se comparait au Heathcliff des *Hauts de Hurlevent*. Il a une image très romantique de lui-même et de ce qu'il fait. Cette nuit-là... il me parlait en chuchotant comme si nous étions déjà amants. Il me disait qu'il m'aimait. Il avait l'air... sincère.

— Que vous rappelez-vous d'autre à son sujet, Kate ? Tout ce qui vous viendra à l'esprit pourra nous aider. Prenez votre temps.

Elle a tourné la tête comme si elle regardait quelqu'un à ma droite.

— Il portait chaque fois un masque différent. Un jour, il avait un masque reconstructif. C'est celui qui me faisait le plus peur. On appelle ça un « masque de mort » parce qu'on s'en sert dans les hôpitaux et les morgues pour identifier des victimes d'accidents.

— Intéressant, cette histoire de masque de mort. Poursuivez, Kate. Vous nous aidez énormément.

— Je sais que ces masques se font directement à partir du crâne humain, n'importe quel crâne. On prend une photo... on la recouvre de papier calque... on dessine les traits. Et ensuite, on fabrique un masque à partir du dessin. Il y avait un masque de mort dans le film *Parc Gorky*. Normalement, ce genre de masque n'est pas censé être porté. Je me suis demandé comment Casanova avait réussi à s'en procurer un.

« Bien, Kate, me suis-je dit, maintenant continue sur Casanova. »

Afin de l'orienter un peu, je lui ai demandé :

— Que s'est-il passé le jour où vous vous êtes enfuie ?

Pour la première fois, ma question a paru la gêner. Ses yeux se sont ouverts l'espace d'une fraction de seconde, comme si je venais de la tirer brutalement d'un sommeil léger. Ils se sont refermés. Elle tapait frénétiquement du pied droit.

— J'ai conservé très peu de souvenirs de cette journée, Alex. Je crois que j'étais complètement droguée, j'étais sur une autre planète.

— Ne vous inquiétez pas, tout ce qui peut vous revenir à l'esprit est susceptible de m'être très utile. Vous vous en sortez merveilleusement bien. Vous avez dit, à un moment, que vous lui aviez donné un coup de pied. Vous avez donné un coup de pied à Casanova ?

— Je lui ai balancé un coup de pied, assez rapide. Il a poussé un cri de douleur et il est tombé.

Il y a eu un long silence et brusquement, Kate a craqué. Ses yeux se sont noyés de larmes, puis elle s'est mise à sangloter bruyamment.

Son visage ruisselait de sueur. Je me suis dit qu'il fallait interrompre la séance d'hypnose. Je ne comprenais pas ce qui venait de se passer, et cela me faisait un petit peu peur.

Je me suis efforcé de parler avec le plus grand calme.

— Qu'y a-t-il, Kate ? Qu'est-ce qui ne va pas ? Vous vous sentez bien ?

— J'ai laissé toutes les autres là-bas. Au début, je n'ai pas réussi à les trouver. Et puis, j'étais complètement déboussolée. J'ai laissé les autres.

Ses yeux se sont ouverts, des yeux emplis de peur et de larmes. Elle était si forte qu'elle avait réussi à émerger par ses propres moyens. Elle m'a demandé :

— Qu'est-ce qui m'a fait aussi peur ? Qu'est-ce qui vient de se passer ?

— Je ne sais pas exactement, lui ai-je répondu. Nous en parlerons ultérieurement, mais pas tout de suite.

Elle a fui mon regard, ce qui n'était pas dans ses habitudes, avant de murmurer :

— Puis-je être seule? J'aimerais être seule, maintenant. Merci.

J'ai quitté l'hôpital en ayant presque la sensation d'avoir trahi Kate, mais rien ne me disait que j'aurais pu agir autrement. L'enquête portait sur plusieurs meurtres et, pour l'instant, rien n'avait donné le moindre résultat. Comment était-ce possible?

56

Kate a été autorisée à quitter l'hôpital universitaire en cours de semaine. Elle a demandé si nous pouvions discuter un petit peu chaque jour; j'ai volontiers accepté. « Il ne s'agit pas d'entreprendre une thérapie, sous quelque forme que ce soit », m'a-t-elle dit. Elle voulait simplement partager avec quelqu'un certains des moments difficiles qu'elle avait vécus. Un lien puissant s'était vite créé entre nous, et dans une certaine mesure, ce lien passait par Naomi.

Je n'avais pas obtenu davantage d'informations ni d'autres indices sur les rapports pouvant exister entre Casanova et le Gentleman de Los Angeles. Beth Lieberman, la journaliste du *Los Angeles Times*, refusait de me parler; elle était en train de négocier les droits de son brûlant sujet auprès des éditeurs new-yorkais.

J'avais envie de faire un saut à L.A. pour la rencontrer, mais Kyle Craig m'a demandé de laisser tomber, en m'assurant que j'en savais autant que la journaliste du *Times*. Il fallait bien que je fasse confiance à quelqu'un, et j'avais confiance en Kyle.

Un lundi après-midi, Kate et moi sommes allés faire un tour dans les bois aux abords de la Wykagil, là où les deux gamins l'avaient retrouvée. Nous composions désormais une sorte d'association tacite. Nul, sans doute, n'en savait plus qu'elle sur Casanova. Si elle réussissait à extirper de sa mémoire des éléments supplémentaires, cela nous serait d'un immense secours. Le détail le plus infime pouvait se muer en indice déterminant.

Quand nous avons pénétré dans les bois sombres et menaçants, à l'est de la Wykagil, Kate est devenue étrangement silencieuse. Le monstre humain pouvait être tapi non loin de là. Peut-être rôdait-il dans la forêt. Peut-être était-il en train de nous observer.

— Avant, j'adorais me balader dans le sous-bois. Les mûriers, le parfum des sassafras. Les cardinaux et les geais qui cherchent à manger dans tous les coins. Ça me rappelle mon enfance. Il n'y avait pas un jour sans qu'avec mes sœurs, j'aille nager dans un torrent qui ressemblait à celui-ci. On se baignait à poil, ce qui était strictement interdit par mon père. Tout ce que mon père nous interdisait strictement, on essayait de le faire.

— Vos séances de natation ont fini par porter leurs fruits, lui dis-je. C'est peut-être grâce à elles que vous avez réussi à descendre la Wykagil sans trop de casse.

Je l'ai vue secouer la tête :

— Oh, non, ce n'était qu'une question d'obstination. Je m'étais juré de ne pas mourir ce jour-là. Je ne voulais pas lui faire ce plaisir.

Je ne lui ai pas parlé du sentiment de malaise que j'éprouvais moi-même, un malaise engendré en partie par la tragique histoire de ces bois et des champs environnants. Il fut un temps où cette région, vouée à la culture du tabac, vivait de l'esclavage. Se nourrissait du sang et des os de mes ancêtres. On avait enlevé et mis sous le joug plus de quatre millions d'Africains. On les avait arrachés aux leurs, à leurs terres, à leur pays, contre leur volonté.

— Alex, cet endroit ne me dit rien du tout.

Au moment de laisser la voiture sur place, j'avais enfilé un holster d'épaule. A la vue du pistolet, Kate avait fait une grimace en secouant la tête, mais sa protestation s'était limitée à cet air désapprobateur. Elle devinait que j'étais le tueur de dragons et elle savait qu'il y avait un vrai dragon quelque part. Elle l'avait rencontré.

— Je me rappelle avoir pris la fuite en courant dans des bois identiques. Des pins de Caroline, très hauts, qui laissaient filtrer très peu de lumière. Le climat était étrange, je me serais crue dans une caverne peuplée de chauves-souris. Je me souviens très nettement du moment où la maison s'est volatilisée sous mes yeux. Je ne me rappelle pas grand-chose d'autre. Je fais un blocage. Je ne sais même pas comment je me suis retrouvée dans la rivière.

Après avoir parcouru un peu plus de trois kilomètres, nous marchions vers le nord sans nous éloigner du torrent que Kate avait descendu au cours de sa fuite obstinée et miraculeuse. Chaque arbre, chaque buisson semblait désespérément tendu vers la lumière agonisante.

— Cela me fait penser aux Bacchanales, me dit Kate, la lèvre du haut ourlée d'un sourire ironique. Le triomphe de la barbarie, du chaos et de l'obscurantisme sur la raison humaine et la civilisation.

On aurait dit que nous affrontions une inexorable marée végétale.

Je savais qu'elle essayait de parler de Casanova et de sa terrifiante demeure, où ses autres victimes étaient toujours retenues captives. Elle essayait de mieux le comprendre. Tout comme moi.

— Il refuse d'être civilisé, il refuse de refouler ses instincts, ai-je avancé. Il fait exactement ce qu'il a envie de faire. Je crois que la recherche du plaisir est son unique but. C'est un hédoniste des temps modernes.

— J'aimerais que vous puissiez l'entendre s'exprimer. Il est très intelligent, Alex.

— Nous aussi. Il finira par commettre une faute, je vous l'assure.

Je commençais à bien connaître Kate, et la réciproque était vraie. Nous avions déjà parlé de ma femme, Maria, tuée sans raison par des coups de feu tirés d'une voiture, à Washington. Je lui ai parlé de mes enfants, Jannie et Damon. Elle savait écouter et aurait fait une excellente confidente. Le Dr Kate serait une praticienne hors normes.

Vers trois heures de l'après-midi, nous devions avoir sept ou huit kilomètres dans les jambes. Je me sentais sale, mes mollets commençaient à protester. Kate ne disait rien, mais elle devait avoir mal. Heureusement, le karaté lui avait permis de rester en bonne forme. Nous n'avions pas décelé la moindre trace de sa fuite éperdue. Aucun des points de repère qui se trouvaient sur notre chemin ne lui avait paru familier. Pas de maison fantôme. Pas de Casanova. Nul indice dans les bois sombres et impénétrables. Nul élément auquel se raccrocher.

Péniblement, on a rebroussé chemin jusqu'à la voiture.

— Comment, mais comment est-il devenu aussi fort ?

— Question d'entraînement, m'a fait Kate. L'entraînement, toujours l'entraînement.

57

On s'est arrêtés à Chapel Hill, chez Spanky's, pour manger quelque chose. Fourbus, affamés et surtout, morts de soif. Tout le monde connaissait Kate dans cet établissement très en vogue et elle a eu droit à une chaude et sympathique réception. Un barman blond du nom de Hack, tout en muscles, a déclenché une salve d'applaudissements.

Une serveuse, une amie de Kate, nous a donné une des meilleures tables, en vitrine, avec vue sur Franklin Street. Elle préparait un doctorat de philosophie, m'a précisé Kate. Verda, la serveuse-philosophe de Chapel Hill. Une fois installé, j'ai taquiné Kate.

— Alors, quel effet ça fait d'être une vedette ?

— C'est l'horreur. L'horreur totale, m'a-t-elle répondu sans desserrer les dents.

Puis, soudain :

— Ecoutez, Alex, si on se bourrait la gueule, ce soir ?

A Verda :

— Je voudrais une tequila, une chope de bière et du cognac.

La serveuse-philosophe a pris la commande d'un air passablement écœuré.

— La même chose pour moi, lui ai-je dit. Respectons les lois du pays.

— Bonjour le traitement de choc. Ce soir, j'en connais qui vont raconter des conneries.

— Oh, c'est une thérapie qui peut donner d'excellents résultats.

— Dans ce cas, on sera deux sur le divan.

La première heure, on a parlé de choses et d'autres : les voitures, les hôpitaux de campagne comparés à ceux des grands centres, la rivalité entre Duke et l'université de Caroline du Nord, la littérature gothique du Sud, l'esclavage, l'éducation des enfants, les revenus des médecins et la crise du régime de protection sociale, les textes de rock comparés aux textes de blues, un bouquin que nous avions tous les deux adoré, intitulé *The English Patient*. Dès le départ, nous n'avions eu aucun mal à nous parler. Lors de notre première rencontre à l'hôpital universitaire, très vite, des étincelles avaient jailli entre nous.

Après avoir éclusé la première tournée en moins de temps qu'il ne faut pour le dire, on a continué à boire, mais lentement cette fois. Bière pour moi, vin en carafe pour Kate. On était un peu partis, mais rien de bien méchant. Sur ce point-là, Kate avait raison : après le stress de l'affaire Casanova, on avait tous les deux besoin de décompresser un peu.

Nous étions au bar depuis près de trois heures quand elle a commencé à me raconter, les yeux écarquillés, la prunelle balayée de reflets, une histoire vraie presque aussi bouleversante que celle de son enlèvement.

— Il faut que je vous dise une chose. Les gens du Sud adorent raconter des histoires, Alex. Nous sommes les derniers garants de la tradition orale américaine.

— Racontez-moi votre histoire, Kate. Quand on me

raconte une histoire, j'écoute et je me régale. Au point que j'en ai fait mon métier.

Elle posa sa main sur la mienne et, après une profonde inspiration, prit la parole d'une voix douce et paisible :

— Il était une fois la famille McTiernan. Une bande de joyeux drilles, très soudée, surtout les filles : Suzanne, Marjorie, Kristin, Carole Anne, et Kate. Kristin et moi étions les benjamines, sœurs jumelles. Et il y avait Mary, notre mère, et Martin, notre père. Je ne dirai pas grand-chose de Martin. Ma mère l'a fichu à la porte quand j'avais quatre ans. Il était très dominateur, parfois méchant comme un mocassin qui vient de se faire marcher dessus. Mais cela n'a aucune importance. Il y a bien longtemps que je l'ai oublié.

Elle s'interrompit pour me regarder au fond des yeux :

— Vous a-t-on déjà dit que vous avez un don d'écoute extraordinaire ? Vous donnez l'impression de vous intéresser à tout ce que j'ai à dire, et ça me donne envie de vous parler. Je n'ai encore jamais raconté cette histoire jusqu'au bout à qui que ce soit, Alex.

— Mais ce que vous avez à me dire m'intéresse vraiment, Kate. J'aime bien savoir que vous me faites suffisamment confiance pour vous confier à moi.

— J'ai confiance en vous. Ce n'est pas une histoire très gaie, alors je dois avoir énormément confiance en vous.

— C'est ce que je me dis.

La beauté de son visage ne cessait de me surprendre. Ces yeux immenses, magnifiques, ces lèvres ni trop pleines, ni trop fines. Une fois de plus, Casanova me rappelait qu'il ne l'avait pas choisie pour rien.

— Quand j'étais petite, reprit-elle, mes sœurs et ma mère étaient formidables avec moi. J'étais à la fois leur petite esclave et leur petit chien. L'argent ne rentrait pas souvent, ce qui faisait qu'il y avait toujours beaucoup trop à faire. On faisait des conserves de fruits et de légumes, on faisait des confitures. On lavait et on repassait le linge des voisins. On s'occupait nous-mêmes de tout ce qui était menuiserie et plomberie, on réparait nous-mêmes la voiture. On avait de la chance, parce qu'on s'aimait bien. On n'arrêtait pas de rire et de chanter les derniers succès qui passaient à la radio. On lisait énormément et on discutait de tout, du droit à l'avortement jusqu'aux recettes de cuisine. Chez nous, le sens de l'humour était obligatoire. La devise de la maison, c'était « Arrête de te prendre au sérieux ».

Et finalement, Kate m'avoua ce qui était arrivé à la famille McTiernan. Un récit douloureux qu'elle débita d'un trait, le visage soudainement assombri :

— Marjorie est tombée malade la première. On a diagnostiqué un cancer de l'utérus. Elle est morte à vingt-six ans, alors qu'elle avait déjà trois enfants. Puis, dans l'ordre, il y a eu la mort de Suzanne, de ma sœur jumelle Kristin et de ma mère. Toutes d'un cancer du sein ou de l'utérus. Ce qui laisse Carole Anne, moi et mon père. Je dis toujours, pour rigoler, qu'on a hérité de la mesquinerie de mon père et que nous, on mourra d'une crise cardiaque.

Là, elle a brusquement penché la tête sur le côté et levé les yeux vers moi :

— J'allais dire que je ne sais pas pourquoi je vous raconte tout ça, mais en fait, je sais très bien. Je vous aime bien. J'ai envie d'être votre amie, j'ai envie que vous deveniez mon ami. Est-ce possible ?

J'ai commencé à vouloir lui expliquer ce que je ressentais, mais elle m'a fait taire en posant le bout de ses doigts sur mes lèvres :

— On garde les grandes effusions sentimentales pour plus tard. Pour l'instant, ne me posez plus de questions sur mes sœurs. Dites-moi quelque chose que vous ne dites jamais à personne. Dites-le tout de suite, avant que vous ne changiez d'avis. Racontez-moi un de vos grands secrets, Alex.

Je n'ai pas réfléchi à ce que j'allais lui dire. J'ai laissé les mots venir tout seuls. Après ce que Kate m'avait révélé, cela me paraissait plus honnête. Et d'ailleurs, j'avais envie d'échanger quelque chose avec elle, de me confier à elle ou, du moins, de voir si j'en étais capable.

— Depuis la mort de Maria, ma femme, ça ne va pas très fort, lui dis-je pour commencer. (C'était l'un des secrets que je gardais toujours en moi.) Chaque matin, je m'habille, je prends un air sociable et parfois mon six-coups... mais à l'intérieur, la plupart du temps, je me sens vide. J'ai connu quelqu'un après Maria, mais ça n'a pas fonctionné. On peut même parler d'échec spectaculaire. Aujourd'hui, je ne suis pas prêt à revivre avec quelqu'un, et je ne sais pas si je le serai un jour.

Kate scruta mon regard et, avec une égale assurance dans l'œil et dans la voix, me rétorqua :

— Oh, vous avez tort, Alex. Vous êtes tout ce qu'il y a de plus prêt.

Des étincelles.

Une amitié.

— Moi aussi, j'aimerais que nous devenions amis, lui dis-je enfin.

Une chose que je disais rarement, et jamais aussi vite.

Notre bougie n'allait pas tarder à s'éteindre. En regardant danser les ombres sur le visage ambré de Kate, je n'ai pu empêcher Casanova de refaire irruption dans mes pensées. Il fallait au moins lui reconnaître une qualité : il savait fort bien juger la beauté et le tempérament d'une femme. Il était quasiment parfait.

58

Le harem avança à petits pas dans le couloir tortueux de l'odieuse, invraisemblable maison. Au bout, une grande salle. Il y avait deux niveaux. Une seule pièce en bas, au moins dix en haut.

Naomi Cross suivait le groupe, prudemment. On leur avait demandé de se rendre dans la pièce commune. Depuis qu'elle était là, le nombre des captives avait oscillé entre six et huit. De temps à autre, une jeune femme partait, ou plutôt disparaissait, mais une nouvelle recrue venait chaque fois, semblait-il, la remplacer.

Casanova les attendait dans le séjour. Il avait encore changé de masque. Cette fois-ci, c'était un masque strié de bandes blanches et vert clair. Des couleurs gaies. Un masque de fête. Il portait une tunique de soie dorée; en dessous, il était entièrement nu.

C'était une pièce immense, décorée avec goût. Tapis d'Orient, murs blanc cassé fraîchement peints. Du fond, armé d'un pistolet paralysant et d'un automatique, l'air crâne, il lança :

— Entrez, mesdames et mesdemoiselles, entrez. Ne soyez pas timides, ne jouez pas les mijorées.

Naomi se fit la réflexion que le masque devait dissimuler un sourire. Ce qu'elle souhaitait plus que tout, c'était voir ce visage, ne fût-ce qu'une seule et unique fois, puis l'oblitérer à jamais, le briser en mille petits morceaux et réduire ces débris à néant.

En pénétrant dans l'immense et élégant salon, elle sentit son cœur bondir dans sa cage thoracique. Sur une table, à côté de Casanova, il y avait un violon. Le sien. Il avait pris son violon et l'avait emmené dans ce lieu répugnant.

Casanova virevoltait dans la pièce au plafond bas, tel l'hôte d'une soirée costumée mondaine. Il savait se comporter en homme stylé, voire galant à ses heures. Le moindre de ses gestes était empreint d'une formidable assurance.

Il alluma la cigarette d'une jeune femme avec un briquet en or, prenait soin de s'entretenir avec chacune de ses pensionnaires, effleurait ici une épaule, là une joue, caressait une chevelure blonde.

Les prisonnières étaient toutes extraordinairement séduisantes. Elles portaient leurs plus beaux vêtements et s'étaient longuement maquillées. Leurs parfums flottaient dans toute la pièce. Si seulement elles avaient pu se ruer sur lui toutes en même temps, rêva Naomi. Il devait exister un moyen d'abattre Casanova.

Il éleva la voix :

— Comme certaines d'entre vous l'ont sans doute déjà deviné, nous aurons droit, dans le cadre de nos festivités, à une sympathique surprise. Une petite musique de nuit.

Désignant Naomi du doigt, il lui fit signe de s'avancer. Lorsqu'il les réunissait de la sorte, il prenait toujours énormément de précautions. Désinvolte, mais toujours l'arme au poing.

— Auriez-vous l'amabilité de nous jouer quelque chose ? dit-il à Naomi. Ce qu'il vous plaira. Naomi joue du violon, et de fort belle manière, m'empresserai-je d'ajouter. Allons, pas de fausse pudeur, ma chère.

Naomi ne pouvait détacher son regard de Casanova. Sa tunique ouverte ne cachait rien de sa nudité. De temps en temps, il demandait à l'une d'entre elles de jouer d'un instrument, de chanter, de lire des poèmes ou, tout simplement, de raconter sa vie avant l'enfer. Ce soir, c'était le tour de Naomi.

Sachant qu'elle n'avait pas le choix, elle était résolue à se montrer courageuse, sûre d'elle.

Lorsqu'elle souleva son précieux violon, une vague de souvenirs amers la submergea. « Sois courageuse... sûre de toi... » se répéta-t-elle. Elle le faisait depuis qu'elle était gamine.

Comme beaucoup de jeunes femmes noires, elle avait appris à se comporter de manière très posée. Un art qu'elle allait à présent devoir déployer avec la plus grande conviction. Très calme, elle annonça :

— Je vais essayer de vous interpréter la _Sonate n°1_ de Jean-Sébastien Bach. L'adagio, le premier mouvement. C'est un morceau magnifique, et j'espère que je lui rendrai justice.

En levant le violon jusqu'à son épaule, elle ferma les yeux. Elle les rouvrit au moment de caler le menton puis, lentement, entreprit d'accorder l'instrument.

« Courageuse... sûre de toi. »

Elle commença à jouer. C'était loin d'être parfait, mais cela venait du cœur. Naomi avait toujours eu un style très personnel. Il lui importait plus de faire de la musique que de développer des qualités techniques. Elle avait envie de pleurer, mais elle refoula ses larmes comme elle refoulait le reste. Ses sentiments ne pouvaient s'exprimer que par la musique, la merveilleuse sonate de Bach.

— Brava ! Brava ! l'acclama Casanova après la note finale.

Les jeunes femmes l'applaudirent, chose que Casanova permettait. Elles partageaient sa douleur. Elle aurait tant voulu leur parler, mais Casanova ne les réunissait qu'à la

seule fin d'exhiber son pouvoir, de leur rappeler qu'il exerçait sur elles une domination absolue.

La main de Casanova vint se poser délicatement sur le
bras de Naomi, une main à la peau si chaude qu'elle lui fit
l'impression d'une brûlure.

— Cette nuit, tu restes avec moi, lui dit-il avec la plus
grande douceur. C'était tellement beau, Naomi. Et toi, tu es
tellement belle, tu es la plus belle de toutes ici. Le sais-tu, ma
chérie ? Je suis sûr que tu le sais.

« Sois courageuse, forte et sûre de toi », se dit-elle une
fois de plus. C'était une Cross. Jamais elle ne lui donnerait
l'occasion de voir qu'elle avait peur. Elle trouverait bien un
moyen de le battre.

59

On travaillait chez Kate, à Chapel Hill. Le mystère de la
maison fantôme nous avait accaparés de longues heures
durant. Un peu après vingt heures, quelqu'un a sonné en bas.
Kate est descendue voir.

Je la voyais parler à quelqu'un, sans savoir de qui il
s'agissait. Ma main est venue taquiner la crosse de mon
Glock. Kate a invité le visiteur à entrer.

C'était Kyle Craig. J'ai tout de suite remarqué ses traits
tirés, son air lugubre. Il s'était passé quelque chose, forcément.

— Kyle dit qu'il a quelque chose à vous montrer et que
ça va vous intéresser, me dit-elle en conduisant l'agent du
FBI au salon.

— Je t'ai pisté, Alex, m'a fait Kyle. C'était du gâteau.

Il s'est assis sur le canapé, juste à côté de moi. L'air

d'être vraiment content de pouvoir enfin poser ses fesses quelque part.

— J'ai signalé à la réception et au standard l'endroit où on pouvait me joindre jusqu'à neuf heures.

— C'est bien ce que je dis, c'était du gâteau. Kate, visez un peu la tête d'Alex. Vous comprenez maintenant pourquoi il est toujours inspecteur. Il est complètement accro, il veut absolument résoudre toutes les grandes énigmes, et même les petites.

J'ai secoué la tête en souriant. Kyle n'avait pas totalement tort.

— J'adore mon boulot, et cela essentiellement parce qu'il me permet de côtoyer des êtres raffinés et de grands esprits tels que toi. Que s'est-il passé, Kyle ? Dis-moi tout, tout de suite.

— Le Gentleman est allé personnellement rendre visite à Beth Lieberman. Elle est morte. Il lui a tranché les doigts, Alex. Après le meurtre, il a mis le feu à son studio de West Los Angeles. L'incendie a ravagé la moitié de l'immeuble.

Certes, je ne portais pas Beth Lieberman dans mon cœur, mais la nouvelle de sa mort m'a choqué et attristé. J'avais pris Kyle au mot lorsqu'il m'avait dit que je n'avais rien à gagner à aller la voir à Los Angeles.

— Il savait peut-être qu'il y avait chez elle quelque chose à détruire par tous les moyens. Elle avait peut-être en sa possession quelque chose d'important.

Nouveau regard de Kyle en direction de Kate :

— Vous voyez comme il est bon ? Une vraie machine.

Et de nous préciser :

— Elle possédait effectivement des informations susceptibles de le compromettre. Mais tout était dans son ordinateur, au *Times*. Ce qui fait que nous avons tout récupéré.

Kyle m'a tendu un fax d'un kilomètre enroulé sur lui-même, en me montrant les dernières lignes. Le message émanait du FBI, bureau de Los Angeles.

J'ai jeté un rapide coup d'œil et je me suis attardé sur le passage souligné.

Peut-être Casanova ! Témoin potentiel.

Dr William Rudolph. Détraqué de première.

Domicile : le Beverly Comstock. Lieu de travail : centre hospitalier Cedars-Sinai.

Los Angeles.

— Nos premiers résultats, me dit Kyle. En tout cas, c'est une excellente piste. Le Gentleman pourrait être ce toubib. Ce détraqué, comme elle dit.

Kate s'est tournée vers moi, puis vers Kyle. Elle nous avait fait remarquer que derrière le pseudonyme de Casanova se cachait peut-être un médecin.

J'ai demandé à Kyle :

— Rien d'autre dans les notes de Lieberman ?

— Rien qu'on n'ait trouvé pour l'instant. Malheureusement, impossible d'interroger Miss Lieberman sur le Dr William Rudolph, ni de lui demander pourquoi elle a noté cela sur son ordinateur. Je vais vous exposer deux théories nouvelles qui circulent sur la côte Ouest chez nos psychologues maison. Prêt à planer un peu, l'ami ? Paré à écouter les spéculations des spécialistes du profil psy ?

— Je suis prêt. Voyons quelles sont les dernières et mirifiques hypothèses du FBI Ouest.

— Première théorie : c'est à lui-même qu'il expédie les pages de son journal. Il est à la fois Casanova et le Gentleman. Les deux tueurs peuvent n'être qu'une seule et même personne, Alex. Ils sont tous les deux spécialistes du crime parfait. Il y a d'autres similitudes. Il a peut-être une double personnalité. Le FBI Ouest, comme tu l'appelles, aimerait que le Dr McTiernan fasse un saut à Los Angeles, là, maintenant. Ils voudraient lui parler.

Ce premier scénario côte Ouest ne me plaisait qu'à moitié, mais je ne pouvais l'écarter totalement. J'ai demandé à Kyle :

— Et quelle est l'autre thèse avancée par nos experts en mystères de l'Ouest ?

— L'autre idée, c'est qu'il y a deux hommes. Mais qu'ils ne se contentent pas de communiquer, et qu'ils font la course. Une course à l'horreur. Ils ont peut-être inventé un jeu, Alex, un jeu effroyable.

Troisième partie

LE GENTLEMAN

60

On l'avait connu gentleman du Sud.

Gentleman et universitaire de renom.

Aujourd'hui, il était le plus raffiné des gentlemen de Los Angeles.

Toujours très gentleman, très bristol et bouquet de roses.

Le soleil sanguin avait entamé son long déclin vers le Pacifique. Superbe, songea le Dr William Rudolph qui se promenait d'un pas tranquille sur Melrose Avenue.

Le Gentleman avait décidé de s'accorder un après-midi de « shopping »; il emmagasinait tout ce qu'il voyait et entendait, se gavait de ce joyeux tumulte mercantile et éphémère.

Le spectacle de la rue lui rappelait l'un de ces grands auteurs de romans noirs, peut-être Raymond Chandler, qui avait écrit : « Ce grand magasin qu'est la Californie. » Une description qui n'avait guère vieilli.

La plupart des jeunes femmes qu'il avait choisi d'observer avaient dans les vingt, vingt-cinq ans. Toutes venaient de quitter, pour quelques heures, le monde abrutissant de la pub, de la finance et du droit, cet archipel de sociétés nourries par l'industrie du spectacle autour de Century Boulevard. Certaines d'entre elles étaient chaussées de souliers à talons hauts ou de chaussures surélevées, portaient des minijupes élastiques et moulantes ou des ensembles Rollo très ajustés.

Il écoutait le froissement désinvolte, érotique, de la soie, le cliquetis martial des escarpins de grands couturiers, le frottement sensuel des santiags que les gains de Wyatt Earp, en toute une vie, n'auraient pas suffi à payer.

Il sentait se lever un petit vent d'excitation et de folie. Une douce folie. En Californie, la vie était belle. C'était le grand magasin de ses rêves.

Il vivait les instants les plus savoureux de la journée : les préliminaires, avant la sélection définitive. La police de Los Angeles en était encore à s'interroger comme au premier jour. Un jour, peut-être, la solution leur apparaîtrait, mais c'était peu probable. Il était tout bonnement trop fort à ce jeu-là. Il était sans conteste le Dr Jekyll et Mr Hyde des temps modernes.

En flânant entre La Brea et Fairfax, il respira à pleins poumons des effluves de parfums aux senteurs musquées ou florales, de cheveux qui fleuraient la camomille ou le citron. Sans compter l'arôme très particulier du cuir des sacs à main et des jupes.

C'était le grand numéro des aguicheuses, mais il adorait ça. Et quelle ironie... Toutes ces craquantes Californiennes qui s'amusaient à l'allumer, lui.

Un adorable bambin aux cheveux en bataille, lâché dans une confiserie, voilà ce qu'il était. Voyons, quelles sucreries interdites allait-il s'offrir cet après-midi ?

Cette poulette aux chaussures rouges, talons hauts, jambes nues ? Cette Juliette Binoche du pauvre ? Ou cette provocatrice vêtue d'un ensemble à carreaux vanille et noir ?

Et en vérité, elles furent plusieurs à lancer au Dr Will Rudolph des regards approbateurs en entrant ou en sortant de leurs boutiques favorites. Exit I, Leathers and Treasures, La Luz de Jesus.

Il était étonnamment beau, même selon les implacables critères de Hollywood. Il ressemblait un peu à Bono, le chanteur du groupe irlandais U2. En fait, il ressemblait à ce que serait devenu Bono s'il avait choisi de devenir un médecin réputé à Dublin, Cork, voire ici, à Los Angeles.

C'était là l'un des secrets les plus intimes du Gentleman : presque chaque fois, c'étaient les femmes qui le choisissaient, lui.

Will Rudolph laissa le courant l'emporter à l'intérieur de

Nativity, l'une des boutiques les plus à la mode de Melrose. C'était là qu'il fallait aller si l'on souhaitait acheter un bustier griffé, une veste en cuir doublée de vison ou une montre Hamilton.

Il contempla les corps souples et jeunes qui s'affairaient dans le magasin très fréquenté, en songeant à Hollywood, ses soirées très privées, ses restaurants très privés, et même ses magasins très privés. Cette ville s'accrochait farouchement à son échelle des valeurs.

Une question de rang, principe auquel il adhérait totalement ! Le Dr Will Rudolph était l'homme le plus puissant de Los Angeles.

Il se délectait des manchettes que la presse lui consacrait. Cette notoriété le sécurisait, le rassurait. Elle prouvait qu'il existait réellement, qu'il n'était pas qu'un simple accident de son imagination. Le Gentleman tenait en son pouvoir une ville entière, et de surcroît une ville de haute influence.

Il se rapprocha en toute décontraction d'une irrésistible blonde qui affichait ses quelque vingt ans.

Elle jetait un coup d'œil sur des bijoux Incan, manifestement blasée. Blasée de la vie. C'était de loin la plus remarquable des clientes de Nativity, mais l'attrait qu'elle exerçait sur lui avait une autre explication.

Elle était parfaitement inaccessible. Son message était très clair, même dans cette boutique de luxe peuplée de jolies filles du même âge qu'elle : « Je suis inaccessible. N'essayez même pas d'imaginer quoi que ce soit. Qui que vous soyez, vous êtes indigne de moi. »

Le tonnerre gronda dans sa poitrine et il dut résister à l'envie de hurler dans le brouhaha du magasin bondé : « Je peux t'avoir ! Oui, je peux ! »

« Tu ignores tout — mais je suis le Gentleman. »

Elle avait la bouche grande et arrogante, savait qu'elle pouvait se passer de rouge à lèvres et d'ombre à paupières. Mince, la taille fine, une élégance très Californie du Sud. Elle portait une veste de coton délavé, une jupe moulante et des mocassins teints. Son bronzage était parfait, et sa mine resplendissante.

Elle finit par regarder dans sa direction. Le regard qui tue, songea le Dr Will Rudolph.

Seigneur, quels yeux... Il les voulait, rien que pour lui. Il voulait les faire rouler entre ses doigts, les conserver sur lui à la manière d'un porte-bonheur.

Ce qu'elle voyait, c'était un homme grand et mince, sans doute intéressant, ayant franchi depuis peu le cap de la trentaine. Large d'épaules, carrure d'athlète, voire de danseur. Des cheveux châtains que le soleil avait éclaircis, noués en catogan, et des yeux bleus de gamin irlandais. Will Rudolph portait également une blouse blanche de médecin légèrement froissée par-dessus sa très classique chemise Oxford bleue et sa cravate rayée conforme au code vestimentaire de l'hôpital. Il était chaussé de Doc Martens aussi chères qu'indestructibles. Il affichait une extrême assurance.

C'est elle qui parla la première. Elle l'avait choisi. Au fond de ses yeux bleus, il décela une grande sérénité et un aplomb des plus attirants. Elle se mit à jouer avec l'une de ses boucles d'oreilles en or :

— Je vous rappelle peut-être votre grand-mère ?

Il commença par rire, ravi de voir ce petit jeu de la séduction débuter sur une note d'humour sophistiqué. « Voilà qui nous promet une soirée bien amusante », se dit-il. Il le savait.

— Excusez-moi. Je ne regarde pas quelqu'un comme ça, d'habitude. Ou du moins, je ne me laisse jamais surprendre en flagrant délit.

Il mit un certain temps à s'arrêter de rire. C'était un rire léger, plaisant, véritable instrument de travail moderne, notamment à Hollywood, à New York ou à Paris, ses lieux de prédilection.

— Au moins, vous avez la franchise de l'admettre, lui dit-elle en riant à son tour.

Lorsque les maillons de sa chaîne en or tressautèrent sur sa poitrine, il eut une furieuse envie d'arracher le collier d'un grand geste, puis de parcourir ses seins de la pointe de la langue.

Désormais, si tel était son désir, son souhait, son caprice, elle était condamnée. Devait-il continuer, ou chercher encore un peu ?

Dans sa tête, le sang pulsait, tourbillonnait avec une force extraordinaire. Il fallait prendre une décision. Il regarda la jeune blonde aux yeux bleus si placides, et y lut la réponse.

— En ce qui vous concerne, je ne sais pas, lui dit-il en s'efforçant de paraître calme, mais je pense avoir trouvé ici ce qui me plaît.

— Oui, je crois avoir également trouvé ce que je cherche, lui répondit-elle au bout de quelques secondes de silence.

Puis, à son tour, elle éclata de rire :

— D'où êtes-vous ? Vous n'êtes pas d'ici, dites-moi ?

— Je suis originaire de Caroline du Nord. (Il lui ouvrit la porte à clochette, et c'est ensemble qu'ils quittèrent la boutique d'objets anciens et vêtements de luxe.) J'essaie de perdre mon accent.

— C'est réussi.

Elle était en totale admiration devant elle-même, n'avait aucun complexe. Il émanait d'elle une aisance et un sang-froid qu'il se ferait fort de réduire à néant. Oh, Dieu, il la désirait tellement...

61

« Ça y est, c'est parti. Il sort de Nativity avec la blonde. Ils sont sur Melrose Avenue. »

Nous avions suivi l'incroyable rencontre à la jumelle, à travers la vitrine décorée de la boutique chic. Le FBI, de son côté, avait également braqué quelques micros directionnels sur le Dr Will Rudolph ainsi que sur la blonde.

Le FBI était seul sur ce coup-là. Le LAPD[1] n'avait même

---

1. *Los Angeles Police Department.* (N.d.T.)

pas été tenu au courant. *Nada.* Un procédé assez courant, mais cette fois-ci, j'étais du côté du Bureau grâce à Kyle Craig. Le FBI avait tenu à voir Kate McTiernan à Los Angeles. Kyle s'était arrangé pour me faire venir après que je l'eus contacté, conformément à notre accord, pour lui expliquer qu'il y avait du nouveau et que l'enquête sur Casanova allait peut-être enfin progresser sérieusement.

Il était un peu plus de dix-sept heures trente et il y avait du monde dans les rues. C'était une belle journée ensoleillée comme on les aime en Californie, et il devait faire dans les vingt-cinq degrés. Dans la voiture, les battements de cœur commençaient à s'accélérer méchamment.

Nous étions en fait à deux doigts de coincer l'un des monstres, ou du moins l'espérions-nous. Le Dr Will Rudolph me faisait l'effet d'un vampire des temps modernes. Il avait passé l'après-midi à flâner dans les magasins à la mode : Ecru, Grau, Mark Fox. Même les filles qui traînaient devant Johnny Rocket, le marchand de hamburgers à la déco années cinquante, étaient pour lui des cibles potentielles. Il avait tout du chasseur, il guettait toutes les filles. Mais était-il pour autant le fameux Gentleman ?

Je travaillais en étroite collaboration avec deux agents supérieurs du FBI dans une fourgonnette banalisée garée dans une petite rue perpendiculaire à Melrose. Notre radio était branchée directement sur les deux micros directionnels, merveilles de technologie, installés dans deux des cinq véhicules qui suivaient l'homme soupçonné d'être le Gentleman. Le spectacle allait commencer.

On a entendu la blonde dire : « Je crois avoir également trouvé ce que je cherche. » Elle me faisait un peu penser à ces belles étudiantes enlevées par Casanova dans le Sud. Etions-nous en face d'un seul et même monstre ? Un tueur qui frappait dans tout le pays ? Un homme souffrant peut-être d'un dédoublement de la personnalité ?

Sur la côte Ouest, les experts du FBI étaient persuadés de détenir la réponse. Selon eux, c'était le même détraqué qui commettait les crimes que l'on disait « parfaits » des deux côtés du continent. Il n'y avait jamais eu plusieurs enlèvements ou meurtres le même jour. Malheureusement, en ce qui concernait le Gentleman et Casanova, je connaissais au moins une douzaine de thèses différentes et aucune d'entre elles ne me satisfaisait réellement.

« Il y a longtemps que vous êtes à Hollywood ? » demandait la blonde d'une voix enjôleuse. Manifestement, elle était en train de l'aguicher.

« Suffisamment pour vous avoir rencontrée. » Jusqu'à maintenant, il était resté très courtois, s'exprimant toujours d'une voix douce. De la main droite, il lui soutenait légèrement le bras. Le Gentleman ?

Il n'avait pas l'air d'un tueur, mais présentait des ressemblances certaines avec le Casanova décrit par Kate McTiernan. Il était solidement bâti, les femmes le jugeaient incontestablement bel homme, et il était médecin. Il avait les yeux bleus — comme ceux que Kate avait entraperçus derrière le masque de Casanova.

— A croire que cet enfoiré peut avoir toutes les filles qu'il veut, a fait l'un des agents en se tournant vers moi.

— Mais pas pour faire ce qu'il a envie de leur faire.

— Très juste.

L'agent John Asaro était d'origine mexicaine. Une moustache broussailleuse compensait son début de calvitie. Il devait approcher la cinquantaine. L'autre s'appelait Raymond Cosgrove. Tous deux étaient des types bien, gradés, hautement compétents. Jusqu'à maintenant, Kyle Craig me soignait.

Impossible de quitter des yeux Rudolph et la jeune femme blonde. Elle était en train de montrer du doigt un coupé Mercedes noir, étincelant, dont la capote beige était ouverte. En arrière-plan, on voyait d'autres boutiques de luxe : I.A. Eyeworks, Gallay Melrose. Deux bottes de cow-boy de deux mètres cinquante qui tenaient lieu d'enseigne encadraient sa chevelure flottant dans le vent.

Grâce aux micros directionnels, nous ne perdions rien de ce qui se disait en dépit de l'affluence régnant à pareille heure. Nous, dans le sous-marin, nous ne faisions pas le moindre bruit.

« Tu vois, là ? Ça, c'est ma voiture. Et la rousse qui est assise côté passager, c'est ma petite amie. Tu croyais vraiment pouvoir m'embarquer comme ça ? » Elle claqua des doigts et les bracelets chamarrés qui ornaient son poignet dégringolèrent sous le nez de Rudolph. « Casse-toi, toubib de merde. »

John Asaro a poussé un énorme grognement :

— Nom de Dieu, elle l'a descendu ! C'est elle qui l'a piégé ! Je rêve ! Il n'y a qu'à L.A. qu'on peut voir ça...

Raymond Cosgrove martela la planche de bord de sa grosse main.

— La garce ! Elle se tire. Retourne le voir, ma poule ! Dis-lui que c'était pour rire !

On avait failli le coincer, et j'étais malade à l'idée de le voir nous échapper. Il fallait qu'on le prenne en « flag », sans quoi l'inculpation resterait sans suite.

La jeune femme blonde a traversé Melrose et s'est glissée derrière le volant de la belle Mercedes noire. Les boucles d'oreilles argentées de son amie aux cheveux roux, courts, étincelaient dans le soleil de cette fin d'après-midi. Elle s'est penchée pour embrasser sa compagne.

Le Dr Will Rudolph les observait sans manifester la moindre irritation. Il est resté planté sur le trottoir, les mains dans les poches de sa blouse blanche, l'air calme et détendu. Très détaché, comme s'il ne s'était rien passé. Etait-ce là le masque du Gentleman ?

Démarrage en trombe. Les deux jeunes femmes l'ont salué ; il s'est borné à leur sourire en haussant les épaules, avec un petit hochement de tête, toujours aussi sûr de lui.

Dans les micros, on l'a entendu siffler : « Ciao, les filles. Je voudrais vous découper en morceaux et vous donner à bouffer aux mouettes sur la plage de Venice. Et je vous signale que j'ai votre numéro de plaque, connasses. »

62

On a suivi le Dr Will Rudolph jusqu'à son luxueux appartement-terrasse au Beverly Comstock. Le FBI connaissait son adresse personnelle, mais ne l'avait pas communiquée au LAPD. Dans notre voiture, la tension et la déception étaient grandes. En tenant la police de Los Angeles à l'écart de l'enquête, le FBI jouait un jeu dangereux.

J'ai quitté la planque vers onze heures du soir. Il y avait plus de quatre heures que Rudolph était chez lui et je ne parvenais pas à me débarrasser d'un bourdonnement qui me taraudait le crâne. J'étais encore à l'heure de la côte Est. Pour moi, deux heures du matin. J'avais besoin de dormir un peu.

Les types du FBI ont promis de m'appeler immédiatement s'il y avait du nouveau ou si le Dr Rudolph repartait en chasse cette nuit-là. Le numéro de Melrose Avenue avait dû lui rester en travers de la gorge, et je me disais qu'il n'allait peut-être pas tarder à s'attaquer à quelqu'un d'autre.

S'il était bien le Gentleman.

Je me suis fait déposer au Holiday Inn, à l'angle de Sunset et de Sepulveda. Kate McTiernan y séjournait également. Le FBI l'avait fait venir en Californie parce qu'elle en savait davantage sur Casanova que tous les agents affectés à cette affaire. Elle avait été enlevée, avait survécu et pouvait témoigner. Kate pourrait identifier le tueur si lui et Casanova étaient la même personne. Elle avait passé presque toute la journée à répondre aux questions du FBI dans leurs bureaux.

Nous étions au même étage, à quelques chambres de distance. Arrivé devant la porte blanche, je n'ai eu besoin de soulever qu'une seule fois le heurtoir noir, frappé du numéro 26.

— Je n'arrive pas à dormir, me dit-elle. Je n'étais pas couchée, j'attendais. Que s'est-il passé? Racontez-moi tout.

Après notre planque ratée, je ne devais pas être d'excellente humeur et je me suis contenté d'un raccourci.

— Malheureusement, il ne s'est rien passé.

Kate hochait la tête en attendant la suite. Elle portait un débardeur bleu ciel, un caleçon kaki et des sandales jaunes. Elle était bien réveillée et gonflée à bloc. J'étais content de la voir, même à deux heures et demie du matin après une soirée pourrie.

J'ai fini par entrer et on a parlé de la planque du FBI sur

Melrose. J'ai dit à Kate que nous avions failli coincer le Dr Will Rudolph. J'avais encore en mémoire chacun de ses mots, chacun de ses gestes.

— Il parlait comme un gentleman, se comportait comme un gentleman... jusqu'au moment où la blonde l'a énervé.

— A quoi ressemble-t-il ?

Elle crevait d'envie de m'aider, ce que je comprenais. Le FBI l'avait fait venir à Los Angeles et elle passait le plus clair de son temps dans sa chambre d'hôtel.

— J'imagine ce que vous ressentez, Kate. J'ai parlé aux gens du FBI et demain, vous serez avec moi dans la voiture. Vous le verrez, sans doute au cours de la matinée. Je ne veux pas vous influencer de quelque manière que ce soit. D'accord ?

Elle a acquiescé, mais je la sentais blessée. Le rôle qu'on lui accordait était loin de lui convenir.

— Je suis désolé. Je n'ai pas envie de jouer les inspecteurs féroces ou les chefs de service. On ne va pas se battre.

— Je vous ai trouvé un peu distant, mais vous êtes pardonné. Je crois que nous ferions mieux de dormir. Demain sera un autre jour. Un jour décisif, qui sait ?

— Ouais, la journée de demain risque d'être particulièrement importante. Je suis vraiment navré, Kate.

— Je sais, m'a-t-elle fait en souriant enfin. Vous êtes vraiment pardonné. Faites de beaux rêves. Demain, on va le coincer. Et ensuite, on s'occupera de son petit copain.

De retour dans ma chambre, je me suis jeté sur le lit et j'ai pensé à Kyle Craig. Il avait réussi à vendre mon style peu orthodoxe à ses confrères pour une seule et bonne raison : cela avait fonctionné par le passé. J'avais déjà à la ceinture un scalp de monstre, et un scalp que j'avais arraché sans respecter les règles du jeu. Kyle comprenait ; c'était le résultat qui lui importait. Même son de cloche au Bureau qui visiblement, ici, à Los Angeles, faisait cavalier seul.

Avant de sombrer dans le sommeil, j'ai eu une pensée fugitive pour Kate et son caleçon kaki. Tenez-vous bien. Un bref instant, je me suis pris à rêver qu'elle viendrait peut-être frapper à ma porte. Toc, toc, toc. Après tout, nous étions à Hollywood. N'était-ce pas ce qui se passait dans tous les films ?

Mais Kate n'est pas venue frapper à la porte de ma chambre. Je n'étais pas Clint Eastwood, elle n'était pas Rene Russo. Tant pis.

63

Grande journée à Toc City. Beverly Hills se préparait à accueillir la plus vaste des chasses à l'homme, comme ce fameux jour où on avait enfin arrêté l'étrangleur Richard Ramirez.

Aujourd'hui, on va le coincer.

Il était un peu plus de huit heures du matin. Kate et moi étions dans une Ford Taurus bleu glace garée à une demi-rue de l'hôpital Cedars-Sinai, à Los Angeles. Il y avait dans l'air un bourdonnement électrique, comme si un gigantesque générateur alimentait la ville tout entière. Je pensais à un vieux jeu de mots : « L'enfer est une ville qui ressemble beaucoup à Los Angeles. »

Je me sentais nerveux et tendu, j'avais le corps ankylosé et l'estomac retourné. Symptômes d'épuisement. Pas assez de sommeil, trop de stress en continu à force de traquer les monstres d'un océan à l'autre.

— Voilà le Dr Will Rudolph qui sort de sa BMW, dis-je à Kate.

J'étais si noué que j'avais l'impression que deux énormes mains essayaient de me broyer.

— Pas mal, marmonna-t-elle. Et très sûr de lui. Cette façon de marcher. Docteur Rudolph.

Elle l'a observé attentivement sans un mot de plus. Etait-ce lui, le Gentleman ? Etait-il également Casanova ? Ou bien s'agissait-il d'une mise en scène immonde orchestrée par un fou, pour une raison qui nous échappait encore ?

La température matinale n'excédait guère les quinze, seize degrés. L'air frais et vif me rappelait l'automne dans le Nord-Est. Kate portait un vieux survêtement de fac, des baskets montantes et des lunettes de soleil à deux sous. Et pour parachever son look spécial planque, elle s'était fait une longue queue de cheval.

Sans décoller les jumelles de ses yeux, elle m'a demandé :

— Alex, les types du FBI sont autour de lui ? Ils sont tous en place ? Cette ordure ne risque pas de se tirer ?

J'ai hoché la tête :

— S'il fait quoi que ce soit qui démontre que c'est le Gentleman, ils lui tomberont dessus. Ils veulent procéder eux-mêmes à l'arrestation.

Mais le FBI me laissait malgré tout les coudées franches. Kyle Craig avait tenu parole. Du moins, jusqu'à maintenant.

On a regardé le Dr Will Rudolph sortir du coupé BMW. Il venait de se garer sur un parking réservé, du côté ouest de l'hôpital. Son complet gris anthracite impeccablement coupé, qui portait sans doute la griffe d'un couturier européen, avait dû coûter cher. Probablement le prix de ma maison de Washington. Catogan très mode, petites lunettes de soleil rondes à monture d'écaille.

Médecin dans un hôpital très chic de Beverly Hills. La grande classe. Le Gentleman qui était en train de répandre la terreur dans tout Los Angeles.

Je mourais d'envie de piquer un cent mètres dans le parking et de l'étendre une fois pour toutes, là, tout de suite. J'ai serré les dents jusqu'à m'en faire mal aux mâchoires. Kate gardait les yeux rivés sur le Dr Will Rudolph. Etait-il également Casanova ? N'étaient-ils qu'un seul et même monstre ? Etait-ce là le fin mot de l'histoire ?

On a regardé Rudolph traverser le parking d'un pas rapide, à grandes et joyeuses foulées. Rien ne le perturbait aujourd'hui. Puis il a disparu derrière une porte de service métallique, grise, sur le côté du bâtiment.

— Un médecin, murmurait Kate en secouant la tête d'un air incrédule. C'est tellement bizarre, Alex. J'en tremble à l'intérieur.

Le crachotement de la radio de bord nous a fait sursauter, mais on a reconnu la voix rauque, gutturale, de l'agent John Asaro.

— Vous l'avez vu, Alex ? Vous l'avez bien regardé ? Qu'en pense Mlle McTiernan ? Quel est le verdict pour **notre** docteur Maboul ?

Je me suis tourné vers Kate qui affichait bien, maintenant, ses trente et un ans. Pas trop sûre d'elle, les tempes légèrement grisonnantes. Notre témoin principal. Elle comprenait parfaitement que l'instant était d'une extrême gravité.

— Je ne crois pas qu'il s'agisse de Casanova, finit-elle par me dire en secouant la tête. Physiquement, il est différent. Plus mince... il se tient autrement. Je n'en suis pas certaine à cent pour cent, mais à mon avis, ce n'est pas lui, merde... (Je sentais la déception dans sa voix. Sa tête ballottait toujours.) Je suis presque sûre que ce n'est pas Casanova, Alex. Ils doivent être deux. Deux docteurs Maboul.

Ses yeux marron me fixaient intensément.

Ainsi, ils étaient deux. S'amusaient-ils à se faire concurrence, d'une côte à l'autre des Etats-Unis ? Et si oui, quel pouvait bien être l'enjeu de cette partie insensée ?

64

On bavardait. Le bla-bla de la planque, qui n'avait rien de nouveau pour moi. A Washington, Sampson et moi avions mis une phrase au point pour résumer nos missions de surveillance : « Eux, ils se font du blé, nous, on se fait chier. »

J'ai demandé à mon équipière :

— Un cabinet qui tourne bien, à Beverly Hills, ça lui rapporte dans les combien ? Donnez-moi un chiffre, Kate, en gros.

Nous étions toujours en train de surveiller le parking réservé aux médecins de Cedars-Sinai. Tout ce que nous avions à faire, c'était de garder l'œil sur la BMW flambant neuve de Rudolph et d'attendre en discutant comme deux vieux copains dans la véranda d'une maison de Washington.

— Il doit se prendre cent cinquante à deux cents dollars par consultation. Cinq ou six cent mille dollars par an. Sans compter les honoraires chirurgicaux. Si tant est qu'il soit honnête, or nous savons qu'il n'a aucun principe.

Ecœuré, je me suis mis à dodeliner de la tête en me frottant le menton.

— Il faut que je retourne dans le privé pour racheter des chaussures aux petits.

— Ils vous manquent, hein, Alex ? (Elle souriait.) Vous parlez souvent de vos enfants. Damon et Jannie. Boule de billard et Velcro.

Je lui ai rendu son sourire. Depuis un certain temps, elle connaissait leurs surnoms.

— Oui, c'est vrai. Ce sont mes bébés, mes petits bouts de chou.

Maintenant, elle riait et j'aimais bien la faire rire. Je pensais aux histoires aigres-douces qu'elle m'avait racontées, au sujet de ses sœurs et notamment de sa sœur jumelle, Kristin. Le rire est un formidable remède.

Le luxueux coupé noir BMW rutilait sous le soleil de la Californie. Rien de plus chiant qu'une planque, me disais-je, même à L.A. où il fait presque toujours beau.

Ici, à Los Angeles, Kyle Craig m'avait laissé une grande marge de manœuvre, bien plus que dans le Sud. Il avait également fait en sorte que Kate bénéficie, elle aussi, d'une certaine liberté d'action. Mais tout cela n'était pas entièrement gratuit. Echange de bons procédés. Kyle voulait que j'interroge le Gentleman dès son arrestation et que je lui communique tout ce que j'aurais recueilli. J'avais dans l'idée qu'il espérait mettre personnellement la main sur lui.

— Vous croyez réellement qu'ils essaient de rivaliser ? m'a demandé Kate au bout d'un moment.

— Psychologiquement, cela expliquerait un certain nombre de choses. Ils ressentent peut-être le besoin de pouvoir dire : « Tiens, une de mieux. » Il est possible que le Gentleman se serve de son journal pour faire savoir à l'autre : « Je suis plus doué que toi, je suis plus connu. » Enfin, je ne sais pas. Je pense que s'ils partagent leurs exploits, c'est pour l'excitation que ça leur procure et non parce qu'ils ont besoin de communiquer. Ça les fait bander et ils adorent ça.

Kate m'a regardé droit dans les yeux :

— Alex, vous n'avez pas la chair de poule quand vous pensez à tout ça ?

— C'est la raison pour laquelle je veux les coincer. Pour qu'on n'ait plus la chair de poule.

On a poireauté devant l'hôpital jusqu'à ce que Rudolph se décide à réapparaître. Il était presque deux heures de l'après-midi. Rudolph s'est rendu directement à son cabinet dans North Bedford, à l'ouest de Rodeo Drive. C'était là qu'il recevait ses patients. Ou, le plus souvent, ses patientes. Le Dr Rudolph pratiquait la chirurgie esthétique, ce qui lui donnait la possibilité de créer et de sculpter. Les femmes s'en remettaient à lui. Et... toutes ses patientes l'avaient choisi.

Sur le coup de sept heures, on a suivi Rudolph jusque chez lui. « Cinq ou six cent mille dollars par an », songeais-je. Plus que ce que je pouvais gagner en toute une décennie. Avait-il besoin de cet argent pour être le Gentleman ? Casanova était-il riche, lui aussi ? Etait-il également médecin ? Etait-ce ainsi qu'ils commettaient leurs crimes parfaits ?

Toutes ces questions tournoyaient dans ma tête.

J'ai tripoté la fiche qui se trouvait dans la poche de mon pantalon. J'avais commencé à établir une liste comparative des principales caractéristiques de Casanova et du Gentleman, ajoutant ou supprimant des éléments au fil de l'enquête. Cette fiche ne me quittait jamais.

CASANOVA	GENTLEMAN
collectionneur	offre des fleurs — sexuel ?
harem	dangereux et extrêmement
artiste, organisé	violent
masques différents... qui	s'attaque à des femmes
représentent des humeurs	jeunes,
ou des personnages ?	jolies, tous genres
prétend « aimer » ses	extrêmement organisé
victimes	rien d'artistique dans ses
goût de plus en plus	meurtres
marqué pour la violence	médecin
il me connaît	tueur froid, impersonnel...
rival de Gary Soneji ? rival	boucher en mal de
du Gentleman de L.A. ?	reconnaissance et de
	célébrité
	peut-être riche —
	appartement en terrasse
	diplômé de la faculté de
	médecine de Duke, 1986
	a passé sa jeunesse en
	Caroline du Nord

Pendant que Kate et moi nous tournions les pouces au pied de l'immeuble, je me suis replongé dans mes réflexions sur les rapports pouvant exister entre Rudolph et Casanova. Je me suis souvenu d'un syndrome appelé, en psychologie, le jumelage. Peut-être était-ce là l'une des clés du problème. Le jumelage pouvait expliquer l'étrange relation qui s'était établie entre les deux monstres. A sa source, on trouve le besoin de créer des liens affectifs, généralement chez deux personnes qui se sentent seules. Une fois « jumelées », ces deux personnes forment un tout ; elles dépendent l'une de l'autre, souvent de manière obsessionnelle. Et il arrive qu'une formidable rivalité s'installe entre ces « jumeaux ».

Le jumelage, c'est une sorte d'irrésistible besoin de former un couple, d'appartenir à un cercle limité à deux personnes, sans mot de passe. Dans sa version négative, c'est la fusion de deux personnes vouées à satisfaire leurs exigences individuelles, souvent mutuellement malsaines.

Je m'en suis ouvert à Kate, qui avait eu une sœur jumelle.

— Très souvent, lui dis-je, dans une relation de type gémellaire, il y a une figure dominante. Etait-ce le cas pour vous et votre sœur?

— Avec Kristin, sans doute. En classe, c'est moi qui décrochais les bonnes notes. J'avais parfois tendance à jouer des coudes pour arriver à mes fins. Au lycée, elle m'appelait même « grande gueule ». Et pire que ça.

— Le jumeau dominant peut opérer dans une structure de comportement basée sur le modèle masculin. (C'était le médecin qui s'adressait au médecin.) Mais la figure dominante n'est pas forcément la plus manipulatrice.

— Comme vous l'imaginez, me dit-elle en souriant, je me suis un peu documentée sur le sujet. Le jumelage crée une structure extraordinairement forte au sein de laquelle les deux invididus liés affectivement peuvent agir de manière très complexe. Quelque chose dans ce goût-là?

— Tout à fait exact, docteur McTiernan. Dans le cas de Casanova et du Gentleman, chacun d'eux dispose d'un supporter qui joue également les gardes du corps. Peut-être est-ce la raison pour laquelle ils parviennent à des résultats aussi brillants. Des crimes parfaits. Ils savent qu'ils peuvent compter l'un sur l'autre, et leur système est extrêmement efficace.

Mais la question qui résonnait dans ma tête était : Comment s'étaient-ils rencontrés? Etait-ce à Duke? Casanova était-il également un ancien de cette prestigieuse université? Cela se tenait. Et cela me rappelait l'affaire Leopold-Loeb, à Chicago. Deux petits garçons très intelligents, deux petits garçons pas comme les autres, qui commettaient ensemble des actes défendus. Qui partageaient des idées démoniaques et de vilains secrets parce qu'ils se sentaient seuls et n'avaient personne d'autre à qui parler... le jumelage dans sa forme la plus destructrice.

Etait-ce là l'amorce de la solution de notre énigme? Le Gentleman et Casanova s'étaient-ils jumelés? Travaillaient-ils de concert? Quel était le but de leur jeu pervers? A quel jeu jouaient-ils?

— Et si on faisait dégringoler ses belles baies vitrées à coups de démonte-pneu? me dit Kate, prête à passer à l'acte.

Il nous tardait d'en découdre.

Nous voulions tellement neutraliser ces Leopold et Loeb, version adulte.

65

A vingt heures, nous planquions toujours. Le Dr Will Rudolph n'était peut-être pas le Gentleman. Beth Lieberman, la journaliste du *Los Angeles Times*, avait peut-être fait fausse route, mais difficile de l'interroger sur le sujet.

Kate et moi n'avions pas cessé de bavarder, de parler de tout et de rien, de l'équipe des Lakers depuis le départ de Magic Johnson et de Kareem, du dernier disque d'Aaron Neville, de la vie de couple des Clinton, des mérites comparés de Johns Hopkins et de la fac de médecine de North Carolina.

Il y avait toujours d'étranges étincelles entre nous. J'avais soumis Kate à plusieurs séances de thérapie libre, l'avais hypnotisée, et je savais que je redoutais de voir une flamme, quelle qu'elle fût, naître entre nous. J'avais un problème. Il était temps que je me refasse une vie, que je cesse de ruminer la disparition de Maria, mon épouse. Ma rencontre avec une femme du nom de Jezzie Flanagan m'avait momentanément redonné espoir, mais Jezzie avait laissé en moi un gouffre que j'avais eu toutes les peines du monde à combler.

On a fini par aborder des sujets plus près du cœur. Kate m'a demandé pourquoi j'avais peur de sortir avec quelqu'un (parce que ma femme était morte, parce que ma dernière liaison s'était transformée en cauchemar, parce que j'avais deux gosses). Je lui ai demandé pourquoi elle craignait de se lancer dans une liaison sérieuse (elle avait peur de mourir d'un cancer du sein ou de l'utérus, elle avait peur de voir ses amants mourir, ou bien la quitter — elle avait peur de continuer à perdre des gens qu'elle aimait).

En souriant, avec un mouvement de tête désabusé, je lui ai dit :

— On fait un sacré couple.

— On a peut-être tous les deux très peur de reperdre quelqu'un, mais il vaut peut-être mieux aimer et perdre que vivre avec cette peur.

La réapparition du Dr Will Rudolph ne nous a pas laissé le temps d'étudier plus avant cette douloureuse question. La montre du tableau de bord indiquait 22 h 20.

Tout de noir vêtu, Rudolph était visiblement paré à faire la fête. Veston croisé, col roulé, pantalon ajusté, superbes santiags. Cette fois, il n'a pas pris le volant de sa BMW. Nous l'avons regardé monter dans une Range Rover blanche. Il donnait l'impression de sortir de la douche, s'était sans doute offert une petite sieste. Je l'enviais.

Rictus de Kate :

— Notre bon docteur s'est mis au noir. Tu crois qu'il y a du deuil dans l'air ?

— Il se rend peut-être à un dîner galant, ai-je fait. Tu imagines l'horreur : il invite des jeunes femmes au restaurant, puis il les assassine.

— Ce qui lui permet déjà d'entrer chez elles. Quel malade. Deux malades de première grandeur qui se baladent dans la nature.

J'ai démarré et on a suivi Rudolph. Je ne voyais pas les types du FBI en filature, mais je ne m'inquiétais pas ; ils étaient forcément là, quelque part.

Le Bureau n'avait toujours pas informé le LAPD des derniers développements de l'affaire. Un petit jeu dangereux, mais ils avaient l'habitude. Ils se considéraient comme les meilleurs en toutes circonstances, les spécialistes. Ils estimaient avoir affaire à une série de crimes couvrant plusieurs Etats, c'était donc à eux que revenait la tâche de résoudre l'énigme. Il y avait quelqu'un, au Bureau, que ce dossier devait faire bander.

On prenait la direction sud.

— Les vampires chassent toujours la nuit, me dit Kate. Ça me fait cette impression-là, Alex. Le Gentleman, histoire de terreur authentique, signée Bram Stoker.

Je comprenais ce qu'elle ressentait ; j'en étais au même point.

— C'est un monstre. Mais il s'est fait tout seul, comme Casanova. Encore un point commun. Bram Stoker ou Mary Shelley s'étaient contentés d'inventer des créatures monstrueuses et de les lâcher dans le monde. Aujourd'hui, nous voilà face à des pervers qui mettent leurs fantasmes torturés à exécution. Quel pays...

— Ou tu l'aimes, ou tu le quittes, l'ami, m'a fait Kate, façon texane.

Je m'étais offert suffisamment de planques au début de ma carrière pour avoir acquis dans ce domaine une compétence raisonnable, et l'affaire Soneji/Murphy m'avait donné l'occasion de passer mon doctorat de chasse à l'homme. Une discipline dans laquelle le FBI Ouest, d'après ce que j'avais pu constater jusqu'à présent, ne se débrouillait pas mal non plus.

Les agents Asaro et Cosgrove ont repris contact par radio dès qu'on a redémarré. Ils dirigeaient l'équipe chargée de suivre Will Rudolph. On ne savait toujours pas s'il était le Gentleman. Pas de preuves. Pour l'instant, impossible d'arrêter le Dr Rudolph.

La Range Rover se dirigeait maintenant vers l'ouest, puis Rudolph a pris Sunset Drive jusqu'à l'autoroute côtière. On s'est retrouvés sur l'U.S. Highway 1, direction nord. J'avais remarqué que dans Los Angeles, il avait veillé à respecter les limites de vitesse, mais une fois sur l'autoroute, il a appuyé sur la pédale.

— Où est-ce qu'il nous emmène? Je commence à avoir des angoisses, m'a avoué Kate.

— Tout se passera bien. C'est le fait de le filer de nuit qui est impressionnant.

Il est vrai que nous avions l'impression d'être seuls. Où diable allait-il? Etait-il en chasse? Logiquement, il devait s'apprêter à commettre un nouveau meurtre. Il était forcément en chaleur.

Le trajet se révéla extraordinairement long. On regardait les étoiles illuminer le ciel de la côte californienne. Six heures plus tard, nous étions toujours collés à l'asphalte de la Highway 1. Puis la Range Rover a fini par prendre une sortie. Un curieux panneau de bois annonçait, entre autres choses, Big Sur State Park.

Comme pour nous prouver que nous étions bien à Big Sur, il y avait sur le bas-côté une fourgonnette de brocanteur avec, sur le pare-chocs, un autocollant proclamant : IMAGINEZ LE MONDE APRÈS LA DÉBÂCLE INDUSTRIELLE.

Petit grognement de Kate :

— Moi, je m'imagine le Dr Will Rudolph en train de faire un infarctus.

On a quitté l'autoroute, j'ai regardé ma montre.

— Trois heures passées. Il est un peu tard pour qu'il fasse quelque chose de vraiment grave cette nuit.

J'espérais ne pas me tromper.

Kate, qui avait gardé les bras croisés sur sa poitrine pendant presque tout le voyage, a marmonné :

— Voilà qui va peut-être nous aider à prouver qu'il est un vrai vampire. Il est venu dormir dans son cercueil préféré.

— Absolument. Et nous, on va lui enfoncer un pieu dans le cœur.

Nous étions tous deux morts de fatigue. J'avais pris une pilule pendant le trajet. Kate avait refusé de m'imiter, arguant que la plupart de ces produits pharmaceutiques, qu'elle connaissait bien, ne lui inspiraient aucune confiance.

Nous sommes arrivés à un carrefour hérissé de panneaux : Point Sur, Pfeiffer Beach, Big Sur Lodge, Ventana, Institut Esalen. Will Rudolph a pris la direction de Big Sur Lodge, Sycamore Canyon, Bottchers Gap Campgrounds.

— J'aurais aimé qu'il aille à Esalen, m'a glissé Kate. Qu'il apprenne à méditer, à gérer ses tourments intimes.

— Je donnerais cher pour savoir ce qu'il mijote à une heure pareille.

Mais comment deviner ce que Casanova et lui nous préparaient ? J'ai hasardé une idée :

— Sa tanière à lui se trouve peut-être là, dans les bois, Kate. Il n'est pas impossible qu'il ait, lui aussi, sa maison de l'horreur. Comme Casanova.

Je repensais à la fameuse thèse du jumelage, qui me paraissait de plus en plus plausible. Ce qui leur permettait de bénéficier d'une assistance mutuelle. Les deux monstres suivaient des chemins parallèles. Mais où se rencontraient-ils ? Leur arrivait-il de chasser ensemble ? J'avais des raisons de soupçonner qu'ils l'avaient déjà fait.

La Range Rover blanche suivait vers l'est une petite route sinueuse et plutôt accidentée. De part et d'autre de l'étroit ruban d'asphalte, de vieux séquoias dressaient leurs sombres silhouettes. Une pleine lune blafarde, presque collée au véhicule, semblait le suivre.

Par précaution, j'ai laissé la voiture prendre un peu

d'avance et nous l'avons perdue de vue. Les immenses coni-
fères défilaient autour de nous, ombres fantasmatiques
fichées dans un monde bien réel. Les phares ont balayé un
panneau jaune phosphorescent : Chaussée impraticable en
cas de pluie, neige ou verglas.

— Alex, il est là ! Il s'est arrêté !

L'avertissement de Kate est venu un peu tard.

Quand nous avons dépassé la Range Rover, le Gentleman a jeté un regard vers la voiture.

Il nous avait vus.

66

Le Dr Will Rudolph avait engagé sa Range dans un chemin défoncé, mélange de terre et de cailloux, difficile à apercevoir de la route. Penché à l'intérieur du véhicule, il ramas-
sait divers objets sur la banquette arrière. Quand on est
passés, il nous a regardés d'un air froid, curieux.

Sans ralentir, j'ai poursuivi ma route. Les branches
noires squelettiques qui surplombaient l'asphalte le rendaient encore plus sombre. Quelques centaines de mètres
plus loin, après un virage, j'ai doucement garé la voiture sur
l'accotement, juste devant un vieux panneau annonçant
d'autres virages dangereux. Je me suis servi de la radio :

— Il s'est arrêté à un chalet. Il est sorti de la Range, il
est à pied.

— On a vu. On l'a, m'a répondu la voix de John Asaro.
On est de l'autre côté du chalet. Pas de lumière à l'intérieur.
Ah, il est en train d'allumer les lampes. *El pais grande del sur.*
C'est comme ça que les Espagnols appelaient ce coin, dans le
temps. Un bel endroit pour serrer ce connard.

Nous sommes sortis de la voiture. Kate paraissait un peu pâle, chose compréhensible. La température devait avoisiner les cinq degrés, voire moins, et l'air des collines était vif. Mais ce froid humide ne justifiait pas à lui seul les frissons de Kate.

— On va bientôt l'avoir, lui dis-je. Il commence à commettre des fautes.

— C'est peut-être une deuxième maison de l'horreur. Vous aviez raison, me répondit-elle à mi-voix, le regard dans le vide.

Jamais je ne l'avais vue aussi inquiète depuis notre première rencontre dans sa chambre d'hôpital.

Elle reprit :

— C'est l'impression que j'ai, Alex... l'impression d'être presque au même endroit. J'en ai la chair de poule. Je ne suis pas très courageuse, hein ?

— Croyez-moi, Kate, en ce moment, je n'en mène pas large non plus.

L'épaisse brume côtière semblait avoir pris possession de toute la région. Un froid aigre me rongeait l'estomac. Il fallait qu'on en finisse.

Nous nous sommes enfoncés dans la pénombre de la futaie. Le vent du nord sifflait et hurlait dans les séquoias immenses et les sapins. Désormais, je ne savais plus à quoi m'attendre.

— Merde, a soufflé Kate, résumant à sa manière les événements de la journée. Je ne plaisante pas, Alex.

— Je vous crois volontiers.

El pais grande del sur à trois heures du matin. Rudolph venait d'arriver dans un refuge isolé, perdu, au bout du monde. Casanova avait une maison dans le Sud, elle aussi en pleine forêt. Une maison « fantôme » dans laquelle il séquestrait les jeunes femmes qu'il collectionnait.

J'ai songé au sinistre journal publié dans les pages du *Los Angeles Times*. Y avait-il une chance pour que Naomi eût été transférée jusqu'ici, pour quelque obscure et folle raison ? Peut-être était-elle enfermée dans ce chalet, ou dans les environs ?

Soudain, je me suis figé sur place. Je venais d'entendre un carillon éolien dont le chant, en de pareilles circonstances, me paraissait particulièrement lugubre. Plus haut, on distinguait une petite bicoque rose, avec des portes et des encadrements de fenêtres blancs. Toutes les apparences d'un sympathique chalet d'été.

— Il nous a laissé de la lumière, a chuchoté Kate derrière moi. Je me souviens que Casanova passait du rock'n roll à fond quand il était dans la maison.

Je voyais à quel point il lui était pénible de songer à sa captivité, de la revivre.

— Ce chalet vous rappelle quelque chose ? lui ai-je demandé en m'efforçant de rester très calme au plus profond de moi, pour être prêt à cueillir le Gentleman.

— Non. L'autre endroit, je ne l'ai vu que de l'intérieur, Alex. Espérons qu'il ne va pas disparaître sous nos yeux.

— J'espère déjà beaucoup de choses. Je vais rajouter ça sur la liste.

Ce chalet en bois était sans doute une résidence secondaire. Il devait y avoir trois ou quatre chambres.

En approchant, j'ai sorti mon Glock. Aujourd'hui, le Glock était l'arme de poing la plus prisée des flics opérant dans les quartiers difficiles ; chargeur compris, il ne pesait guère plus d'une livre et on pouvait le porter discrètement. Nul doute qu'il ferait également l'affaire dans l'*el pais grande del sur*.

Nous nous rapprochions d'une clairière qui tenait lieu de jardin ; Kate devait rester derrière moi. Deux lampes, en fait, brillaient en attirant des nuées d'insectes. L'une éclairait la véranda, l'autre, moins forte, se trouvait à l'arrière du chalet. Je me suis dirigé vers la seconde, en faisant signe à Kate de rester où elle était.

« C'est peut-être le Gentleman, me suis-je répété. Sois très prudent. Il pourrait également s'agir d'un piège. A partir de maintenant, tout peut arriver. On ne peut plus rien prévoir. »

Je distinguais l'intérieur d'une chambre. Je me trouvais à moins d'une dizaine de pas de la fenêtre et, probablement, du meurtrier en série qui terrorisait toute la côte Ouest. Et c'est alors que je l'ai vu.

Le Dr Will Rudolph arpentait en long et en large la petite pièce lambrissée. Il parlait tout seul, visiblement en proie à une vive agitation, les bras serrés autour de la poitrine. En me rapprochant, j'ai vu qu'il transpirait à grosses gouttes. Ce n'était pas la grande forme. Cela me rappelait ces « chambres de décompression », dans les établissements psychiatriques, où l'on envoie parfois les patients dégorger leurs problèmes.

Rudolph s'est soudain mis à hurler. Il interpellait quelqu'un... mais il n'y avait personne d'autre dans la pièce.

Le visage et la nuque écarlates, il s'en prenait au vide.

Il hurlait à pleins poumons. Ses veines saillantes semblaient sur le point d'exploser.

Glacé d'effroi, j'ai lentement rebroussé chemin.

Sa voix, ses mots résonnaient encore dans ma tête : « Va au diable, Casanova ! Tombe les filles ! A partir de maintenant, les filles, tu les tomberas toi-même ! »

67

L'agent John Asaro demanda à son équipier :

— Mais qu'est-ce qu'il fout, Cross ?

Ils étaient à Big Sur, en pleine forêt, de l'autre côté du chalet. La baraque lui rappelait *Music from Big Pink*, le premier disque du Band. Pour un peu, il se serait attendu à voir des familles hippies surgir de la brume.

— Cross joue peut-être les voyeurs, Johnny, fit Ray Cosgrove en haussant les épaules. C'est un gourou, un spécialiste des détraqués. C'est le protégé de Kyle Craig.

— Si je comprends bien, il peut faire ce qu'il veut ?

— Oh, sûrement, marmonna Cosgrove.

Au cours de sa carrière d'agent du FBI, il avait connu bien trop de situations invraisemblables, bien trop d'« arrangements spéciaux » pour se laisser démonter par ce dernier avatar.

Il poursuivit :

— Primo, que nous le voulions ou pas, il a la bénédiction de Washington.

— Je hais Washington, mais à un point que tu ne peux pas imaginer, coupa Asaro.

— Tout le monde hait Washington, Johnny. Secundo, Cross me fait l'effet d'un pro, ce qui est déjà une bonne chose. Ce n'est pas un type qui cherche simplement à faire parler de lui. Tertio, chose plus importante, ce dont on dispose sur le Dr Rudolph ne suffit pas, loin s'en faut, à prouver qu'il est notre malade. Sans quoi on aurait déjà rameuté le LAPD, l'armée, la flotte et les Marines.

— Notre regrettée miss Lieberman se serait-elle plantée en mettant son nom dans son ordinateur ?

— Elle a forcément commis une erreur quelque part, Johnny. Il n'est pas impossible qu'elle l'ait soupçonné à tort.

— Will Rudolph est peut-être l'un de ses ex-petits copains ? Et elle s'amusait simplement avec son nom sur son PC ?

— Cela m'étonnerait, mais ça reste une éventualité, répondit Cosgrove.

— Donc, si j'ai bien compris, on surveille le Dr Rudolph et on surveille le Dr Cross qui surveille le Dr Rudolph ? lui dit l'agent Asaro.

— Tout juste, camarade.

— Le Dr Cross et le Dr McTiernan vont peut-être nous offrir un peu de distraction ; ce sera toujours ça.

— Eh, on ne sait jamais, fit Raymond Cosgrove, le visage fendu d'un large sourire.

Pour lui, toute cette histoire s'apparentait à une vaste chasse à l'oie sauvage dont ils rentreraient sans doute bredouilles, mais ce ne serait pas la première fois. L'affaire n'en restait pas moins aussi sordide que gigantesque. Plusieurs Etats étaient concernés et on explorait chaque piste avec la plus grande détermination. Une *serial psycho connection* de l'Atlantique au Pacifique !

Ainsi donc, lui et son équipier, de même que deux autres agents du FBI, allaient passer toute la nuit et la matinée s'il le fallait dans les noires forêts de Big Sur. Ils allaient consciencieusement surveiller le chalet d'été d'un chirurgien esthétique de L.A. qui était peut-être un redoutable assassin ou qui n'était peut-être qu'un chirurgien esthétique de L.A.

Ils allaient surveiller Alex Cross et le Dr McTiernan, en s'interrogeant sur la nature de leurs relations. Cosgrove n'était pas vraiment d'humeur à tout ça, mais c'était une très grosse affaire. Et s'il avait la chance de capturer le Gentleman, il pouvait devenir un flic célèbre. Il voulait que son personnage soit interprété par Mel Gibson. Et Al Pacino aurait fait Asaro. Pacino jouait les Latinos, non?

68

J'ai rejoint Kate. On s'est éloignés et une fois à bonne distance du chalet, on s'est accroupis derrière un bosquet de gros sapins.

— Je l'ai entendu hurler, m'a dit Kate quand on s'est retrouvés à couvert. Alex, qu'avez-vous vu là-bas?

— J'ai vu le diable, lui ai-je répondu, et ce n'était pas un mensonge. J'ai vu un homme démoniaque, complètement fou, qui parlait tout seul. Si ce n'est pas le Gentleman, l'imitation est assez réussie.

Ensuite, on s'est relayés pour surveiller la tanière de Rudolph, ce qui nous a permis de nous reposer un peu. Vers six heures du matin, j'ai retrouvé les gars du FBI qui m'ont donné un émetteur-récepteur de poche pour que je puisse les contacter en cas d'urgence. Je me demandais s'ils m'avaient révélé grand-chose de ce qu'ils savaient.

Le Dr Will Rudolph a fini par émerger le samedi après-midi. Il était une heure passée. Les derniers lambeaux bleu-gris de brume océane s'étaient dissipés. Les geais voletaient au-dessus de nos têtes en s'interpellant joyeusement. En d'autres circonstances, c'eût été un merveilleux endroit pour passer un week-end en montagne.

Le Dr Rudolph fit sa toilette dans une cabine de douche extérieure blanchie à la chaux, derrière la maison. Tout en muscles, le ventre plat comme une planche à linge, il paraissait agile et en pleine forme. C'était un très bel homme. Il cabriolait et dansait, nu, avec des gestes un peu maniérés. Le Gentleman.

— Regardez-le, Alex. Il est incroyablement sûr de lui.

Cet étrange comportement semblait tenir du rituel. La danse faisait-elle partie de son plan, de sa démarche ?

Après la douche, il s'est dirigé vers un petit jardin envahi de fleurs sauvages, a cueilli une douzaine de tiges et a emporté le bouquet dans le chalet. Le Gentleman avait ses propres fleurs ! Que nous réservait-il encore ?

A seize heures, Rudolph est ressorti par la double porte de derrière. Jean noir moulant, tee-shirt blanc à poche, sandales de cuir noir. On l'a regardé sauter dans la Range Rover et prendre la direction de la Highway 1.

Au bout d'un peu plus de trois kilomètres sur la route côtière, il s'est arrêté devant un café-restaurant, Nepenthe. On a attendu sur le bas-côté sablonneux, puis on a suivi la Range dans un immense parking quasiment saturé. Des haut-parleurs dissimulés dans les arbres crachaient à pleine puissance *Electric Ladyland* de Jimi Hendrix.

— C'est peut-être juste un toubib branché cul comme il y en a des milliers à Los Angeles, dit Kate alors qu'on cherchait une place libre.

— Non. Pas de doute, c'est le Gentleman. C'est notre boucher californien.

Après l'avoir observé la veille et aujourd'hui, j'en étais désormais persuadé.

Nepenthe était une affaire qui tournait. Une clientèle jeune, très présentable, moins de quarante ans, et pour faire bonne mesure, une poignée de vieux hippies dont certains devaient être au moins sexagénaires. Une vraie débauche de jeans délavés, de maillots de bain dernier cri, de tongs multicolores et de coûteuses chaussures de marche.

Et les jolies femmes ne manquaient pas. Tous les âges, tous les gabarits et toutes les ethnies étaient représentés. Tomber les filles...

A vrai dire, j'avais déjà entendu parler de Nepenthe. C'était un lieu de rencontre très à la mode dans les années soixante et, bien avant cela, une propriété de rêve qu'Orson Welles avait offerte à Rita Hayworth.

Nous avons regardé le Dr Rudolph exercer ses talents au bar. Il était d'une extrême politesse. Un sourire à l'intention du barman, un rire à l'unisson. Il s'est retourné pour examiner plusieurs jeunes femmes tout à fait attrayantes. Mais apparemment, pas suffisamment pour lui.

Il s'est avancé sur une vaste terrasse dallée de pierre qui surplombait le Pacifique. Sono haut de gamme, rock des années soixante-dix et quatre-vingt. Les Grateful Dead, les Doors, les Eagles. Ici, c'était l'Hôtel California.

— Je ne sais pas ce qu'il a en tête, Alex, mais le cadre est superbe.

— Ce qu'il a en tête, c'est sa prochaine victime. Numéro sept sur sa liste.

En contrebas, sur une plage inaccessible, on apercevait des otaries, des pélicans bruns et des cormorans. J'aurais aimé que Damon et Jannie fussent là pour les voir, j'aurais aimé me trouver là dans d'autres circonstances.

Sur la terrasse, j'ai pris Kate par la main et je lui ai dit, avec un clin d'œil :

— On doit nous prendre pour un joli couple...

— Mais qui sait ? m'a-t-elle répondu en me rendant mon clin d'œil, bien appuyé. On forme peut-être un joli couple.

Nous avons regardé Rudolph approcher une jeune femme blonde qui ne passait pas inaperçue. Tout à fait le genre du Gentleman. Guère plus de vingt ans, belles formes, très beau visage. Et je ne pouvais m'empêcher de songer qu'elle aurait également plu à Casanova.

Sa chevelure blonde blanchie par le soleil dégringolait en vagues jusqu'à sa mince taille. Elle portait une robe à fleurs rouge et jaune de chez Putumayo et des brodequins européens de couleur noire. Sa robe voletait à chacun de ses mouvements. Elle buvait du champagne.

Je n'avais toujours pas réussi à localiser les agents Cosgrove et Asaro, ce qui me rendait nerveux.

A côté de moi, j'entendais Kate chuchoter :

— Elle est vraiment très belle, non ? Elle est absolument parfaite. Il ne faut pas le laisser lui faire du mal, Alex. On ne peut pas laisser quoi que ce soit arriver à cette pauvre fille.

— Non, il ne se passera rien, mais on doit le prendre en flagrant délit, ne serait-ce que d'enlèvement. Il faut prouver qu'il est le Gentleman.

Le grand bar était bondé, et c'est là que j'ai enfin repéré John Asaro. Avec son tee-shirt Nike jaune vif, il s'intégrait parfaitement dans le décor. Aucun signe de Ray Cosgrove ni des autres agents, ce qui, en fait, était plutôt rassurant.

Le courant est très vite passé entre Rudolph et la jeune femme blonde. D'un naturel sociable, elle aimait rire. Elle avait un formidable sourire et des dents d'un blanc étincelant. Elle attirait à elle tous les regards. Mon cerveau commençait à donner des signes de surcharge. Nous étions en train d'observer le Gentleman à l'œuvre...

— Il chasse... et comme ça (Kate claqua des doigts) il les lève. Il a presque toutes les femmes qu'il veut. Voilà comment il s'y prend. C'est aussi simple que cela. Ce qui les séduit, c'est son look. Il a le genre un peu rebelle tout en étant très beau, et l'association des deux est irrésistible pour certaines femmes. Elle lui fait croire que c'est son sens de la repartie qui l'a fait craquer, alors qu'en fait, c'est parce qu'il est super bien fichu.

— C'est donc elle qui l'a levé ? Notre tueur play-boy ?

Hochement de tête. Kate ne parvenait pas à détacher son regard du couple.

— Oui, elle vient de draguer le Gentleman. Il la voulait, bien sûr. Je suis prête à parier que c'est comme ça qu'il les trouve, et que c'est la raison pour laquelle il ne se fait jamais prendre.

— Mais Casanova, lui, ne procède pas de la même manière. Si ?

— Casanova n'a peut-être pas un physique avantageux.

Kate s'est retournée, elle m'a regardé :

— Cela pourrait expliquer les masques qu'il porte. Il est peut-être très laid, défiguré, ou il a honte de son apparence.

Une autre idée, une autre théorie sur les masques de Casanova m'a traversé l'esprit, mais je préférais ne rien dire pour l'instant.

Le Gentleman et sa nouvelle conquête ont commandé des *ambrosiaburgers*, spécialité de la maison. On les a imités. Il faut savoir s'adapter, même au paradis... Ils sont restés jusqu'aux environs de sept heures du soir, puis se sont levés pour partir.

On s'est levés à notre tour. En fait, dans ce contexte pour le moins étrange, j'avais presque passé un bon moment. Notre table surplombait l'océan. Sous nos pieds, le Pacifique venait se briser sur un récif de rochers noirs et glissants et les otaries rivalisaient d'énergie pour couvrir de leurs cris le fracas des vagues.

En regardant le couple se diriger vers le parking, j'ai remarqué qu'ils ne se touchaient pas, ce qui me laissait à penser que l'un des deux dissimulait sa timidité.

Le Dr Will Rudolph ouvrit poliment la portière de la Range Rover côté passager et la jeune femme sauta à l'intérieur, en riant. Il exécuta une discrète et élégante courbette avant de refermer la portière. Le Gentleman.

« C'est elle qui l'a choisi, songeais-je. Pour l'instant, ce n'est pas un enlèvement. Elle est encore maître de ses décisions. »

Nous n'avions rien qui pût nous permettre de l'arrêter et de le garder derrière les barreaux.

Les crimes étaient parfaits.

Sur la côte Est comme sur la côte Ouest.

69

On a suivi la Range Rover à bonne distance, directement jusqu'au chalet. Je me suis garé cinq cents mètres plus loin, sur la route principale. J'avais l'impression de n'entendre plus que le martèlement de mon cœur. L'instant de vérité était arrivé; tout allait se jouer maintenant.

Nous nous sommes rapprochés à travers bois de l'antre du Dr Rudolph et, arrivés à une quinzaine de mètres, nous nous sommes cachés dans les fourrés. Nous étions suffisamment près pour entendre le chant cristallin du carillon dans la brise. La brume marine commençait à prendre possession des lieux et je sentais déjà l'humidité et le froid pénétrer mes chaussures.

Le Gentleman était à l'intérieur du chalet. Que préparait-il?

Une sensation de vide me crispait l'estomac. J'avais envie d'attaquer avec la plus grande brutalité. Je ne voulais pas penser à toutes les fois où le Dr Will Rudolph était passé à l'acte. Où il avait conduit une jeune femme quelque part. L'avait mutilée. Avant de ramener chez lui, en guise de souvenir, des pieds, des yeux ou un cœur.

J'ai jeté un coup d'œil à ma montre. Rudolph ne se trouvait dans le chalet, en compagnie de la blonde du restaurant, que depuis quelques minutes. J'avais perçu du mouvement dans les bois, de l'autre côté de la baraque. Le FBI était là. Ça commençait à craindre.

— Et s'il la tue, Alex? m'a demandé Kate, tout près de moi.

Je sentais la chaleur de son corps. Elle avait connu la captivité dans une maison de supplices et, mieux que quiconque, elle mesurait le danger.

— Il ne tue pas ses proies juste après les avoir capturées. Le Gentleman suit sa méthode. Toutes ses victimes ont été séquestrées au moins une journée. Il aime bien jouer avec elles. Il restera fidèle à sa tactique habituelle.

Ce n'était pas une certitude, mais une conviction. Le Dr Rudolph savait peut-être que nous étions dehors... peut-être voulait-il se faire arrêter. Peut-être, peut-être, peut-être...

Je me suis souvenu du fou que j'avais traqué, Gary Soneji alias Murphy. Rien de plus facile que de pénétrer en force dans le chalet et tenter notre chance sans attendre. Sur place, peut-être découvririons-nous des preuves matérielles d'autres meurtres, ou des morceaux de cadavres que la police n'avait toujours pas retrouvés. Peut-être commettait-il ses meurtres ici, à Big Sur. A moins qu'il ne nous eût réservé une surprise. Le drame était en train de se dérouler à une quinzaine de mètres de nous.

— Je vais essayer de me rapprocher un peu pour voir ce qui se passe, ai-je dit au bout d'un long silence.

— Heureuse de l'entendre.

Un hurlement à glacer le sang vint interrompre notre petite conversation. La blonde, dans le chalet. « Au secours ! Au secours ! Je vous en prie, aidez-moi ! »

J'ai foncé vers la première porte. En face, cinq hommes au moins en blousons bleu nuit couraient eux aussi vers la baraque. J'ai repéré Asaro et Cosgrove parmi eux.

Sur leurs coupe-vent, on lisait FBI, en toile cirée jaune sur fond bleu.

Avis de tempête sur Big Sur. Nous allions enfin faire la connaissance du Gentleman.

70

Je suis arrivé le premier sur place, ou du moins je le pense. De toutes mes forces, je me suis jeté sur la porte en planches donnant sur l'arrière du chalet. Elle n'a pas cédé, mais à la seconde tentative, l'encadrement a craqué et la porte a volé d'un grand coup avec une plainte d'animal blessé. Je me suis rué à l'intérieur du chalet, pistolet au poing.

J'ai aperçu une petite cuisine et, tout au bout d'un étroit couloir, une chambre. La blonde de Nepenthe était recroquevillée sur le côté, nue, sur un lit ancien en laiton. Son corps était jonché de fleurs sauvages. Elle avait les mains dans le dos, des menottes aux poignets. Elle souffrait, mais elle était toujours en vie. Le Gentleman n'était pas là.

A l'extérieur, j'ai entendu aboyer des armes à feu. Une bonne demi-douzaine de détonations très rapprochées, comme une bande de gros pétards. Je me suis précipité hors du chalet en hurlant : « Bon Dieu, ne le tuez pas ! »

Dans les bois régnait la confusion la plus totale. Au moment où je sortais, la Range Rover était déjà en train d'effectuer une marche arrière sur les chapeaux de roues. Deux des types du FBI gisaient au sol. L'un d'eux était l'agent Ray Cosgrove. Les autres avaient ouvert le feu sur la Range.

Une vitre latérale explosa, des impacts déchirèrent la carrosserie du véhicule. Le 4x4 fit des embardées en patinant dans la terre et la caillasse.

J'ai de nouveau crié : « Ne le tuez pas ! » mais dans l'affolement général, personne n'a même daigné regarder dans ma direction.

J'ai piqué à travers bois dans l'espoir de retomber sur Rudolph s'il s'enfuyait vers l'ouest pour reprendre la Highway 1, et je suis arrivé juste au moment où la Range Rover débouchait à l'intersection. Dérapage, crissement de pneus. Une balle fit voler en éclats une autre vitre. Génial ! Maintenant, le FBI nous canardait tous les deux.

J'ai attrapé la poignée de la portière côté passager en tirant de toutes mes forces, mais c'était verrouillé. Rudolph voulut accélérer ; je me cramponnai. Sur le gravier, la Rover s'est mise à chasser de l'arrière, ce qui m'a laissé le temps de saisir le porte-bagages de l'autre main, et je me suis hissé sur le toit.

Une fois sur le béton de la route, Rudolph a accéléré. Pied au plancher sur soixante-dix mètres, puis coup de frein brutal !

J'avais anticipé. Suffisamment, en tout cas. Le visage plaqué contre la tôle encore chaude après un long séjour au soleil dans le parking de Nepenthe, j'avais déployé mes bras et mes jambes en m'accrochant comme je le pouvais, coincé comme une Samsonite entre les deux barres.

Pas question de descendre de là, sauf s'il réussissait à m'éjecter. Il avait assassiné au moins une demi-douzaine de jeunes femmes dans la région de Los Angeles et il fallait que je sache si Naomi était toujours en vie. Il connaissait Casanova, et il connaissait Scootchie.

Il enfonça de nouveau l'accélérateur en faisant hurler le moteur, sans égards pour la boîte de vitesses, donna de grands coups de volant à droite, à gauche, pour tenter de me déloger.

Je voyais défiler à toute allure, dans une sorte de flou, des arbres et de vieux poteaux téléphoniques. Les pins, les séquoias et les plantes grimpantes se succédaient comme les motifs changeants d'un kaléidoscope. Une végétation souvent roux-gris, frisée comme les vignes de la Napa Valley. Curieuse perspective sur le monde.

Mais depuis mon perchoir, je n'avais guère le loisir d'admirer le paysage ; toute mon énergie était focalisée sur un unique but : tenir.

Sur cette route sinueuse à l'extrême où dépasser le soixante-dix relevait de l'imprudence, Rudolph conduisait à cent vingt, cent trente kilomètres à l'heure.

Les agents du FBI, ou du moins ce qu'il en restait, n'avaient pas réussi à nous rejoindre. Rien d'étonnant à cela. Il leur avait fallu reprendre leurs véhicules, et leur retard se mesurait en minutes.

En nous rapprochant de la Pacific Coast Highway, nous avons croisé plusieurs voitures. Air stupéfait des conducteurs. Je me demandais à quoi Rudolph, au volant, pouvait penser. Il n'essayait plus de m'éjecter. Quelles possibilités lui restait-il encore ? Et notamment, quelle serait sa prochaine initiative ?

Pour l'instant, nous nous trouvions l'un et l'autre en échec, mais l'un de nous deux, très vite, allait perdre gros. Will Rudolph s'était toujours montré trop intelligent pour se laisser capturer et ce n'était pas aujourd'hui qu'il déciderait d'abdiquer. Comment allait-il faire, cette fois, pour s'en tirer ?

J'ai entendu le bruit de casseroles d'un combi Volkswagen diesel. J'ai vu l'arrière du van foncer sur nous. On l'a dépassé comme s'il était à l'arrêt.

En face, la circulation se faisait de plus en plus dense. Des jeunes, surtout, qui entamaient leur virée de début de soirée. Certains pointaient le doigt vers la Range Rover, persuadés qu'il s'agissait d'un gag. Un crétin de Big Sur qui cherchait à faire l'intéressant. Un vieux baba farceur qui avait forcé sur la tequila ou qui venait de déguster un acide de vingt ans d'âge. Un fou furieux accroché au toit d'une Range Rover fonçant à cent vingt à l'heure vers ce qui ressemblait à un gigantesque parking avec vue imprenable sur la mer.

Que mijotait-il?

Malgré la circulation, Rudolph ne se donna pas la peine de ralentir. Les virages dangereux se succédaient. Les automobilistes qui nous croisaient sur la petite route goudronnée exprimaient leur mécontentement à coups d'avertisseur, mais personne ne fit quoi que ce soit pour nous arrêter. Que pouvaient-ils faire, d'ailleurs? Que pouvais-je faire? A part m'accrocher de toutes mes forces, et prier?

71

Un morceau d'océan gris-bleu étincelant comme une lame est venu éventrer les frondaisons des pins et des séquoias. Un déferlement de rock accompagnait le lent défilé des véhicules qui nous précédaient. Un véritable collage musical s'offrait à mes oreilles : rap du Pop 40, groupes grunge de la côte Ouest, acid rock cuvée fin des années soixante.

J'ai pris en pleine figure une autre giclée de bleu pacifique. Le soleil couchant embrasait les pins parasols que survolaient des mouettes et des hirondelles de mer aux ailes paresseuses. Puis j'ai vu toute la Pacific Coast Highway se profiler au lointain.

Que faisait-il? Il n'allait tout de même pas regagner Los Angeles comme ça? Ou était-il suffisamment fou pour tenter le coup? Tôt ou tard, il lui faudrait bien s'arrêter

pour refaire le plein d'essence. Que ferait-il à ce moment-
là ?

En face, ça roulait bien, mais dans le sens nord-sud,
la circulation était dense. Nous devions faire un bon cent,
vitesse largement excessive pour la route à lacets sur laquelle
nous nous trouvions. D'autant que nous allions rejoindre un
axe beaucoup plus fréquenté.

Rudolph n'a pas jugé bon de ralentir à l'approche de
l'embranchement... Je voyais des breaks familiaux, des déca-
potables, des 4x4. Un samedi soir démentiel comme les
autres sur cette portion de route de côte en Californie du
Nord. Mais cette fois-ci, on allait pousser le délire beaucoup
plus loin.

Nous n'étions plus qu'à une quinzaine de mètres de la
route principale et il roulait toujours aussi vite, sinon plus.
J'avais les bras ankylosés, la gorge asséchée par les vapeurs
d'échappement, je ne savais pas si j'allais pouvoir tenir
encore longtemps. Et brusquement, j'ai cru comprendre ce
qu'il allait faire.

— Salaud ! j'ai crié, juste pour crier, en me calant avec
encore plus de force entre les barres du toit.

Rudolph venait d'improviser un plan d'évasion et cinq
mètres à peine nous séparaient des longues files de véhicules
roulant au ralenti le long de la côte.

Au moment d'aborder le dernier virage en épingle à cheveux, il a écrasé la pédale de frein. Hurlement de pneus.
J'étais particulièrement bien placé.

Un barbu au volant d'un petit monospace bariolé nous a
dépassé en braillant : « Roule moins vite, connard ! » Mais
auquel des deux connards s'adressait-il ? Parce que moi, j'en
connaissais un qui n'aurait pas demandé mieux que de
ralentir.

La Range Rover au toit lourdement chargé a suivi une
trajectoire droite pendant quelques mètres encore avant
d'entamer une série de furieuses embardées de gauche à
droite, de droite à gauche.

Ce fut la panique la plus totale. Tout le monde s'est mis
à klaxonner en même temps. Sur la route encombrée,
conducteurs et passagers nous regardaient foncer vers eux
d'un air incrédule.

Au volant, Rudolph s'acharnait à faire tout ce qu'il ne fallait pas. Il cherchait le tête-à-queue.

Dans un atroce couinement de pneus, comme des animaux à l'abattoir qui n'en finiraient plus d'agoniser, la Range a dérapé sur la gauche pour se retrouver nez au sud. Puis ce fut le tête-à-queue.

On allait percuter les autres voitures en marche arrière! L'accident était inévitable et on allait tous les deux mourir, j'en étais sûr. Des images fugitives de Damon et de Jannie se sont mises à défiler sous mes yeux.

J'ignore à quelle vitesse on a éperonné le monospace bleu-gris métallisé. Je n'ai même pas essayé de m'accrocher à la galerie. Je me suis concentré afin de me détendre un maximum avant l'impact qui, d'ici quelques secondes, allait me briser le corps et, sans doute, me tuer.

J'ai poussé un cri qui s'est perdu dans le crissement des pneus et le fracas de la collision, la cacophonie des avertisseurs, les hurlements des témoins.

Quand j'ai décollé du toit, j'ai manqué de peu les véhicules d'en face qui roulaient en direction du nord. Il y a eu d'autres coups de klaxon. Je volais, avec la plus grande aisance, le visage piqué par la fraîcheur de l'air marin. En attendant l'atterrissage en catastrophe.

J'ai traversé les lambeaux de brume bleutés qui flottaient entre le Pacifique et la route de la côte, et mon vol plané s'est achevé dans l'épaisse ramure d'un sapin. Quand je me suis mis à dégringoler vers le sol, quand j'ai senti les branches m'écorcher et me lacérer la peau, j'ai compris que le Gentleman allait s'échapper.

72

Vol plané, mouvement de toupie et chute, tête en bas! Le choc au moment de la collision et ma réception pour le moins brutale m'avaient sérieusement commotionné et contusionné, mais je ne m'étais apparemment rien cassé. Une équipe médicale hautement sympathique m'a examiné sur place. On voulait me mettre en observation dans un hôpital tout proche, mais j'avais d'autres projets pour la soirée.

Le Gentleman avait disparu dans la nature. Sous la menace d'une arme, il s'était emparé d'une voiture, direction nord. On avait déjà retrouvé le véhicule, mais pas de trace du Dr Rudolph. Du moins, pour l'instant.

Dès qu'elle est arrivée sur les lieux, Kate s'est précipitée sur moi. Elle aussi voulait que j'aille à l'hôpital du coin où l'on était déjà en train d'opérer l'agent Cosgrove. Au terme d'une discussion orageuse, on a finalement pris la dernière navette d'Air West au départ de Monterey. Retour à L.A.

Je m'étais déjà entretenu deux fois avec Kyle Craig. Le FBI avait placé des équipes devant chez Rudolph, mais personne n'espérait voir le Gentleman rentrer gentiment chez lui. On était en train de fouiller son appartement et moi, je tenais absolument à être de la fête. Il fallait que je sache précisément de quelle manière il vivait.

Dans l'avion, Kate ne cessait de s'inquiéter de ma santé. Elle jouait à l'infirmière, chaleureuse, compatissante, mais aussi d'une étonnante fermeté face à un patient aussi tête de mule que moi.

En me tenant doucement le menton, elle m'a fait, très grave, en me tutoyant cette fois :

— Alex, il faut que tu ailles à l'hôpital dès qu'on arrive à Los Angeles. Je ne rigole pas. Comme tu dois t'en apercevoir, je ne suis pas en train de faire mon grand numéro d'humour-face-à-l'adversité. Dès qu'on se pose, tu files à l'hôpital. Hé, tu m'écoutes ?

— Je t'écoute, Kate. Qui plus est, je partage ton opinion. Enfin, en gros.

— Alex, ça n'est pas une réponse, ça. N'importe quoi...

Je savais que Kate avait raison, mais nous n'avions pas le temps d'aller à l'hôpital ce soir-là. La piste du Dr Will Rudolph était encore chaude ; peut-être pourrait-on retrouver son odeur et le rattraper au cours des prochaines heures. Nos chances étaient sans doute faibles, mais demain, la piste serait totalement froide.

Kate avait décidé d'enfoncer le clou :

— Si ça se trouve, tu fais une hémorragie interne sans t'en rendre compte. Tu pourrais très bien mourir là, dans l'avion.

— Je suis un peu esquinté, j'ai des contusions et j'ai mal partout. Je suis en train de cicatriser sur tout le flanc droit, là où j'ai rebondi les deux premières fois. Kate, il faut que je voie son appartement avant qu'ils fichent tout en l'air. Il faut que je voie comment vit ce salopard.

— Avec un demi-million ou plus par an? Crois-moi, ce salopard vit très bien. (Visiblement, elle avait décidé de ne pas me lâcher.) Toi, en revanche, tu es peut-être en piteux état. Un être humain, ça n'est pas fait pour rebondir.

— Oh, un être humain noir, si. C'est un truc spécial que notre race a dû apprendre pour pouvoir survivre. On touche le sol et hop! on rebondit.

Ma plaisanterie ne l'a pas fait rire. Elle a croisé les bras sur sa poitrine et a mis le nez au hublot du petit appareil. C'était la deuxième fois qu'elle se vexait en l'espace de quelques heures, ce qui signifiait sans doute qu'elle tenait à moi.

Elle savait qu'elle avait raison et rien ne pourrait la faire changer d'avis. J'appréciais de la voir s'inquiéter pour moi. En fait, nous étions amis. Kate McTiernan et moi étions devenus amis à la faveur de circonstances dans lesquelles, l'un comme l'autre, nous avions eu besoin de quelqu'un. Maintenant, l'heure était à la compilation du dossier ô combien vital de nos expériences communes. Un dossier vraiment peu banal...

— Ça me plaît que nous soyons copains, ai-je fini par avouer à Kate, à mi-voix.

Lui dire des petites bêtises ne me gênait pas; c'était un peu comme si je parlais à mes gosses.

Elle m'a répondu sans décoller le nez du hublot. Elle m'en voulait toujours. Je le méritais sans doute.

— Si tu étais vraiment mon copain, tu m'écouterais quand je te dis que je me fais du mauvais sang pour toi. Tu t'es payé un accident de voiture il y a quelques heures à peine et tu as fait une chute de dix mètres dans un fossé.

— J'ai d'abord touché un arbre.

Là, elle s'est enfin tournée vers moi pour pointer le doigt, tel un épieu, sur mon cœur :

— La belle affaire. Alex, je m'inquiète pour tes fesses de Black entêté, et je m'inquiète tellement que j'en ai mal au ventre.

— Il y a des mois qu'on ne m'avait pas dit quelque chose d'aussi gentil. Une fois, je me suis fait tirer dessus et Sampson s'est montré réellement préoccupé. Ça a bien duré une minute et demie.

Son regard restait rivé au mien et refusait de s'adoucir :

— En Caroline du Nord, je t'ai laissé m'aider. Je t'ai laissé m'hypnotiser, merde ! Pourquoi refuses-tu que je t'aide ici ? Alex, laisse-moi t'aider.

— Je vais essayer, lui ai-je dit, ce qui était vrai. Les flics machos sont des durs à cuire. Nous avons horreur d'être aidés, nous sommes des débrouillards-nés. La plupart du temps, ça ne nous déplaît pas, d'ailleurs.

— Eh, toubib, épargne-moi ta psychologie de Prisunic ! Tu t'écoutes parler. Je t'ai déjà trouvé plus brillant.

— Je ne suis pas brillant, je sors d'un terrible accident.

Et ça a continué comme ça pendant le reste du voyage jusqu'à Los Angeles. Vers la fin, j'ai somnolé tranquillement sur l'épaule de Kate. Pas de complications, pas de bagages superflus. Un vrai petit bonheur.

73

Malheureusement, il était encore tôt et la nuit californienne regorgeait de dangers. Quand on est arrivés à l'appartement-terrasse de Rudolph, au Beverly Comstock, il y avait des flics partout. Le LAPD, et le FBI. Un vrai souk.

On voyait les gyrophares rouges et bleus à des kilomètres. Le LAPD n'appréciait pas du tout, et on le comprenait, d'avoir été tenu à l'écart des opérations. Il faudrait du temps pour démêler cet imbroglio très délicat et très politique, mais ce n'était pas la première fois que le FBI court-circuitait la police locale. Cela m'était déjà arrivé à Washington, et plus d'une fois.

Le Tout-Los Angeles de la presse était venu en force. Il y avait là les quotidiens, les télés et radios régionales, et même quelques producteurs de cinéma. Plusieurs journalistes nous avaient reconnus, ce qui ne me plaisait qu'à moitié, et en franchissant au pas de course les cordons de police et les barrières, nous avons eu droit à un feu roulant de questions : « Kate, quelques minutes s'il vous plaît ! », « Allez, soyez sympas ! », « Docteur Cross, est-ce que Rudolph est le Gentleman ? », « Pouvez-vous nous parler de l'incident de Big Sur ? », « Est-ce l'appartement du tueur ? ».

— Je n'ai aucun commentaire à faire pour l'instant, ai-je répondu en m'efforçant de garder la tête et les yeux baissés.

— Moi non plus, a ajouté Kate.

La police et le FBI nous ont laissés entrer dans le luxueux appartement-terrasse du Gentleman. Des experts s'affairaient dans toutes les pièces. Les inspecteurs de Los Angeles me donnaient l'impression d'être plus doués, plus pros, plus riches que leurs homologues d'autres villes.

A voir la décoration plutôt dépouillée de l'appartement, on aurait pu le croire inhabité. Canapés et fauteuils en cuir, beaucoup d'acier chromé et de marbre. Tout en angles — pas l'ombre d'une courbe. Sur les murs, des toiles modernes un peu déprimantes, genre clones de Jackson Pollock et Mark Rothko. On aurait dit un musée surchargé de miroirs et de surfaces brillantes.

Il y avait plusieurs détails intéressants susceptibles de nous renseigner sur le Gentleman.

J'ai tout noté, enregistré, inscrit dans ma mémoire.

Le buffet de la salle à manger recelait des couverts en argent, de la belle porcelaine, de magnifiques grès, de coûteuses nappes et serviettes de lin. Le Gentleman savait dresser sa table.

Sur son bureau, il y avait du papier à lettres grand style orné d'un fil d'argent, avec enveloppes assorties. Très Gentleman.

L'*Encyclopédie de poche du vin* d'Hugh Johnson trônait sur la table de la cuisine.

Il possédait une douzaine de complets sans doute payés très chers, dont deux tenues de gala. Aussi exigu qu'immaculé, son placard à vêtements avait des allures de reliquaire.

Etrange, étrange Gentleman.

Après avoir passé près d'une heure à inspecter le repaire du Gentleman, j'ai retrouvé Kate. J'avais lu les rapports des inspecteurs locaux. J'avais également interrogé la plupart des techniciens de la police scientifique, mais pour l'instant ils n'avaient rien trouvé de concluant. Nous ne pouvions y croire. On allait faire venir un appareil laser, le fin du fin, du bureau central de L.A. Normalement, Rudolph aurait dû laisser des indices. Et pourtant, il n'y en avait pas ! Pour l'instant, c'était son principal point commun avec Casanova.

J'ai demandé à Kate :

— Et toi, comment tu vas ? Désolé de t'avoir abandonnée depuis une heure. J'étais dans mon petit monde.

Nous surplombions Wilshire Boulevard et le Los Angeles Country Club. Autour du dix-huit trous plongé dans la pénombre scintillaient phares de voitures et néons. A deux pas, on apercevait une pub Calvin Klein d'un goût douteux. Sur le panneau surélevé et fortement illuminé, la photo d'une jeune fille nue allongée sur un canapé. On lui donnait quatorze ans. *Obsession*, proclamait l'affiche. *For men*.

— Je viens d'avoir ma deuxième ou troisième révélation, me dit Kate. Le monde entier s'est transformé en gigantesque cauchemar. A-t-on trouvé quoi que ce soit ?

J'ai secoué la tête tout en contemplant notre reflet dans la baie vitrée :

— C'est à devenir fou. Les crimes que commet Rudolph sont, eux aussi, « parfaits ». Dans le meilleur des cas, les types du labo réussiront peut-être à établir que certaines fibres retrouvées sur les lieux d'un ou plusieurs crimes proviennent de ses vêtements, mais il fait preuve d'une extraordinaire prudence. Je pense qu'il a des connaissances en expertise médico-légale.

— On a beaucoup écrit sur le sujet et la plupart des toubibs assimilent facilement tout ce qui est technique. Tu ne crois pas, Alex ?

J'ai acquiescé, car son sentiment rejoignait le mien. Elle avait l'étoffe d'un inspecteur de police. Elle semblait exténuée. Quant à moi, je me demandais si l'épuisement que je ressentais se lisait sur mon visage.

Je me suis forcé à sourire.

— Ne dis rien. Il est totalement hors de question que j'aille à l'hôpital maintenant. Mais je crois qu'il n'y a plus rien à faire ici cette nuit. Putain, on l'a perdu. On les a perdus tous les deux.

74

On a quitté l'appartement-terrasse de Rudolph juste après deux heures du matin, ce qui, pour nous, correspondait à cinq heures. Je ne tenais plus debout, et Kate ne valait guère mieux. Nous étions réduits à l'état d'épaves. Il ne manquait que la prime à la casse.

Chancelant, à bout de forces et souffrant peut-être de lésions internes, je n'étais qu'une boule de douleur. S'il m'était jamais arrivé de me sentir aussi mal, je ne m'en souvenais plus et ne tenais d'ailleurs pas à m'en souvenir. Arrivé au Holiday Inn sur Sunset, on s'est écroulés dans la première de nos chambres.

— Ça va ? Moi, je te trouve une petite mine.

Le dernier slogan en date de l'organisation humanitaire McTiernan Sans Frontières : j'aurais dû m'y attendre. Cela dit, Kate avait indubitablement des dons de porte-parole. Sa manière de plisser le front lui donnait une image de grande professionnelle, avisée et attentionnée.

— Je ne suis pas en train de crever, je suis crevé, ai-je grogné en m'asseyant doucement sur le rebord du bon lit qui n'attendait plus que moi. J'ai eu une dure journée au bureau, c'est tout.

— Alex, tu es une vraie tête de mule. Il faut toujours que tu joues les machos des grandes villes, les flics de choc. Bon, si c'est comme ça, je vais t'ausculter moi-même. N'essaie pas de m'en empêcher ou je te casse le bras, et je suis parfaitement capable de le faire.

Kate a sorti de son sac un stéthoscope et un sphygmomanomètre. Mes « non », « je t'assure que non » et « pas question » n'eurent aucun effet. En soupirant, avec toute la détermination dont j'étais encore à même de faire preuve en de telles circonstances, je lui ai dit :

— Ecoute, je n'ai pas l'intention de passer un examen médical maintenant, et certainement pas ici.

— N'aie pas peur, j'ai déjà vu les horreurs de la guerre.

Elle a froncé les sourcils en roulant des yeux, puis s'est mise à sourire. Non, à rire, en fait. Un toubib qui sourit et qui a le sens de l'humour. On aura tout vu...

— Enlevez votre chemise, docteur Cross. Faites-moi ce plaisir.

J'ai entrepris de passer ma chemise par-dessus la tête sans savoir si je devais gémir ou hurler. Ce simple geste était un vrai supplice. Peut-être étais-je bel et bien blessé.

— Ah, comme ça, on est en pleine forme ? m'a fait le Dr McTiernan en gloussant. Et on n'arrive même pas à enlever sa chemise ?

Elle s'est penchée sur moi pour écouter ma respiration avec son stéthoscope. Elle était si près que moi, j'entendais la sienne sans l'aide du moindre appareil. Et ce cœur qui battait à quelques centimètres de mes oreilles me faisait le plus grand bien.

Après m'avoir palpé la clavicule, Kate m'a soulevé puis rabaissé le bras. Cela me faisait très mal. Peut-être avais-je dégusté bien plus que je ne le croyais. Ou alors elle m'examinait avec une douceur toute relative, ce qui me paraissait plus plausible.

Ensuite, elle m'a tâté l'abdomen et les côtes. J'ai vu des étoiles, mais je n'ai pas émis un souffle de protestation.

— Ça fait mal ?

C'était le médecin qui parlait à son patient. Très détachée, très pro.

— Non. Peut-être. Oui, un peu. Ouh, très mal. Aïe! Là, ça allait. Aïe!

— Se faire percuter par un train, ce n'est pas l'idéal quand on veut garder un corps en parfait état de fonctionnement.

De nouveau, elle m'a palpé les côtes, avec cette fois plus de délicatesse.

— Cela ne faisait pas partie de mes projets, ai-je avancé pour toute défense.

— Et en quoi consistaient tes projets?

— A Big Sur, il m'est venu à l'idée qu'il savait peut-être où se trouvait Naomi. Je ne pouvais pas le laisser partir. Mon grand projet, c'était de retrouver Naomi. Ça l'est toujours, d'ailleurs.

Kate me palpait le thorax des deux mains, veillant à ce que la pression demeure supportable. Elle m'offrait de souffler une minute si j'avais trop mal.

— A vrai dire, je commence à trouver ça plutôt agréable. Tu as des doigts de fée.

— C'est ça. Maintenant, Alex, ton pantalon. (Une pointe d'accent du Sud revenait dans sa voix.) Tu peux garder tes dessous si ça peut te mettre à l'aise.

— Mes dessous? j'ai fait en souriant.

— Ton petit caleçon en soie sauvage vu dans *Vogue Hommes*, ou ce que tu veux. Montre-moi ce que tu caches, Alex. J'ai envie de voir un peu de peau.

— Inutile de pavoiser comme ça, je t'en prie.

Je suis brusquement sorti de ma torpeur, mais j'aimais bien le contact des doigts de Kate sur mon corps. En fait, j'adorais ça. Un autre genre de courant passait entre nous.

J'ai retiré mon pantalon. Impossible d'approcher mes chaussettes, même de loin.

— Hum, pas si mal, finalement.

Le sens exact de ce commentaire m'échappait. Je commençais à avoir chaud, dans cette chambre d'hôtel. Trop chaud, en tout cas, pour ne pas me sentir mal à l'aise en de pareilles circonstances.

Kate a exercé une légère pression sur mes hanches, puis sur mon pelvis. Ensuite, elle m'a demandé de lever lentement les jambes, l'une après l'autre, pendant qu'elle maintenait les mains serrées sur mes articulations, autour du bassin. Puis, très délicatement, elle m'a palpé de l'entrejambe aux pieds. Ce que j'ai trouvé assez agréable, une fois de plus.

— Beaucoup d'écorchures, a-t-elle décrété. Dommage que je n'aie pas de bacitracine. C'est une pommade antibiotique.

— C'était justement ce que j'étais en train de me dire.

Quand elle a enfin décidé d'arrêter de me tâter et de me triturer, elle s'est écartée de moi, l'air perplexe. Efficace, sérieuse, pro : un vrai mandarin.

— La tension est un peu élevée. C'est limite, mais je ne pense pas qu'il y ait quoi que ce soit de cassé. En revanche, je n'aime pas beaucoup ce jaunissement sur l'abdomen et la hanche gauche. Demain, tu seras endolori et courbatu de la tête aux pieds ; il faudra qu'on fasse des radios à Cedars-Sinai. On est bien d'accord ?

En fait, je me sentais légèrement mieux maintenant que Kate m'avait ausculté et conclu que je n'allais pas mourir subitement en pleine nuit.

— Oui. La journée ne serait pas complète sans l'un de nos petits marchés. Merci pour la visite, docteur... merci, Kate.

— Il n'y a pas de quoi, ce fut un honneur pour moi, répliqua-t-elle en souriant. Tu sais, tu ressembles un peu à Mohammed Ali. Le Plus Grand.

On me l'avait déjà dit.

— Oui, mais celui de la grande époque. D'ailleurs, je danse comme un papillon.

— Je n'en doute pas. Et moi, je pique comme une abeille, acheva-t-elle avec un petit clin d'œil et un froncement de nez que je trouvais vraiment mignon.

Elle s'est allongée sur le lit et moi, je suis resté là à côté d'elle, tout près mais pas suffisamment près pour la toucher. Il y avait bien cinquante centimètres entre nous. Très bizarre, mais sympa. Le contact de sa peau me manquait déjà.

Nous sommes restés une bonne minute sans rien dire. Je l'ai regardée, ou disons que je l'ai contemplée. Jupe noire, collants noirs, chemisier de lin rouge. Les hématomes de son visage s'étaient estompés. Je me suis demandé, en retenant un soupir, à quoi ressemblait le reste de son corps.

— Je ne suis pas la Reine des Glaces, me dit-elle doucement. Je suis un peu comme tout le monde. J'aime bien bouger, j'aime bien m'amuser, je suis un petit peu folle. Enfin,
j'étais comme ça il y a un mois.

Comment Kate pouvait-elle s'imaginer que je la trouvais
peut-être froide ? Elle était bien au contraire chaleureuse et
sensible.

— Je te trouve formidable, Kate. Si tu veux tout savoir,
je t'aime vraiment beaucoup.

Voilà qui était dit. Et encore, j'aurais pu en rajouter.

On s'est embrassés tendrement. Rien qu'un petit baiser,
mais quasiment parfait. J'aimais le contact des lèvres de
Kate, de sa bouche sur la mienne. Et on s'est embrassés de
nouveau, peut-être pour prouver que notre premier baiser
n'était pas une erreur, ou au contraire que c'en était une.

Je crois qu'on aurait pu s'embrasser toute la nuit, mais
on s'est gentiment détachés l'un de l'autre. Sans doute
n'étions-nous pas encore prêts.

— Tu as vu comme je sais me maîtriser ? me fit-elle en
riant. Pas mal, non ?

— Oui et non.

J'ai remis mon cilice au prix d'efforts terriblement douloureux. Dès le lendemain, c'était juré, j'irais passer mes
radios. Kate s'est mise à pleurer, a enfoncé sa tête dans
l'oreiller. Je me suis tourné vers elle, j'ai posé ma main sur
son épaule.

— Eh, dis, ça va ?

— Je suis désolée, me souffla-t-elle en essayant de rava-
ler ses larmes. C'est juste... je sais que la plupart du temps,
ça ne se voit pas, mais je craque, Alex. J'ai déjà craqué. J'ai
vu tellement d'horreurs. Est-ce que cette affaire est aussi
dégueulasse que la précédente, celle du gosse enlevé à
Washington ?

Je l'ai prise délicatement dans mes bras. Jamais je ne
l'avais vue aussi fragile, aussi franche. Brusquement, nos
rapports venaient de se détendre.

— Aussi dégueulasse que l'autre, ai-je murmuré dans
ses cheveux. Pire même, à cause de Naomi et de ce qui t'est
arrivé. Je veux sa peau encore plus que je ne voulais celle de
Gary Soneji. Je veux la peau de ces deux ordures.

Toujours à mi-voix, elle reprit :

— Quand j'étais toute petite, à la maison... j'étais en train d'apprendre à parler, je devais avoir quelque chose comme quatre mois... (cette exagération la fit sourire), non, je devais avoir dans les deux ans, quand j'avais froid et que je voulais qu'on me prenne dans les bras, je mélangeais les deux idées. Je disais : « Grelotte-moi. » Ce qui signifiait : « Prends-moi dans tes bras, je grelotte. » Un ami, ça peut faire ça. Grelotte-moi, Alex.

— Un ami, ça sert à ça.

On s'est câlinés sur le couvre-lit, on s'est embrassés encore un peu et finalement, on s'est tous les deux endormis. Enfin le sommeil, la délivrance.

C'est moi qui me suis réveillé le premier. Le réveil de l'hôtel indiquait 5 h 11. J'ai chuchoté :

— Tu es réveillée ? Kate ?

— Mmmmm. Maintenant, oui.

— On retourne chez le Gentleman.

J'ai appelé l'appartement, j'ai parlé au responsable du FBI. Je lui ai dit ce qu'il fallait chercher, et où.

75

L'appartement du Dr Will Rudolph, où régnaient jusqu'alors ordre et propreté, était devenu méconnaissable. Un véritable laboratoire de police criminelle semblait s'être substitué au cinq-pièces en terrasse. Quand Kate et moi sommes arrivés sur place, il était un peu plus de six heures. Elle aurait aimé savoir ce que j'avais en tête.

— Tu as rêvé du Gentleman ? Et il t'est venu une intuition ?

— Non, non. J'ai simplement analysé tous les éléments dont je dispose.

Une demi-douzaine de techniciens du FBI et d'inspecteurs du LAPD se trouvaient encore sur place. Quelqu'un avait apporté son poste de radio. On entendait le dernier Pearl Jam et à en croire ses glapissements, le chanteur devait beaucoup souffrir. Le Mitsubishi à écran large du Dr Rudolph était allumé, son coupé. L'un des types du labo mangeait un sandwich à l'œuf emballé dans un papier gras.

Je me suis mis en quête d'un agent du nom de Phil Becton, le spécialiste des portraits psychologiques au FBI. Le grand, l'unique Phil Becton. On l'avait fait venir de Seattle pour qu'il regroupe toutes les informations disponibles sur Rudolph et établisse d'éventuels recoupements avec ce qu'on savait d'autres psychopathes. Dans ce genre d'enquête, le concours d'un profileur doué pouvait se révéler inestimable. Je m'étais laissé dire, par Kyle Craig, que Becton était « diabolique ». Avant d'entrer au Bureau, il avait été prof de sociologie à Stanford.

— Bien réveillé ? Prêt pour la surprise ? m'a-t-il demandé quand je suis enfin tombé sur lui, dans la grande chambre à coucher.

Il faisait bien son mètre quatre-vingt-dix, auquel il fallait ajouter dix centimètres de cheveux roux d'apparence rêche. Des pochettes en plastique et des enveloppes matelassées destinées aux pièces à conviction jonchaient toute la pièce. Becton portait une paire de lunettes sur le nez et une autre en sautoir.

— Je ne suis pas très sûr d'être réveillé, lui ai-je répondu. Je vous présente le Dr Kate McTiernan.

— Enchanté.

Il lui a serré la main tout en détaillant son visage. Pour lui, elle était une source d'informations. Il avait l'air d'un type bizarre, parfait pour le job.

— Regardez, me dit-il en pointant l'index. (Le FBI avait déjà démonté le placard à vêtements du Gentleman.) Vous aviez vu juste. On a trouvé la cachette que le Dr Rudolph s'est construite au fond de sa minuscule penderie. Il y a bien cinquante centimètres de plus derrière la fausse paroi.

Son placard à vêtements était trop exigu, trop singulier. Une réflexion qui m'était venue dans cette étrange dimension qui sépare l'état de veille du sommeil. La penderie devait lui servir de cache. Il en avait fait un sanctuaire, mais pas pour ses costumes de luxe. J'ai hasardé une brillante hypothèse :

— C'est là qu'il entreposait ses souvenirs ?

— Tout juste. Il y a un petit frigo-congélateur, où il gardait tous les fragments humains qu'il prélevait. (Becton désigna les sacs scellés.) Les pieds de Sunny Ozawa. Des doigts. Deux oreilles avec des boucles d'oreilles différentes, deux victimes différentes.

— Qu'y avait-il d'autre dans sa petite collection ?

Je n'étais guère pressé de voir des pieds, des oreilles et des doigts, trophées arrachés aux jeunes filles qu'il avait assassinées dans la région de L.A.

— Eh bien, comme vous vous en doutez si vous avez lu les rapports d'enquête, il aime également collectionner leurs sous-vêtements. Des petites culottes toutes fraîches, des soutiens-gorge, un collant, un tee-shirt Dazed & Confused qui sent encore le parfum *Opium*. Sans compter quelques photos et quelques mèches de cheveux auburn. Il est extrêmement méticuleux. Un sac en plastique pour chaque spécimen. De un à trente et un. Il les a numérotés.

— Pour conserver les odeurs intactes, j'ai marmonné. Comme des emballages à sandwiches.

Becton hochait la tête, le visage fendu d'un sourire de gosse à côté de ses pompes, et Kate nous regardait comme si nous étions tous les deux un peu fêlés. A juste titre.

— Mais il y a autre chose qui devrait vous intéresser. Je crois que ça va vous plaire. Allons à mon bureau.

Sur une table de bois brut, près du lit, s'étalaient certains des trésors et souvenirs du Gentleman. Ces objets avaient déjà été, pour la plupart, répertoriés. Pour appréhender un tueur organisé, il faut être organisé.

Phil Becton le « diabolique » vida devant moi l'une des cinq enveloppes demi-format. Il n'en sortit qu'une photographie, celle d'un homme qui devait avoir une vingtaine d'années. A en juger par l'état de la photo et la tenue du jeune homme, le cliché n'était pas récent. Comme ça, j'aurais dit huit, dix ans.

J'ai senti mes cheveux se dresser sur ma nuque.

— Et de qui s'agirait-il?

Phil Becton s'est tourné vers Kate:

— Reconnaissez-vous cet homme, docteur McTiernan?
L'avez-vous déjà vu?

— Je... je ne sais pas, lui a-t-elle répondu en avalant sa
salive.

Le calme régnait dans la chambre du Gentleman.
Dehors, une aube sanguine ranimait les rues de Los Angeles.

Becton m'a tendu des pincettes extraites de sa poche de
poitrine.

— Au dos, il y a tout ce qu'il faut savoir. Comme sur les
cartes de base-ball Topps qu'on s'échangeait quand on était
mômes. Du moins, à Portland.

J'avais dans l'idée qu'au cours de sa vie, Becton s'était
amusé à collectionner bien plus que des cartes de base-ball.
Avec précaution, j'ai retourné la photo.

Au dos figurait une légende manuscrite, rédigée d'une
belle plume. Cela me rappelait Nana Mama, qui inscrivait
des noms sur toutes les photos. « Un jour, me disait-elle, tu
oublies qui sont les gens. Même ceux à côté de toi sur la
photo. Tu me crois pas, mais tu verras avec le temps... »

Il me semblait improbable que Will Rudolph eût pu
oublier le nom de la personne photographiée, mais cela ne
l'avait pas empêché de légender le portrait. J'en avais
presque des vertiges: l'enquête allait progresser de manière
spectaculaire grâce à cet élément nouveau, grâce au rec-
tangle de papier que je tenais sous mes yeux à l'aide d'une
pincette de laboratoire.

On lisait au dos de la photo: *Dr Wick Sachs*.

Un médecin, me dis-je. Un autre médecin. Tiens donc...
Durham, Caroline du Nord, poursuivait la légende.

Il travaillait dans le Triangle des Chercheurs. Il était du
Sud.

Casanova, avait écrit Rudolph.

Quatrième partie

JUMELAGE

76

Les enceintes murales se mirent à cracher du rock à pleine puissance. Naomi Cross, tirée de son sommeil, reconnut les Black Crowes. Les plafonniers ne cessaient de s'allumer, puis de s'éteindre. Elle bondit hors du lit, enfila en toute hâte un jean froissé et un pull à col roulé, se précipita jusqu'à la porte.

Le déferlement de la musique et les lampes clignotant sauvagement annonçaient une réunion. « Il s'est passé quelque chose de très grave », songea-t-elle. Son cœur chavirait.

Casanova ouvrit la porte d'un violent coup de pied. Il portait un jean serré, des chaussures de travail et un blouson de cuir noir. Des traînées crayeuses aux allures d'éclairs zébraient son masque. Il était dans une colère noire. Jamais Naomi ne l'avait vu en proie à une telle fureur.

— Séjour! Tout de suite! hurla-t-il en lui attrapant le bras pour la tirer hors de la cellule.

Sous les pieds nus de Naomi, le sol de l'étroit couloir était froid, humide. Elle avait oublié de mettre ses sandales et il était trop tard pour retourner les chercher.

Elle se retrouva au côté d'une autre jeune femme. Elles marchaient d'un même pas, côte à côte. Naomi eut la surprise de voir sa voisine tourner la tête et la dévisager. Elle avait de grands yeux d'un vert profond; Naomi l'avait surnommée *Green Eyes*.

— Je m'appelle Kristen Miles, lui glissa la jeune femme. Il faut qu'on fasse quelque chose pour essayer de nous sortir de là. Il faut qu'on tente notre chance. Et vite.

Naomi ne répondit pas, mais ses doigts vinrent frôler le dos de la main de Green Eyes.

Tout contact restait formellement interdit, mais effleurer la peau d'un autre être humain, dans cette épouvantable prison, lui était devenu indispensable. Naomi regarda les yeux de la jeune femme et n'y lut que du défi. Pas de peur. Elle se sentit réconfortée. Dans une certaine mesure, toutes deux avaient réussi à tenir bon.

Les captives cheminaient vers la salle de séjour de l'étrange demeure en lançant à Naomi des coups d'œil furtifs. Elles avaient le regard noir, creusé. L'aspect de certaines, qui avaient cessé de se maquiller, commençait à lui faire peur. La situation empirait de jour en jour, et ce depuis que Kate McTiernan avait réussi à s'échapper.

Casanova avait ramené une nouvelle fille. Anna Miller. Anna enfreignait le règlement, tout comme Kate McTiernan. Naomi avait entendu ses appels à l'aide. Casanova les avait peut-être lui aussi entendus. Difficile de savoir s'il était là ou pas, ses horaires étaient tellement imprévisibles.

Depuis quelque temps, Casanova les laissait seules durant des périodes de plus en plus longues. Il ne les libérerait jamais. C'était l'un de ses mensonges. Naomi savait qu'elles étaient toutes désormais en danger de mort.

Elle sentait flotter dans l'air un parfum de désespoir. Elle entendait les cris d'angoisse, en haut, et faisait tout pour maîtriser la peur et l'affolement qui la gagnaient. Elle avait vécu dans les cités à problèmes de Washington, elle avait vu bien des horreurs. A l'âge de seize ans, elle avait déjà perdu deux de ses amies dans le sang.

Elle entendit soudain sa voix étrange, haut perchée. Il était fou.

— Entrez, mesdames. N'ayez pas peur, ne restez pas dans le passage ! Venez, venez vous joindre à notre fête, à notre soirée endiablée.

Ses vociférations réussissaient à couvrir le rock'n roll version testostérone qui déferlait de toutes parts. Naomi ferma brièvement les yeux, essayant de se ressaisir. « Je ne veux ni savoir ni voir ce qui m'attend, mais j'y suis forcée. »

Lorsque enfin elle pénétra dans la pièce, elle se mit à trembler de tout son corps. Ce qu'elle voyait dépassait en horreur ses pires souvenirs des cités et elle dut enfoncer son poing dans sa bouche pour ne pas hurler.

Suspendu à une poutre, le corps dénudé, long et mince, d'une femme se balançait en cercles paresseux. Ses jambes étaient gainées de bas bleu argenté. Un soulier bleu à talon haut pendait au bout de l'un de ses pieds; l'autre, tombé à terre, gisait sur le côté.

Elle avait la langue sortie, de travers, et les lèvres déjà violacées. La terreur et la douleur lui avaient écarquillé les yeux. « Ce doit être Anna », songea Naomi. Une fille avait demandé de l'aide, enfreint les règles. Elle disait s'appeler Anna Miller. « Pauvre Anna. Qui que tu aies été avant d'être enlevée. »

Casanova coupa la musique et calmement, derrière son masque, prit la parole comme s'il ne s'était rien passé d'extraordinaire :

— Elle s'appelle Anna Miller et elle est responsable de ce qui lui est arrivé. Comprenez-vous bien toutes ce que je vous dis? Elle conspirait à travers les murs, parlait d'évasion. On ne s'évade pas d'ici!

Naomi frissonna de la tête aux pieds. « On ne s'évade pas de l'enfer », se dit-elle. Elle lança un regard à Green Eyes, lui fit un signe de tête. Oui, il fallait qu'elles tentent leur chance, et vite.

77

Le Gentleman fit halte au lac Stoneman, Arizona, pour renouer avec le jeu. Cette merveilleuse matinée s'y prêtait parfaitement. Un feu de bois parfumait l'air frais et vivifiant.

Il s'était garé derrière un bosquet, entre les rochers, non

loin de la route de campagne. Nul ne pouvait le voir. Assis, les yeux à demi clos, il regardait une belle demeure familiale, en s'interrogeant sur la marche à suivre. Il sentait la bête prendre possession de lui, s'abandonnait à la métamorphose et à l'étrange passion qui l'accompagnait. Dr Jekyll & Mr Hyde.

Il vit un homme sortir de la maison et s'installer au volant d'une Ford Aerostar gris métallisé. Un mari visiblement pressé, qui craignait d'arriver en retard sur son lieu de travail. Son épouse, désormais seule, était peut-être encore au lit. Elle s'appelait Juliette Montgomery.

Un peu après huit heures, il se dirigea vers la maison, un bidon d'essence vide à la main. Si quelqu'un venait à l'apercevoir, pas de problème : sa voiture de location était tombée en panne sèche.

Personne ne le vit. Il n'y avait probablement pas âme qui vive dans un rayon de plusieurs kilomètres.

Le Gentleman gravit les marches de la véranda, observa un temps d'arrêt, puis tourna doucement le bouton de porte. Incroyable... Les riverains du lac Stoneman ne fermaient pas leurs portes à clé.

Dieu qu'il adorait cela... il ne vivait que pour cela... pour ses périodes Hyde.

Juliette était en train de se préparer un petit déjeuner. En traversant le salon, il l'entendit fredonner quelque chose. L'odeur et le grésillement du bacon frétillant dans sa poêle lui rappelaient la maison de ses parents, à Asheville.

Le rôle original du gentleman, c'était son père qui l'avait interprété. Un père fier de son grade de colonel dans l'armée de terre. Fier et arrogant, con et inflexible, jamais satisfait de ce que faisait son fils, grand adepte du ceinturon dès qu'il s'agissait de lui inculquer les principes de la discipline et aimant hurler à pleins poumons pendant qu'il le rouait de coups. Il avait fait de son fils un fils parfait. Brillant élève et athlète dès le lycée. Etudiant membre de la très exclusive confrérie Phi Beta Kappa, puis diplômé de l'école de médecine de Duke avec les félicitations du jury. Un monstre humain.

Depuis le couloir, il observait Juliette Montgomery qui s'affairait dans sa cuisine immaculée. Les stores étaient levés et le soleil ruisselait dans toute la pièce. Juliette chantonnait toujours... une vieille composition de Jimi Hendrix, *Castles Made of Sand*. Une chanson plutôt incongrue dans la bouche de cette jolie femme.

Il adorait l'épier ainsi, tandis qu'elle se croyait seule, qu'elle chantait quelque chose qu'elle n'aurait sans doute pas osé chanter devant lui, qu'elle déposait soigneusement ses trois tranches de bacon sur une feuille de papier absorbant presque assorti au papier peint beige et brun de la cuisine.

Juliette portait un déshabillé blanc, sans doute en coton, qui voletait sur ses cuisses à chacun de ses allers-retours entre la table et la cuisinière. Elle devait avoir dans les vingt-cinq ans. Longues jambes de danseuse, joliment bronzées. Pieds nus sur le linoléum de la cuisine. Cheveux auburn auxquels elle avait pris soin de donner un coup de brosse avant de préparer son petit déjeuner.

Sur le plan de travail, il y avait un bloc de boucher garni de couteaux. Il porta son dévolu sur le couperet. La lame tinta en heurtant légèrement une casserole.

Juliette se retourna. Superbe profil. Un corps tout propre, resplendissant, dans lequel elle se sentait bien. Il le savait.

— Qui êtes-vous? Que faites-vous chez moi?

Elle avait parlé par à-coups, le visage blême.

« Maintenant, il faut faire vite », se dit-il.

Il s'empara d'elle, leva le hachoir. Un petit côté Hitchcock, celui de *Psychose*, celui de *Frenzy* aussi. Un mélodrame ambitieux.

— Ne me force pas à te faire du mal. Tout dépend de toi, lui dit-il très calmement.

Elle étouffa le hurlement qui s'apprêtait à sortir de sa gorge, mais ne put l'empêcher de glacer son regard. Il savoura le spectacle de ce visage pétrifié par l'épouvante, plaisir qui pour lui restait sans égal.

— Je ne te ferai aucun mal tant que tu n'essaieras pas de m'en faire. Sommes-nous bien d'accord? Est-ce parfaitement clair?

Elle acquiesça d'un petit signe de tête répété. Ses yeux bleu-vert restaient curieusement braqués vers le haut. Elle n'osait trop bouger la tête, de peur qu'il ne la frappe.

Elle poussa un soupir. Etonnant. Elle paraissait lui faire confiance, dans une certaine mesure. Un effet assez fréquent, dû à sa voix. Son style et ses manières élégantes. Mr Hyde. Le Gentleman.

Elle fouillait son regard, en quête d'une explication. Dans ses yeux perlait une question. Toujours la même : Pourquoi ?

— Maintenant, je vais enlever ta culotte, dit le Gentleman. Je suis sûr que ce ne sera pas la première fois, donc aucune raison de paniquer. Tu as une peau si douce, si agréable. C'est vrai...

Et le hachoir s'abattit comme un éclair.

— Je t'aime beaucoup, Juliette, sincèrement... reprit le Gentleman dans un murmure. Pour autant que je puisse aimer quelqu'un.

78

Kate McTiernan était enfin de retour chez elle. A la maison, à la maison, petit patapon. Son premier geste fut d'appeler sa sœur Carole Anne, qui habitait au fin fond du Maine, puis quelques amis proches de Chapel Hill pour les rassurer sur son état de santé.

Un beau mensonge, bien sûr, car elle savait pertinemment qu'elle n'allait pas bien du tout, mais pourquoi les laisser s'inquiéter ? Kate n'était pas du genre à ennuyer les autres avec des problèmes impossibles à résoudre.

Alex lui avait déconseillé de retourner chez elle, mais il le fallait. C'était là qu'elle vivait. Elle essaya de retrouver un certain calme intérieur, but du vin, regarda les émissions de nuit à la télé. Il y avait des années qu'elle ne s'était pas offert ce plaisir. Des siècles !

Alex Cross lui manquait déjà, et plus qu'elle ne voulait l'admettre. Elle avait tenté l'expérience de rester chez elle et de regarder la télé, et ce n'était qu'un lamentable échec. Quelle idiote elle faisait...

Elle s'était entichée d'Alex comme une petite lycéenne amoureuse de son prof. Il était fort, intelligent, drôle, attentionné. Il adorait les enfants et avait d'ailleurs gardé un côté enfant. Plus un corps bien taillé, une formidable ossature, un torse sensationnel. Oui, elle avait le béguin pour Alex Cross.

C'était compréhensible, plutôt sympathique. Le problème étant qu'il s'agissait peut-être plus que d'un simple béguin. Il lui vint l'envie d'appeler Alex à son hôtel, à Durham. A deux reprises, elle décrocha le téléphone. Non! Elle ne le ferait pas. Il ne se passerait rien entre elle et Alex Cross.

Elle était interne, elle prenait de l'âge. Lui vivait à Washington avec ses deux enfants et sa grand-mère. De plus, ça ne pouvait pas marcher car ils se ressemblaient trop. Il était Noir et têtu, elle était Blanche et extrêmement têtue. Son métier d'inspecteur à la brigade criminelle ne l'empêchait pas d'être sensible, séduisant et généreux. Qu'il fût Noir, Vert ou Violet n'avait pour elle aucune importance. Il la faisait rire et en sa compagnie, elle était heureuse comme une palourde dans le sable mouillé.

Mais il ne se passerait rien entre elle et Alex.

Elle resterait dans son sinistre appartement, elle boirait son mauvais pinot noir en regardant ses nanars hollywoodiens pseudo-romantiques, elle aurait peur, elle se sentirait en manque de tendresse. Elle attendrait que ça empire. Eh oui, voilà ce qu'elle allait faire. Histoire de se forger le caractère.

Il lui fallait toutefois admettre que l'idée d'être chez elle ne la rassurait pas. Une impression très désagréable. Elle aurait tant voulu que cesse cette folie débile, mais rien n'y faisait, et il s'en fallait de beaucoup. Deux abominables monstres étaient là, quelque part, dans la nature.

Elle ne cessait d'entendre des bruits inquiétants dans toute la maison. De vieilles planches qui craquaient. Des volets qui claquaient. Le carillon éolien qu'elle avait accroché dehors, dans le vieil orme, et qui lui rappelait celui du chalet de Big Sur. Il fallait qu'elle le décroche demain sans faute, voire avant.

Kate finit par s'assoupir, son verre en équilibre précaire sur les genoux. En fait de verre à vin, il ne s'agissait que d'un vieux gobelet Pierrafeu qui avait jadis contenu de la gelée aromatisée. Une précieuse relique de la demeure familiale de Virginie occidentale. Ses sœurs et elle se chamaillaient parfois pour l'avoir au petit déjeuner.

Le verre bascula et le vin se répandit sur la couverture du lit. Cela n'avait aucune importance. Kate était hors combat, le temps d'une nuit.

Elle n'avait pas l'habitude de boire et le pinot noir la percuta comme les trains de marchandises qui traversaient Birch dans un fracas d'enfer lorsqu'elle était petite. Vers trois heures du matin, elle se réveilla, le crâne taraudé par un terrible mal de tête, et se précipita dans la salle de bains pour aller vomir.

Penchée au-dessus de l'évier, elle vit défiler des images de *Psychose*. Songea à Casanova, chez elle. Il était sans doute dans la salle de bains... Non, il n'y a personne, bien entendu... « Je vous en prie, faites que cela s'arrête. Faites que cela cesse... maintenant... tout de suite ! »

Elle rejoignit son lit et se recroquevilla sous les draps. Le vent faisait grincer les volets. Et ce maudit carillon qui n'en finissait plus de tintinnabuler. Elle pensa à la mort, celle de sa mère, de Suzanne, de Marjorie, de Kristin. Toutes disparues. Elle tira la couverture sur sa tête ; elle n'était plus qu'une petite fille qui avait peur du grand méchant loup mais ça, bon... elle arriverait à le surmonter.

Le problème, c'était que chaque fois qu'elle fermait les yeux, elle voyait Casanova et son horrible masque mortuaire. Et une secrète interrogation lui oppressait la poitrine : Il allait revenir, n'est-ce pas ?

A sept heures du matin, coup de téléphone. C'était Alex.

— Kate, lui dit-il, je suis allé chez lui.

79

Le soir où nous sommes rentrés de Californie, vers dix heures, je me suis rendu à Hope Valley, un quartier résidentiel de Durham. J'avais décidé de rendre visite à Casanova, sans l'aide de personne. Le docteur-inspecteur Cross reprenait du service.

Pendant le trajet, j'ai passé en revue les trois points que je considérais comme essentiels dans cette affaire. Il y avait d'abord le fait, le simple fait que tous deux commettaient des « crimes parfaits ». Il y avait ce jumelage, cette interdépendance entre Casanova et le Gentleman. Il y avait l'énigme de la maison fantôme.

L'un ou l'autre de ces éléments finirait bien par nous ouvrir une piste. Peut-être allait-il se passer quelque chose à Hope Valley. Je l'espérais.

J'ai suivi Old Chapel Hill Road en roulant doucement jusqu'à un imposant portique blanc : j'entrais dans le très exclusif domaine de Hope Valley. Une fois passés les dignes piliers de brique, j'ai eu le sentiment de jouer les intrus, un peu comme si j'étais le premier Noir à franchir cette porte en tenue de ville, sans caisse à outils.

Je savais que je courais un risque, mais il fallait que je voie où vivait le Dr Wick Sachs. Il fallait que je palpe son environnement, que je le connaisse mieux, et cela dans les plus brefs délais.

Hope Valley ne comptait que des rues sinueuses éclairées par de rares lampadaires. Celle que je suivais était dépourvue de trottoirs surélevés et de caniveaux. Dans ce parc trop vallonné à mon goût, j'ai vite eu l'impression de m'être perdu, de tourner en rond autour de ces grandes maisons de maître pour la plupart de construction ancienne, style gothique du Sud. Jamais la présence du tueur ne m'avait paru aussi forte.

Le Dr Wick Sachs habitait une vaste demeure de brique rouge bâtie en retrait sur l'une des principales hauteurs.

Il y avait des volets blancs assortis aux gouttières. Une propriété bien luxueuse pour un universitaire, fût-il professeur à Duke, la « Harvard du Sud ».

Hormis une lanterne de diligence suspendue au-dessus de l'entrée, tout était éteint. Les vitres des fenêtres avaient des reflets d'ardoise.

Je savais déjà que Wick Sachs avait une femme et deux jeunes enfants. Sa femme était infirmière à l'hôpital universitaire de Duke. Le FBI avait vérifié ses références. Elle jouissait d'une excellente réputation et ne suscitait que des éloges. Leur fille Faye Anne avait sept ans, leur fils Nathan dix.

En m'approchant de la maison, je me suis dit que le FBI était sans doute en train de m'observer, mais cela ne me dérangeait guère. Kyle Craig faisait-il partie de l'équipe? Il s'était beaucoup impliqué dans cette terrible affaire, presque autant que moi. Kyle avait lui aussi fréquenté Duke. Avait-il un motif personnel de s'intéresser à l'enquête? Si oui, lequel?

J'ai parcouru du regard la façade de la maison, puis le terrain, magnifiquement entretenu. Arrangé avec le plus grand soin, jusque dans le moindre détail, l'ensemble était en fait très beau et proche de la perfection.

J'avais déjà eu l'occasion de me rendre compte que les monstres humains peuvent vivre n'importe où et que les plus rusés d'entre eux choisissent parfois pour domicile des villas bourgeoises typiquement américaines, comme celle que j'avais devant les yeux. Les monstres sont partout, et je pèse mes mots. Aux Etats-Unis, plus personne ne maîtrise l'épidémie et les statistiques font peur. A nous seuls, nous totalisons près de soixante-quinze pour cent des prédateurs humains. Le reste se trouve en Europe avec, en tête du palmarès, la Grande-Bretagne, l'Allemagne et la France. Les tueurs en série sont en train de changer le visage des enquêtes criminelles modernes dans chaque ville, dans chaque village, dans chaque hameau américains.

J'ai bien examiné l'extérieur de la maison. Côté sud-est, il y avait ce qu'on appelle une « pièce Floride ». Le patio avait la taille d'une salle de séjour. La pelouse était superbement entretenue. Pas la moindre trace de mousse, de liseron ou d'autres mauvaises herbes.

Après la voie privée, on empruntait une allée pavée de briques assorties à celles de la villa, aux bords parfaitement réguliers, sans l'ombre d'un brin d'herbe dans les jointures.

Tout était parfait.

Soigné à l'extrême.

Je sentais mon cœur s'affoler. Trop de tensions, trop d'angoisses. J'avais laissé le moteur tourner pour parer à un éventuel retour inopiné de la famille Sachs.

Je savais ce que je voulais faire, ce que je devais faire, ce que j'avais prévu de faire au cours des dernières heures. Il fallait que je pénètre chez lui, fût-ce par effraction. J'ignorais quelle serait la réaction des types du FBI, mais j'avais des raisons de penser qu'ils ne feraient rien pour m'en empêcher. J'avais même des raisons de croire qu'ils souhaitaient me voir entrer et jeter un coup d'œil dans cette maison. Nous savions très peu de choses sur le Dr Wick Sachs et, n'étant pas officiellement assigné à l'enquête sur Casanova, j'étais le seul à pouvoir prendre certaines initiatives. J'étais censé jouer les francs-tireurs; ça faisait partie de mes accords avec Kyle Craig.

Scootchie était là, quelque part, et je priais pour qu'elle fût toujours en vie. J'espérais que toutes les femmes disparues étaient encore en vie. Son harem. Ses odalisques. Sa collection de jeunes femmes aussi jolies qu'intéressantes.

J'ai coupé le contact, j'ai pris une profonde inspiration et je suis sorti de la voiture.

Courbé et tête baissée, je me suis élancé sur le gazon moelleux. Des massifs d'azalées et des haies de buis bordaient la façade de la maison. Près de la véranda, il y avait, couché sur le flanc, un vélo d'enfant rouge au guidon décoré de rubans argentés.

Bien. Trop bien.

La bicyclette du fiston de Casanova.

La respectable propriété de banlieue de Casanova.

La parfaite double vie de Casanova. Sa parfaite couverture. Son gigantesque et hideux canular monté ici, à Durham, sous nos yeux. Son bras d'honneur au monde.

Je suis arrivé jusqu'au patio carrelé de blanc, aux bordures de briques, toujours les mêmes. Là, j'ai remarqué que des radicelles de plantes sauvages avaient envahi les interstices des murs. Peut-être n'était-il pas si parfait, après tout.

Sans perdre de temps, j'ai traversé le patio jusqu'à la pièce Floride. Maintenant, plus question de faire demi-tour. Il m'était déjà arrivé dans le cadre du service de pénétrer par effraction dans certains lieux. A défaut de légitimer mon action, cela me facilitait la tâche.

J'ai brisé un carreau de porte et je suis entré. Rien. Pas un bruit. Wick Sachs n'avait pas dû installer de système d'alarme, ne tenant pas à ce que la police de Durham enquête chez lui en cas de vol avec effraction.

La première chose que j'ai remarquée, c'est l'odeur, une puissante, lourde et familière odeur de cire citronnée. Respectabilité, ordre et élégance. Tout cela n'était qu'une façade, un masque parfaitement élaboré.

J'étais dans la demeure du monstre.

80

Comme le parc, voire davantage, la maison n'était qu'ordre et propreté. Bien, bien, beaucoup trop bien.

J'étais nerveux, j'avais peur, mais cela n'avait plus aucune importance car j'avais pris l'habitude de vivre avec l'inquiétude et l'incertitude. Prudemment, j'ai glissé de pièce en pièce. Tout semblait parfaitement ordonné, malgré la présence de deux petits enfants. Etrange, étrange, très étrange.

Cette maison me rappelait un peu l'appartement de Rudolph, à Los Angeles. On aurait dit qu'elle était en fait inhabitée. « Qui es-tu? Montre-moi qui tu es vraiment, enfoiré. Cette maison, ce n'est pas toi, n'est-ce pas? Quelqu'un te connaît-il sans tes masques? A part le Gentleman, bien sûr? »

La cuisine semblait sortie tout droit d'une revue de décoration genre *Country Living*, et presque toutes les chambres et salons regorgeaient d'objets anciens et autres belles pièces.

Il y avait un petit bureau littéralement jonché de notes et de papiers. Surprenant, pour un maniaque de l'ordre et de la propreté. Qui est-il vraiment ?

En quête d'indices particuliers, je ne savais malheureusement pas où chercher. Au sous-sol, j'ai vu une lourde porte de chêne non verrouillée. En l'ouvrant, j'ai découvert une petite chaufferie. J'ai soigneusement fouillé la pièce. Au fond, il y avait une autre porte de bois. On aurait dit la porte d'un placard, d'un réduit sans importance.

Celle-ci était fermée à l'aide d'un simple crochet que j'ai soulevé aussi discrètement que possible. Dissimulait-elle d'autres pièces encore ? Un sous-sol ? Peut-être la maison de l'horreur ? Ou un tunnel ?

J'ai poussé la porte de bois. Il faisait noir comme dans un four. J'ai allumé la lumière, je suis entré dans une pièce qui devait bien faire huit mètres sur treize. Une fraction de seconde, mon cœur s'est arrêté de battre. Les genoux flageolants, j'ai senti monter en moi une vague de nausée.

Il n'y avait là ni femmes, ni harem, mais j'avais mis à jour la chambre secrète de Wick Sachs, sa chambre aux fantasmes. Au cœur même de sa maison, dissimulée dans un recoin de sa cave. Une pièce conçue et aménagée de manière toute particulière. Une pièce qu'il avait créée lui-même et pour lui seul. Après tout, n'aimait-il pas bâtir et faire preuve d'imagination ?

C'était une vraie bibliothèque. Un imposant bureau de chêne flanqué de deux fauteuils club de cuir rouge, et des murs entièrement recouverts de rayonnages chargés de livres et de revues, du sol au plafond. Ma tension a dû atteindre des sommets. Je faisais mon possible pour conserver mon calme intérieur, sans y parvenir.

J'avais sous les yeux ce qui était, à ma connaissance, la plus extraordinaire collection d'ouvrages érotiques et pornographiques. Il y avait dans cette pièce un millier de livres au moins. De mur en mur, de rayonnage en rayonnage, j'ai parcouru les dos des couvertures sans m'attarder.

Actes sexuels insolites du rituel amoureux chez les différentes races — Morceaux choisis illustrés. Imprimé pour l'Erotica Biblion Society of New York.

Les Humiliations d'Anastasia et Pearl.

Le Harem : recueil.

Jusqu'à entendre ses cris.

L'Hymen. Etude médico-légale sur le viol.

En essayant de me concentrer, j'ai réfléchi à ce que je devais faire. Pour commencer, j'ai tenté de réduire la tempête qui faisait rage sous mon crâne.

Je voulais laisser un indice à Wick Sachs afin de lui faire savoir que j'étais venu ici, que j'avais découvert son antre nauséabond, qu'il n'avait plus de secrets. Je voulais qu'il ressente le même genre de pression, de stress et d'angoisse que nous. Je voulais faire souffrir le Dr Wick Sachs. La haine que je lui vouais dépassait tout ce que j'avais pu connaître à ce jour.

Sur le bureau, il y avait la brochure d'un distributeur de livres et de revues érotiques : *Nicholas J. Soberhagen, 1115 Victory Boulevard, Staten Island, N.Y. Reçoit sur rendez-vous.* J'ai pris note. J'avais également envie de faire souffrir Nicholas Soberhagen.

Sachs, ou quelqu'un d'autre, avait coché plusieurs titres. J'ai rapidement feuilleté le catalogue, l'oreille aux aguets, prêt à décamper si j'entendais un bruit de voiture. Il ne me restait plus beaucoup de temps.

Les Ordres spéciaux de Sainte-Theresa. A ne pas manquer ! Réimpression (1880) d'un ouvrage d'une extrême rareté. Traité du bon usage de la baguette dans un couvent des environs de Madrid.

Le Maître. Les frétillantes expériences sexuelles d'une danseuse berlinoise, les divers obsédés sexuels qu'elle rencontre. Un classique indispensable !

Libération. Premier roman. Le narrateur s'inspire largement de la vie de Gilles de Rais.

Mon regard parcourait maintenant les rayons situés juste derrière le bureau. Combien de temps allais-je encore tenter le diable ? Il se faisait tard ; Sachs et sa famille ne tarderaient pas à rentrer. Et soudain, je suis resté devant une étagère, juste derrière son fauteuil de bureau.

Un poing m'a serré le cœur. Il y avait là plusieurs ouvrages consacrés à Casanova. J'ai lu les titres en retenant mon souffle.

Histoire de ma vie, par Casanova

Casanova, 102 gravures érotiques

Les plus belles nuits d'amour de Casanova

J'ai eu une pensée de pitié pour Nathan et Faye Anne, les deux enfants qui vivaient dans cette maison. Leur père, le Dr Wick Sachs, avait rassemblé dans cette pièce ses fantasmes malsains et délirants. Et une fois stimulé par ses livres et ses revues pornographiques, sans doute choisissait-il de réaliser l'un ou l'autre de ces fantasmes. Je sentais la présence de Sachs dans ce lieu. Je faisais enfin sa connaissance.

Se pouvait-il qu'il eût séquestré ses victimes dans les environs ? Quelque part en ville, dans un endroit où nul n'aurait l'idée de chercher ? Etait-ce pour cela que les recherches n'avaient jamais permis de localiser la maison de l'horreur ? Se trouvait-elle ici même, dans les faubourgs huppés de Durham ?

Naomi attendait-elle, non loin, qu'on la retrouve enfin ? Plus sa détention se prolongerait, plus elle serait en danger.

J'ai entendu du bruit, au-dessus, puis plus rien. Peut-être était-ce un appareil électrique, une simple rafale de vent ou un boulon qui s'était détaché à l'intérieur de ma tête.

Il était temps de mettre les voiles. A toute vitesse, je suis remonté et j'ai traversé le patio. J'avais résisté à l'envie d'inscrire une croix[1] sur la brochure, histoire de laisser une trace de mon passage. Il savait qui j'étais, puisqu'il m'avait contacté dès mon arrivée à Durham, mais désormais, le chasseur, c'était moi !

Je suis rentré à l'hôtel peu après minuit, vidé, sonné. Mes veines charriaient encore des flots d'adrénaline.

J'avais à peine franchi le seuil de ma chambre que déjà le téléphone sonnait. Un appel agressif, insistant, qu'il m'était impossible d'ignorer.

A demi fou, j'ai bougonné : « Quoi encore ? » J'avais envie de foncer dans la nuit, de mettre le Sud entier sens

---

1. *Cross*, en anglais. (N.d.T.)

dessus dessous pour retrouver Naomi, d'attraper le Dr Wick Sachs et de le tabasser jusqu'à ce qu'il me dise toute la vérité. N'importe quoi, pourvu qu'il y ait des résultats.

— Oui, j'ai fait au téléphone d'une voix un peu forte. Qui c'est ?

C'était Kyle Craig.

— Alors, que nous as-tu trouvé de beau ?

81

Le lendemain matin, rien de vraiment nouveau dans notre cauchemardesque enquête. Kate était toujours ma coéquipière, choix qui lui appartenait et que j'approuvais. Elle connaissait mieux Casanova que nous tous réunis.

On surveillait la belle maison de maître des Sachs depuis le dense triangle de sapins qui bordait Old Chapel Hill Road. On avait déjà aperçu Wick Sachs une fois ce matin-là. C'était notre jour de chance.

La Bête s'était levée de bonne heure, en pleine forme. Grand, cheveux blond-roux plaqués en arrière, lunettes à monture de corne, excellente constitution physique, le style très universitaire.

Il avait montré le bout du nez vers sept heures du matin pour ramasser son journal sur la véranda. A la une, on lisait : CASANOVA : LA POLICE AUX AGUETS. Les rédacteurs du quotidien local n'imaginaient pas à quel point ces mots reflétaient la réalité.

Après avoir jeté un coup d'œil à la première page, il s'est contenté de plier le journal sous son bras, comme si de rien n'était. Rien de particulièrement passionnant aujourd'hui. Encore une journée de routine au bureau du *serial killer*.

Peu avant huit heures, on l'a vu sortir suivi des deux gosses. Il leur souriait de toutes ses belles dents. Le papa modèle emmenait ses enfants à l'école.

Le petit garçon et la petite fille semblaient sortis de la vitrine d'une boutique de vêtements pour enfants style Gap For Kids ou Esprit. D'adorables petites poupées. Le FBI filerait Sachs et les gosses jusqu'à l'école.

— C'est un peu inhabituel, non, Alex? m'a demandé Kate. Deux planques de suite, comme ça...

Elle avait l'esprit d'analyse et ne pouvait s'empêcher d'étudier chaque détail sous tous ses angles. Pour elle comme pour moi, cette affaire avait tourné à l'obsession. Ce matin-là, elle s'était contentée de mettre un vieux jean, un tee-shirt bleu marine et des tennis, mais cela ne suffisait pas à éclipser sa beauté. Il lui était impossible de la dissimuler.

— Les enquêtes sur les tueurs à répétition sont presque toujours inhabituelles, ai-je admis, mais celle-ci est particulièrement étrange.

Je suis revenu sur ma théorie du jumelage. Deux grands pervers n'ayant personne à qui parler, personne à qui se confier. Personne susceptible de les comprendre jusqu'au jour où ils s'étaient rencontrés. Un lien puissant s'était alors établi entre les deux tueurs. Kate avait eu une sœur jumelle, mais la relation gémellaire était restée bénigne. Avec Casanova et le Gentleman, il en allait tout autrement.

Sitôt ses enfants déposés à l'école, Wick Sachs est revenu. Dans l'allée, il sifflotait gaiement. Kate et moi étions en train de nous dire qu'après tout, nous avions bien affaire à un docteur, fût-ce un docteur en philosophie.

Il ne s'est pas passé grand-chose au cours des heures suivantes. Aucun signe de Sachs ni de sa femme, la belle Mme Casanova.

Wick Sachs est ressorti de la maison à onze heures. Ce jour-là, il avait décidé de sauter ses cours et d'après l'emploi du temps que m'avait communiqué le doyen Lowell, il avait déjà manqué sa séance de travaux dirigés de dix heures. Pourquoi? A quel jeu subtil était-il en train de jouer?

Deux voitures étaier.t garées sur la voie privée en arc-de-cercle. Il a choisi une décapotable couleur bordeaux, capote havane. Une Jaguar XJS douze cylindres. L'autre véhicule était une berline Mercedes noire. Tout cela avec un salaire de prof. Pas mal...

Maintenant, il allait prendre la route. Se préparait-il à rendre visite à ses filles?

82

Nous avons suivi la puissante Jaguar de Sachs sur Old Chapel Hill Road. En quittant Hope Valley, nous sommes passés au ralenti devant d'imposantes demeures datant des années vingt et trente. Sachs ne semblait guère pressé.

Pour l'instant, il avait toutes les cartes en main. Nous ne connaissions pas les règles, ni même le nom du jeu.

Casanova.

La Bête du Sud-Est.

Kyle Craig était toujours en train d'éplucher les comptes bancaires de Sachs avec les types du fisc. Il avait également chargé une demi-douzaine d'agents d'inventorier tous les points communs possibles entre Sachs et Will Rudolph. Tous deux avaient fréquenté Duke à la même époque. Des étudiants brillants, membres de la Phi Beta Kappa. Ils se connaissaient sans être amis, du moins au dire de leurs anciens camarades. D'ailleurs, Kyle avait également eu l'honneur de faire ses études à Duke. Droit, et Phi Beta Kappa lui aussi.

Quand le jumelage proprement dit s'était-il produit? Comment était née cette puissante et bizarre relation? Pour moi, il y avait encore quelque chose qui ne collait pas dans le schéma Rudolph-Sachs.

— Et s'il met le pied au plancher? m'a demandé Kate.

Nous suivions discrètement le monstre dans ma vieille

Porsche, en espérant qu'il nous mènerait à sa tanière dans les bois, son harem, sa « maison fantôme ».

— Je doute qu'il tienne à se faire vraiment remarquer, lui dis-je, mais le fait qu'il possédât une XJS et une Mercedes invalidait quelque peu ma thèse. Qui plus est, contre une Porsche, la Jaguar ne fait pas le poids.

— Même contre une Porsche du siècle dernier?

— Hmmm.

Sachs a pris l'Interstate 85, puis la 40 et la sortie Chapel Hill. On l'a suivi en ville sur un peu plus de trois kilomètres. Il a fini par se garer près du campus de North Carolina, sur Franklin Street.

— Je trouve tout ça insensé, Alex. Professeur à Duke, une femme, deux beaux enfants... Le soir où il m'est tombé dessus, il a dû me suivre depuis le campus. Il me surveillait. Je pense que c'est ici même qu'il a décidé de m'enlever.

Je me suis tourné vers elle :

— Tu es sûre que ça va aller? Sinon, tu me le dis.

Elle m'a regardé, l'œil vif, perplexe :

— Il faut qu'on en finisse. On se le fait aujourd'hui. D'accord?

— D'accord.

— On te tient, salaud, elle a murmuré au pare-brise.

A midi moins le quart, il régnait déjà une certaine animation dans la belle et pittoresque rue de Chapel Hill. D'un pas nonchalant, étudiants et professeurs entraient et sortaient du Carolina Coffee Shop, de Peppers Pizza, de la librairie Intimate fraîchement réaménagée. Les commerces qui faisaient la réputation de Franklin Street n'avaient pas à se plaindre. L'atmosphère détendue de cette petite ville universitaire me ramenait aux années que j'avais passées à Johns Hopkins, à Cresmont Avenue, à Baltimore.

Nous suivions Wick Sachs à une rue et demie de distance et je savais que s'il voulait nous semer maintenant, ça ne lui poserait aucun problème. Foncerait-il rejoindre sa maison dans les bois? Irait-il retrouver ses filles? Naomi était-elle toujours là-bas?

Il lui était très facile d'entrer au Record Bar ou chez Spanky's, au coin de la rue, puis de ressortir par une porte de côté et de disparaître. On jouait désormais au chat et à la souris. Autrement dit son jeu, ses règles. D'ailleurs, jusqu'à maintenant, c'était toujours lui qui avait fixé les règles.

— Je le trouve trop sûr de lui, trop suffisant, dis-je.

Nous étions toujours à distance raisonnable, et il ne s'était pas retourné une seule fois pour voir s'il était suivi. Il avait tout du prof au port allègre, amateur de vestes en tweed, ravi de se balader à l'heure du déjeuner. Et peut-être ne fallait-il pas chercher plus loin...

— Ça va toujours? j'ai redemandé à Kate.

Elle lorgnait Sachs comme un chien de ferrailleur pressé de régler ses comptes. Il m'est revenu à l'esprit qu'elle suivait des cours de karaté à Chapel Hill, sans doute non loin d'ici.

— Mmmm, hmmm, fit-elle du bout des lèvres. Mais ça remue pas mal de mauvais souvenirs. Revoir les lieux du crime, comme on dit, tout ça...

Wick Sachs s'est finalement arrêté devant le Varsity Theatre, une salle au décor joliment rétro, en plein centre de Chapel Hill, et il s'est planté près d'un panneau d'informations locales couvert de toutes sortes d'affichettes et de messages manuscrits pour la plupart destinés aux étudiants et au personnel universitaire.

— Qu'est-ce que cette ordure irait foutre au cinéma? m'a chuchoté Kate, visiblement plus remontée que jamais.

— Peut-être parce qu'il aime s'évader, sublimer. C'est la vie secrète de Wick Sachs qui se déroule devant nos yeux.

— J'aimerais lui sauter dessus tout de suite. Que ça saigne...

— Ouais, moi aussi, Kate, moi aussi.

J'avais déjà remarqué ce panneau d'affichage surchargé en passant un jour dans cette rue à pied. Il y avait plusieurs avis concernant des disparitions dans la région de Chapel Hill. Des disparitions d'étudiantes. Un fléau terrible s'était abattu sur la ville et personne n'avait trouvé le moyen de l'enrayer. Nul ne possédait le vaccin.

Wick Sachs semblait attendre quelque chose ou bien quelqu'un.

— Avec qui peut-il avoir rendez-vous ici, à Chapel Hill? ai-je bougonné.

— Avec Will Rudolph, m'a répondu Kate sans un temps d'hésitation. Son vieux copain de fac. Son meilleur ami.

En fait, j'avais envisagé l'éventualité d'un retour de Rudolph en Caroline du Nord. Le jumelage pouvait se traduire par un besoin presque physique de l'autre. Dans sa forme négative, il s'appuyait sur une forte codépendance. Les deux assassins enlevaient et séquestraient de jolies femmes pour ensuite les torturer ou les tuer. Quel secret partageaient-ils? Ou y avait-il autre chose encore?

— Il ressemble à ce à quoi ressemblerait Casanova sans son masque, m'a glissé Kate alors que nous venions d'entrer discrètement dans une jolie petite boutique du nom de School Kids. Il a la même couleur de cheveux. Mais pourquoi ne les a-t-il pas maquillés? Pourquoi s'être contenté de mettre un masque?

— Le masque n'a peut-être rien d'un déguisement. Il est possible qu'il ait une signification radicalement différente dans son univers fantasmatique et que Sachs s'identifie réellement à Casanova. Le masque, l'aspect sacrifice humain, le symbolisme, tout cela doit être très important pour lui.

Sachs attendait toujours devant le panneau. Mais quoi? Je sentais obscurément que dans ce tableau, quelque chose ne collait pas. J'ai sorti mes jumelles.

Il offrait un visage impavide, presque serein, tel un vampire passant une journée au parc. J'aurais aimé savoir s'il avait pris quelque chose. En matière d'anxiolytiques ou autres tranquillisants hautement élaborés, il en connaissait un rayon.

Dans mes jumelles, je pouvais lire les avis qui se bousculaient sur le panneau, derrière lui :

On recherche — Carolyn Eileen Devito.
On recherche — Robin Schwartz.
On recherche — Susan Pyle.
Comité féminin pour l'élection de Jim Hunt au poste de gouverneur.
Comité féminin pour l'élection de Laurie Garnier au poste de gouverneur adjoint.
Les Sirènes Mentales en concert à la Cave.

Et soudain, j'ai entrevu une réponse à mes questions. Des messages !

Casanova était en train d'envoyer un message cruel à notre intention, à l'intention de tous ceux qui pouvaient le surveiller, de tous ceux qui se seraient hasardés à le suivre.

Ma main s'est violemment abattue sur le rebord poussiéreux de la vitrine et j'ai manqué de hurler dans le petit magasin surpeuplé : « Ce salaud se fout de notre gueule ! » La vieille qui tenait la boutique m'a regardé par-dessus ses lorgnons comme si j'étais dangereux. Elle n'avait pas tort.

Kate est venue se coller contre moi en essayant de regarder par-dessus mon épaule ce que j'avais pu voir dans la rue.

— Que se passe-t-il ?

— La petite affiche, derrière lui. Ça fait dix minutes qu'il reste planté juste en dessous. C'est son message, Kate, un message destiné à tous ceux qui se seraient mis dans la tête de le suivre. Tu vois l'affichette fluo, orange et jaune ? Tout y est.

Je lui ai tendu les jumelles. Sur le panneau, on distinguait une affiche un peu plus grande, plus visible que les autres. Kate l'a lue à voix haute :

« Des femmes et des enfants meurent de faim... pendant que vous vous promenez les poches pleines de petite monnaie. N'attendez pas pour changer de comportement ! Vous sauverez des vies humaines. »

83

A mi-voix, tendue, Kate m'a dit :

— Oh, mon Dieu, Alex... S'il ne peut pas aller à la maison, elles vont mourir de faim, et s'il est suivi il n'ira pas à la maison. Voilà ce qu'il est en train de nous faire comprendre ! Des femmes sont en train de mourir de faim... n'attendez pas pour changer de comportement.

J'avais envie de descendre Wick Sachs là, sans attendre. Je savais que nous ne pouvions rien faire pour l'arrêter. Du moins, rien de légal. Rien de bien raisonnable.

Cri d'alarme de Kate, qui me tend les jumelles :

— Alex, regarde.

Une femme s'était approchée de Sachs. La réverbération du soleil de midi sur les surfaces de verre et d'acier me faisait mal aux yeux.

C'était une femme mince, d'allure avenante, plus âgée que celles qui avaient été enlevées. Chemisier de soie noir, pantalon moulant de cuir noir, chaussures noires. Elle tenait à la main un dossier chargé de livres et de documents.

— Elle ne semble pas correspondre au profil type, ai-je fait. Elle ne doit pas être loin de la quarantaine.

— Je la connais, Alex, m'a chuchoté Kate. Je sais qui c'est.

Je me suis tourné vers elle :

— Mais qui donc, Kate ?

— C'est une prof du département d'anglais. Elle s'appelle Suzanne Wellsley. Certains étudiants la surnomment la « Salope ». Il y a une blague qui circule sur elle : quand elle jette sa culotte contre le mur, elle reste collée.

— On pourrait en dire autant du Dr Sachs. Il a une sale réputation de dragueur sur le campus, depuis des années, mais sa hiérarchie ne l'a jamais sanctionné. Encore des crimes parfaits ?

Suzanne Wellsley et lui se sont embrassés devant l'affiche contre la faim dans le monde. Avec la langue, comme je pouvais le constater grâce à mes jumelles. Une étreinte très, très chaleureuse, sans souci apparent du regard des passants.

J'ai commencé à me demander si je ne faisais pas fausse route avec mon histoire de message. Peut-être n'était-ce qu'une coïncidence... Malheureusement, je ne croyais plus aux coïncidences. Suzanne Wellsley jouait peut-être un rôle dans la « maison » de Sachs et d'autres personnes pouvaient être impliquées. On pouvait également imaginer, au cœur de toute l'affaire, une secte orgiaque. Je savais qu'il en existait et que les messes noires d'un genre très particulier ne manquaient pas d'adeptes, même dans la capitale.

Ils ont fait un bout de chemin au milieu de la foule qui se pressait Franklin Street. Tranquillement, sans hâte. Ils venaient vers nous. Puis ils se sont arrêtés devant le guichet du Varsity Theatre. Ils se tenaient la main. Charmants enfants...

— L'enfoiré, j'ai fait. Il sait qu'on le surveille. A quoi joue-t-il ?

— Elle regarde dans notre direction. Peut-être qu'elle sait, elle aussi. Salut, Suzanne. Que nous prépares-tu, madame la mante religieuse ?

Ils ont acheté leurs places de cinéma comme n'importe quel couple normal et sont entrés. Sur le fronton, on lisait : « *Roberto Benigni est Johnny Stecchino — une comédie qui vous fera hurler de rire.* » Comment Sachs pouvait-il être d'humeur à regarder une comédie italienne ? Casanova était-il capable d'un tel sang-froid ? Oui, sans doute. Surtout si toute cette mise en scène faisait partie de son plan.

— Et la publicité du film, sur la marquise, c'est aussi un message ? Que cherche-t-il à nous dire, Alex ?

— Que tout cela n'est pour lui qu'une « comédie à faire hurler de rire ». Pas impossible.

— Il a le sens de l'humour, Alex. Je suis la première à le reconnaître. Il était capable de rire de ses mauvais jeux de mots.

J'ai appelé Kyle Craig depuis un téléphone à pièces chez un glacier Ben & Jerry tout proche, et je lui ai parlé de l'affichette *des femmes et des enfants meurent de faim*. Il convenait qu'il s'agissait peut-être d'un message qui nous était destiné. Avec Casanova, tout était possible.

Quand je suis ressorti du magasin, Sachs et Suzanne Wellsley étaient toujours au cinéma. L'acteur italien Roberto Benigni devait les faire hurler de rire. A moins que ce ne fût nous... *Des femmes et des enfants meurent.*

Sachs et Suzanne Wellsley ont émergé du Varsity Theatre juste après deux heures et demie. Il leur a fallu presque dix minutes pour parcourir un demi-pâté de maisons jusqu'à l'intersection de Franklin et Columbus. Là, ayant sans doute décidé qu'il n'y avait pas d'heure pour déjeuner, ils sont entrés chez Spanky's, toujours aussi populaire.

— Ils sont mignons tout plein, nos amoureux, siffla Kate. Qu'il crève. Et elle aussi. Sans oublier ces salauds de chez Spanky's, qui leur servent à manger et à boire.

Ils avaient choisi une table près de la baie vitrée. Volontairement? Ils se prenaient la main, échangeaient des baisers. Casanova l'Amant? Un déjeuner coquin avec une autre prof? Rien de tout cela ne tenait debout.

A trois heures et demie, ils sont sortis et sont revenus jusqu'au panneau d'affichage. Ils se sont de nouveau embrassés, avec moins de ferveur cette fois, et se sont enfin séparés. Sachs est rentré chez lui, à Hope Valley. Aucun doute n'était permis : Wick Sachs se jouait de nous, en suivant des règles fixées par lui seul et pour son seul plaisir.

Le jeu du chat et de la souris.

84

Kate et moi avions décidé d'aller souper dans un restaurant du centre de Durham appelé Frog and the Redneck. Nous avions besoin de quelques heures de coupure, me disait-elle, et je savais qu'elle avait raison.

Elle voulait d'abord rentrer chez elle et m'a demandé de repasser la prendre un peu plus tard. Lorsqu'elle m'a ouvert la porte, j'ai eu comme un choc. Jupe-fourreau de lin beige, chemisier à fleurs en guise de veste, les cheveux noués par un foulard jaune vif.

— J'ai mis mes vêtements du dimanche, m'a-t-elle fait avec un clin d'œil complice. Si ce n'est que mon budget d'interne ne me permet plus de sortir le dimanche. Ou alors, il faut que je me contente d'un Kentucky Fried Chicken ou d'un Arby's.

— On a un rendez-vous galant ? lui ai-je demandé sur le ton de la plaisanterie, comme je savais si bien le faire.

Cela dit, je pouvais légitimement me demander qui se moquait de qui.

Elle m'a pris par le bras.

— En fait, c'est bien possible. Je te trouve très bien, ce soir. Fringant et élégant en diable.

J'avais en effet, moi aussi, opté pour quelque chose de plus fringant et de plus élégant.

Du trajet jusqu'au restaurant de Durham, j'ai presque tout oublié, si ce n'est que nous n'avons pas arrêté de discuter. Parler ne nous a jamais posé de problème. J'ai un souvenir assez flou de la carte, si ce n'est qu'on y trouvait d'excellents plats traditionnels ou régionaux. Je me rappelle qu'il y avait du canard à la moscovite, des myrtilles et des prunes à la Chantilly.

Mais je me souviens surtout de Kate, un bras sur la table, le visage posé sur le dos de la main. Un portrait magnifique. Je me souviens du moment où elle a fini par enlever son foulard jaune, avec un large sourire, en disant : « Je ne supporte plus ce truc. »

— J'ai une nouvelle théorie sur nous deux, m'a-t-elle dit. C'est ma théorie du jour, et je crois qu'elle se tient. Tu veux l'entendre ?

Elle était de bonne humeur malgré cette enquête riche en tensions et en déceptions. Moi aussi, d'ailleurs.

— Euh, non, lui ai-je répondu.

Côté sentiments, ces temps derniers, j'avais tendance à freiner des quatre fers. La peur, sans doute.

Ignorant sagement ma réponse, Kate a poursuivi :

— Je me lance... Alex, en ce moment, on craint toi et moi de s'attacher. C'est évident. Je crois que ça nous fait trop peur à tous les deux.

Elle prenait les devants avec un luxe de précautions car elle avait deviné que je n'étais pas à l'aise dans ce domaine. Moi, je soupirais. Et puis, sans savoir si je choisissais bien mon moment, je me suis jeté à l'eau :

— Kate, je ne t'ai pas dit grand-chose sur Maria... On était très amoureux l'un de l'autre quand elle est morte et ça durait depuis six ans. Ce n'est pas de la mémoire sélective. Je me disais toujours : « J'ai une chance incroyable d'être tombé sur elle » et pour Maria, c'était réciproque. (J'ai souri.) En tout cas, c'était ce qu'elle me disait. Donc, pour en revenir à ce que tu disais, oui, c'est vrai, j'ai peur de m'attacher. J'ai surtout peur de perdre une nouvelle fois quelqu'un que j'aime autant.

— Moi aussi, Alex, j'ai peur de perdre encore quelqu'un, m'a-t-elle répondu dans un murmure à peine audible. (Elle semblait parfois si embarrassée que je la trouvais touchante.) Dans *Le Prêteur sur gages*, il y a une phrase absolument magique, du moins pour moi : « Tout ce que j'aimais m'a été arraché, et je ne suis pas mort. »

Envahi par une soudaine bouffée de tendresse pour Kate, j'ai pris sa main, je l'ai embrassée délicatement et je lui ai dit :

— Je la connaissais, cette phrase.

Je lisais l'anxiété dans ses yeux marron. Peut-être fallait-il faire avancer les choses, faire évoluer ce qui était en train de naître entre nous, quels qu'en fussent les risques.

— Je peux te dire autre chose ? m'a-t-elle demandé. Une autre confession difficile à exprimer ? Et pas très gaie...

— Vas-y. Bien sûr. Je veux écouter tout ce que tu as envie de me dire.

— J'ai peur de mourir comme mes sœurs, d'avoir également le cancer. A mon âge, je suis une bombe à retardement médicale. Oh, Alex, j'ai si peur de devenir proche de quelqu'un et de tomber malade après.

Au terme de ce pénible aveu, elle soupira longuement. Puis nous nous sommes tenu la main pendant un bon moment. De temps à autre, nous buvions une gorgée de porto. Nous ne disions pas grand-chose ; des émotions nouvelles, puissantes, nous submergeaient et il fallait prendre le temps de les apprivoiser.

Après le dîner, on est retournés à son appartement de Chapel Hill. J'ai commencé par vérifier qu'il n'y avait pas d'intrus. Dans la voiture, j'avais essayé de la convaincre de prendre une chambre d'hôtel mais comme d'habitude, elle avait refusé ma suggestion. Casanova et ses jeux pervers me rendaient paranoïaque.

— Tu n'es vraiment qu'une tête de mule, lui dis-je tandis

que nous nous assurions que toutes les portes et fenêtres étaient bien fermées.

— Disons plutôt que je suis férocement indépendante, rétorqua-t-elle. Une disposition qu'on acquiert en même temps que la ceinture noire de karaté. Deuxième dan. Gare à toi.

— Pas de problème, j'ai fait en riant. Et je pèse quarante kilos de plus que toi.

Elle secoua la tête :

— Ça ne suffira pas.

— Tu as sûrement raison. (Là, j'ai franchement éclaté de rire.)

Personne ne se cachait dans l'appartement de la rue des Vieilles Dames. Il n'y avait personne à part nous, et c'est peut-être cela qui nous affolait le plus.

— Je t'en prie, me dit Kate. Reste encore un peu, à moins que tu n'aies envie ou besoin de partir maintenant.

J'étais toujours dans la cuisine, pas très à l'aise, les mains au fond des poches.

— Je n'ai pas mieux à faire ailleurs, lui ai-je répondu, un rien nerveux et tendu.

— J'ai une bouteille de château-de-la-chaize. Je crois que c'est ce nom-là. Neuf dollars seulement, mais c'est un vin très correct. Je l'avais acheté exprès pour ce soir, même si je ne le savais pas à l'époque.

Et d'ajouter avec un sourire :

— C'était il y a trois mois.

On s'est installés sur son canapé. Le séjour était propre, bien rangé, mais néanmoins décoré avec une certaine originalité. Au mur, il y avait des photos noir et blanc des sœurs et de la mère de Kate, témoins de jours plus riants. Sur un autre cliché très étonnant, on la voyait dans son uniforme rose au Big Top Truck Stop, le relais routier où elle avait travaillé pour payer ses études. Cet emploi de serveuse expliquait en partie le prix qu'elle attachait à ses années de médecine.

Le vin m'a peut-être poussé à en dire plus que je ne l'aurais souhaité sur Jezzie Flanagan. Depuis la disparition de Maria, c'était la première fois que j'avais tenté de me lancer dans une liaison sérieuse. Kate, elle, m'a parlé de son petit ami Peter McGrath, professeur d'histoire à North Carolina. En l'écoutant, je n'ai pas pu m'empêcher de penser avec un certain malaise que nous avions trop rapidement écarté ce fameux Peter de notre liste de suspects.

Impossible d'oublier l'affaire, ne fût-ce qu'un seul et unique soir. Ou alors, j'étais déjà en train de me réfugier dans mon univers professionnel pour esquiver d'autres interrogations. Mais j'ai pris note de réexaminer plus attentivement le cas du Dr Peter McGrath.

Kate s'est collée contre moi et on s'est embrassés. Nos deux bouches semblaient faites l'une pour l'autre. Ce geste, nous l'avions tous deux déjà fait, mais peut-être ne l'avions-nous encore jamais fait aussi bien.

— Tu restes, cette nuit? Je t'en prie, reste, m'a chuchoté Kate. Rien que cette nuit, Alex. Il n'y a pas de quoi avoir peur, si?

— Non, il n'y a pas de quoi avoir peur, lui ai-je répondu sur le même ton.

Je me faisais l'effet d'un écolier mais, après tout, où était le problème?

Je ne savais pas très bien que faire ensuite, comment la toucher. Que devais-je dire et, surtout, que ne fallait-il pas faire? Alors j'ai écouté le souffle paisible de sa respiration et j'ai laissé les choses suivre leur cours naturel.

On s'est de nouveau embrassés tendrement. Nous avions tous deux besoin d'affection. Mais nous étions également si vulnérables.

On est allés dans sa chambre. On est restés un long moment dans les bras l'un de l'autre. On s'est chuchoté des mots. On a dormi ensemble. Ce soir-là, on n'a pas fait l'amour.

Nous étions devenus les meilleurs amis du monde, et nous ne voulions pas tout gâcher.

85

Naomi se dit qu'elle était en train de perdre les dernières bribes de sa raison. Elle venait de voir Alex tuer Casanova, et pourtant elle savait qu'en réalité, cela ne s'était pas produit. Elle l'avait vu l'abattre de ses propres yeux. Victime d'hallucinations, elle n'était plus en mesure d'empêcher le déferlement d'images trompeuses.

Il lui arrivait de parler toute seule. Le son de sa voix la rassurait.

Enfoncée dans son fauteuil, dans le silence et la nuit de sa cellule, elle s'abîma dans ses réflexions. Son violon était là, tout près, mais elle n'en avait pas joué depuis des jours. Si elle avait peur aujourd'hui, c'était pour une raison totalement nouvelle : peut-être ne reviendrait-il pas.

Casanova pouvait avoir été arrêté et refuser de révéler à la police le lieu où il séquestrait ses captives. N'était-ce pas là son dernier atout ? Son secret diabolique, son ultime monnaie d'échange ?

Peut-être avait-il déjà été tué au cours d'une fusillade. Comment la police pouvait-elle espérer les retrouver, elle et ses camarades de captivité, s'il était mort ? « Il s'est passé quelque chose, songea-t-elle. Il n'est pas venu depuis deux jours. Quelque chose a changé. »

Elle désespérait de revoir un jour le soleil, le ciel bleu, l'herbe, les flèches gothiques de l'université, les jardins en terrasses du parc Sarah Duke, et même les eaux boueuses du Potomac, chez elle, à Washington.

Naomi se leva du fauteuil qui se trouvait près de son lit. Quelques pas lents, très lents, sur le plancher nu et elle pressa sa joue contre le bois froid de la porte.

« Dois-je commettre cette folie ? se demanda-t-elle. Et signer mon propre arrêt de mort ? »

Haletante, elle tendit l'oreille pour tenter de capter le moindre bruit, aussi faible et anodin fût-il, dans la maison. Les pièces avaient été insonorisées mais si l'on parlait suffisamment fort, le son se propageait tant bien que mal dans l'étrange prison.

Elle répéta intérieurement, au mot près, ce qu'elle avait l'intention de dire.

Je m'appelle Naomi Cross. Où es-tu, Kristen, Green Eyes ? J'ai réfléchi. Tu as raison. Il faut qu'on fasse quelque chose... Il faut qu'on fasse quelque chose ensemble... Il ne reviendra pas.

Cet instant, elle l'avait soigneusement et, espérait-elle, intelligemment préparé. Pourtant, elle demeurait incapable de prononcer les mots si souvent remâchés. Elle savait bien qu'en organisant son évasion, elle risquait la peine de mort.

Kristen Miles l'avait appelée plusieurs fois au cours des dernières vingt-quatre heures, mais Naomi n'avait pas répondu. Parler était interdit, et elle avait eu l'occasion de voir ce qu'encouraient celles qui bravaient cette règle. Comme cette jeune femme pendue au plafond, quelques jours plus tôt. Cette malheureuse Anna Miller, elle aussi étudiante en droit.

Pour le moment, elle n'entendait rien. Rien que du bruit blanc. Le bruissement du silence. Le doux bourdonnement de l'éternité. Jamais elle n'entendait une voiture. Une détonation de pot d'échappement, un coup d'avertisseur. Pas même le fracas d'un avion survolant les parages.

Naomi était parvenue à la conclusion que leurs geôles devaient se trouver en sous-sol et que plusieurs niveaux les séparaient de la surface. Avait-il lui-même construit ce complexe souterrain ? L'avait-il entièrement conçu, l'avait-il rêvé, avant de le réaliser dans un grand mouvement de folie psychopathe ? Elle avait de bonnes raisons de le croire.

Elle s'arma de courage en prévision de l'instant terrible où elle romprait enfin le silence. Il fallait qu'elle parle à Kristen, à Green Eyes. La bouche en coton, elle passa sa langue sur ses lèvres.

— Je tuerais quelqu'un pour un Coca, je le tuerais, lui, pour un Coca, murmura-t-elle. Je le tuerais sans problème si j'en avais l'occasion.

« Je suis prête à tuer Casanova. Je suis prête à commettre un meurtre. Voilà où j'en suis arrivée... »

Et finalement, elle lança d'une voix forte :

— Kristen, tu m'entends ? Kristen ? C'est Naomi Cross !

Elle tremblait, les joues sillonnées de larmes brûlantes. Elle avait enfin osé s'attaquer à lui, à ses maudits commandements.

Ce fut Green Eyes qui répondit dans l'instant. Le son de sa voix réconforta Naomi :

— Je t'entends, Naomi ! Je crois que je dois être quelques portes plus loin. Je t'entends très bien, continue de parler, Naomi. Je suis sûre qu'il n'est pas là.

Mais Naomi ne pensait plus à ce qu'elle était en train de faire. Peut-être était-il absent ; peut-être pas. Cela n'avait plus aucune espèce d'importance.

— Il va nous tuer, cria-t-elle. Il y a quelque chose qui a changé chez lui ! Il va nous tuer, cela ne fait aucun doute. Si on doit tenter quoi que ce soit, il faut profiter de la première occasion.

— Naomi a raison ! (La voix de Kristen, légèrement étouffée, semblait provenir du fond d'un puits.) Vous entendez toutes ce que dit Naomi ? Vous entendez, hein ?

Naomi haussa encore le ton d'un cran, décidée à prolonger l'échange. Il fallait que toutes les jeunes femmes séquestrées l'entendent.

— J'ai une proposition à faire. La prochaine fois qu'il nous rassemble, il faut qu'on y aille. Si on se jette ensemble sur lui, il peut blesser certaines d'entre nous mais il ne réussira pas à nous arrêter toutes ! Qu'en pensez-vous ?

Et là, la lourde porte de bois de la chambre de Naomi s'entrouvrit. Un flot de lumière submergea la pièce.

Pétrifiée d'horreur, incapable de prononcer le moindre mot, elle regarda la porte s'effacer lentement.

Son cœur lui martelait douloureusement la poitrine et l'air lui manquait. Elle se sentit proche de la mort. Il était là et il avait tout écouté.

La porte s'ouvrit complètement.

Sur le seuil, un grand, bel homme lui annonça d'une voix enjouée :

— Bonjour, je m'appelle Will Rudolph. Votre projet me plaît beaucoup, mais je ne crois pas qu'il ait des chances d'aboutir. Je vais vous expliquer pourquoi.

86

Mercredi matin, un peu avant neuf heures, j'étais à l'aéroport international de Raleigh-Durham. La cavalerie déboulait. On nous envoyait des troupes fraîches. La maison Sampson débarquait.

Si un sentiment diffus de peur et de suspicion avait fini par gagner les rues de Durham et de Chapel Hill, rien ne semblait inquiéter les hommes et femmes d'affaires qui se pressaient de si bonne heure dans l'aérogare, en complet sombre bien repassé ou en tailleur à fleurs Neiman Marcus ou Dillard. Ce qui n'était pas pour me déplaire. Ils avaient raison. Ignorer, c'est déjà agir.

J'ai enfin aperçu mon Sampson franchissant la porte US Air à grandes et énergiques foulées et je lui ai fait signe avec mon journal local. La procédure habituelle : je fais toujours signe et l'Armoire à Glace jamais. Mais il s'est fendu d'un petit hochement de tête très Washington. Un dur de dur. Exactement ce que le toubib avait prescrit.

Entre l'aéroport et Chapel Hill, j'ai eu le temps de le briefer.

Il fallait que je passe au crible les abords de la Wykagil. Ce n'était qu'une vague intuition, mais elle pouvait déboucher sur quelque chose... et notamment l'emplacement de la « maison fantôme ». J'avais recruté le Dr Louis Freed, mentor et ancien professeur de Seth Samuel. Historien noir aux compétences largement reconnues, c'était un spécialiste de la guerre de Sécession, période à laquelle je m'intéressais également particulièrement. On lui devait de nombreux travaux sur la vie des esclaves de Caroline du Nord pendant la guerre de Sécession... et notamment sur l'*Underground Railroad*[1], le réseau clandestin qui avait permis à de nombreux fugitifs noirs des Etats esclavagistes de rejoindre le nord des Etats-Unis ou le Canada.

---

1. Littéralement, « chemin de fer souterrain ». (N.d.T.)

A notre arrivée à Chapel Hill, Sampson a pu constater par lui-même à quel point les enlèvements et les crimes atroces de ces dernières semaines avaient métamorphosé une ville universitaire jadis si paisible. Un spectacle cauchemardesque qui me faisait penser à certains de mes déplacements dans le métro new-yorkais et qui me rappelait également la ville où je vivais, capitale de ce pays. Dans les charmantes rues de Chapel Hill, on marchait maintenant d'un pas rapide, tête basse, en évitant de croiser le regard des autres, surtout s'il s'agissait d'inconnus. Aux rapports de confiance avaient succédé la crainte et la terreur. La douce vie de la province n'était plus qu'un souvenir.

— Tu crois que Casanova savoure cette atmosphère digne de *L'Invasion des Profanateurs* ? m'a demandé Sampson alors que nous roulions à vitesse réduite dans les petites rues qui bordent le campus de North Carolina, qui nous a donné Michael Jordan et tant d'autres futures stars du basket pro qu'il serait impossible de toutes les mentionner ici.

— Oui, je pense qu'il a appris à aimer son statut de gloire locale. C'est un jeu qui lui plaît. Il est surtout très fier de ses réalisations, entre guillemets, « artistiques ».

— Ne préférerait-il pas une scène plus importante ? Une toile plus grande, disons ?

Nous étions en train d'attaquer les hauteurs qui avaient apparemment donné leur nom à la ville.

— Pour l'instant, je n'en sais rien. On a peut-être affaire à un « tueur sadique territorial », qui opère à l'intérieur d'un périmètre donné. Certains sadiques ne quittent jamais leur territoire ; je pense à Richard Ramirez, au Fils de Sam, au tueur de la Green River.

J'ai alors exposé à Sampson ma thèse du jumelage. Plus j'y pensais, plus j'y croyais. Le FBI lui-même commençait à me suivre.

— Nos deux types doivent partager un secret énorme. Le fait qu'ils enlèvent tous des femmes jeunes et jolies n'en constitue qu'une petite partie. L'un se considère comme un « amant » et un artiste. L'autre est un assassin brutal et sanguinaire qui ressemble beaucoup plus aux tueurs en série classiques. Ils se complètent, ils compensent mutuellement leurs faiblesses. Je pense qu'ensemble, ils sont quasiment impossibles à arrêter. Et plus grave encore, je pense qu'ils le savent.

— Qui dirige ?

Excellente question. Sampson travaille à l'intuition, et c'est toujours comme cela qu'il résout les problèmes.

— Je crois que c'est Casanova. C'est sans conteste le plus imaginatif des deux et pour l'instant, il n'a pas commis une seule faute notable. Mais jouer les seconds ne fait pas le bonheur du Gentleman. Il est sans doute allé s'installer en Californie pour voir s'il était capable de réussir tout seul. Et ça n'a pas marché.

— Et Casanova serait cet universitaire aux goûts un peu spéciaux ? Le Dr Wick Sachs ? Le prof de pornographie dont tu m'as parlé ? C'est notre homme, ma poule ?

J'ai regardé Sampson. Maintenant, on passait aux choses sérieuses. Dialogue de flics.

— Parfois, je pense que c'est Sachs et qu'il est si fort, si doué, qu'il peut se permettre de nous faire savoir qui il est. On s'agite autour de lui ; ça lui plaît, ça l'excite. Pour lui, c'est peut-être l'art de la manipulation à son summum.

Acquiescement de Sampson — un bref et unique mouvement du menton.

— Et sinon, docteur Freud, quelle est votre autre hypothèse ?

— Parfois, je me demande si Sachs n'a pas été piégé. Casanova est quelqu'un d'extrêmement brillant, très prudent. On a l'impression qu'il envoie tout le monde sur de fausses pistes. Kyle Craig lui-même commence à s'énerver.

Là, Sampson a enfin dévoilé ses grandes dents blanches. Difficile de savoir si c'était un sourire ou s'il s'apprêtait à me mordre.

— Si je comprends bien, je suis arrivé juste à temps.

Au moment où j'allais m'arrêter à un stop, un type armé est brusquement sorti d'une voiture en stationnement pour se précipiter sur nous. Je n'ai rien pu faire pour l'en empêcher, et Sampson non plus.

Je me suis retrouvé avec un Smith et Wesson collé contre la pommette.

« Fini de jouer ! » je me suis dit.

Tilt !

— Police de Chapel Hill! a gueulé le type par la vitre ouverte. On sort tout de suite de cette voiture, et on rampe!

87

— Tu es arrivé juste à temps, ai-je soufflé à Sampson tandis qu'on sortait lentement, prudemment de la voiture.

— On dirait bien, m'a-t-il répondu. Surtout, reste calme, Alex. Je ne tiens pas à ce qu'on se fasse descendre ou tabasser. Mon sens de l'humour a des limites.

J'avais une petite idée de ce qui était en train de se passer et cela me mettait dans une rage folle. Sampson et moi étions des individus « suspects ». Et pourquoi étions-nous des individus suspects? Parce que nous étions Noirs et que nous roulions dans les petites rues de Chapel Hill à dix heures du matin.

J'ai vu que Sampson était aussi furieux que moi, mais à sa manière. Une esquisse de sourire aux lèvres, il secouait la tête en faisant : « Eh bien, ça, c'est vraiment la meilleure. »

Un autre inspecteur de Chapel Hill est venu à la rescousse de son équipier. C'étaient tous les deux des types assez baraqués, pas loin de la trentaine. Cheveux mi-longs, grosse moustache, corps de sportifs. Des futurs Nick Ruskin et Davey Sikes.

— Tu te trouves drôle? (La voix du deuxième flic, monocorde, était à peine audible.) Tu te prends pour le roi du rire, espèce de merdeux?

Il tenait une matraque plombée contre sa hanche, prêt à frapper.

— Je n'ai pas trouvé mieux, a fait Sampson sans se départir de son sourire en coin.

Les matraques ne lui faisaient pas peur.

J'avais des fourmis sur le crâne et des gouttes de sueur perlaient le long de mon dos. Je ne me souvenais pas de m'être fait démolir dans un passé récent, ce qui ne me rassurait pas. Toutes les mauvaises vibrations que j'avais ressenties en venant ici allaient trouver leur justification. Quoique passer des Noirs à tabac ne soit plus une particularité de la Caroline du Nord ou du Sud.

J'ai vainement tenté de révéler notre qualité aux flics :

— Je suis...

— Ta gueule, connard !

Avant de pouvoir achever, je me suis pris un coup dans le creux des reins. Pas suffisamment fort pour laisser une marque, mais bien douloureux. Et à plus d'un titre.

— Celui-là, il m'a l'air allumé, a fait le flic à la voix basse. Il a les yeux injectés de sang. Il est en plein trip.

C'était de moi qu'il parlait... J'ai explosé :

— Je suis Alex Cross, inspecteur de police, espèce d'enculé ! Je travaille sur l'affaire Casanova. Contactez tout de suite les inspecteurs Ruskin et Sikes. Contactez Kyle Craig du FBI !

Simultanément, j'ai fait un demi-tour sur moi-même et j'ai cueilli le flic le plus proche de moi en pleine gorge. Il est tombé comme une masse. Son équipier s'est précipité vers moi, mais Sampson l'a plaqué sur le trottoir avant qu'il ne fasse une bêtise. J'ai piqué le revolver du premier plus facilement qu'on ne désarme un apprenti braqueur de quatorze ans dans les rues de Washington.

A son « suspect », sans l'ombre d'une trace de plaisir dans la voix, Sampson a balancé :

— *On rampe ?* Vous sortez souvent ce genre de conneries à mes copains noirs ? Combien de jeunes gens avez-vous déjà traités de « merdeux » ? Comme si vous saviez comment ils vivent. Vous êtes à gerber.

— Vous savez parfaitement que le tueur en série Casanova n'est pas un Noir, ai-je ajouté à l'intention des deux flics désarmés. Vous allez entendre reparler de cet incident, messieurs, je vous prie de me croire.

— Il y a eu beaucoup de cambriolages dans le quartier, bredouillait celui qui avait la voix grave.

Soudain tout penaud, il nous jouait le vieux pas de deux de l'Amérique sécuritaire.

— Epargne-nous tes excuses à la con! a fait **Sampson** en agitant son arme de service, histoire de leur faire goûter à l'humiliation.

On est remontés dans la voiture en gardant les armes des deux inspecteurs. A eux de se débrouiller avec leur hiérarchie.

— Putain! s'est écrié Sampson quand on a démarré.

Moi, j'ai frappé le volant de la paume de la main; une fois, deux fois. Cette histoire m'avait en fait bien secoué, ou alors j'étais vraiment trop crevé, énervé.

— Cela dit, il a ajouté, on les a bien mouchés, ces deux nuls. Rien de tel qu'un peu de racisme à la con pour me donner un coup de sang et faire couler l'adrénaline. Ça fait rugir la bête. Tant mieux, maintenant je suis d'attaque.

— Ça fait du bien de revoir ta sale gueule, lui ai-je dit.

Je me suis mis à sourire, enfin. Lui aussi. Puis on est tous les deux partis d'un grand rire.

— Moi aussi, je suis content de te voir, ma poule. Tu seras heureux d'apprendre que t'as encore bonne mine. La fatigue ne se voit pas trop. Allez, au boulot. Tu sais, je plains ce pauvre taré si on le coince aujourd'hui — ce qui est fort probable, à mon avis.

Sampson et moi étions nous aussi en train de nous jumeler. Et comme toujours, ça faisait un bien fou.

88

Nous avons surpris le doyen Browning Lowell en pleine séance de musculation au nouveau gymnase de l'Allen Hall, sur le campus de Duke. Il y avait là tout un équipement ultramoderne : bancs de rameur flambant neufs, Stairmasters, tapis de marche, Gravitrons.

Le doyen Lowell soulevait des haltères et nous, on voulait qu'il nous parle de Wick Sachs, docteur en pornographie.

On l'a regardé effectuer une redoutable série de soulèvements latéraux, puis quelques développés. Une démonstration impressionnante, même pour les vieux habitués des salles de sport que nous étions. Physiquement, Lowell était une bête.

En traversant le parquet de la salle pour le rejoindre, j'ai marmonné :

— C'est donc à ça que ressemble de près un dieu de l'Olympe...

En fond sonore, Whitney Houston faisait de son mieux pour encourager les profs à la peine.

— Je te signale que tu as déjà un dieu de l'Olympe à côté de toi, m'a rappelé Sampson.

J'ai souri.

— C'est vrai qu'en présence d'êtres aussi humbles qu'exceptionnels, on a tendance à oublier.

En entendant nos chaussures de ville marteler le parquet, le doyen Lowell a levé la tête. On a eu droit à un grand sourire de bienvenue. Ce brave Browning Lowell. En fait, il avait vraiment l'air sympa ; il se donnait du mal pour créer cette impression.

Il fallait que j'obtienne de ce témoin privilégié autant d'informations que possible, et vite. Il y avait forcément, quelque part en Caroline du Nord, une des pièces manquantes du puzzle, la pièce qui permettrait d'élucider l'énigme sanglante. Je lui ai présenté Sampson, on a laissé tomber les bavardages de politesse et je lui ai demandé ce qu'il savait sur Wick Sachs.

Tout comme lors de notre premier entretien, le doyen se montra très coopératif :

— Sachs est notre squelette dans le placard, et ça fait dix ans que ça dure. Je crois qu'il y en a au moins un par université, me dit-il en fronçant gravement les sourcils, me donnant l'occasion de constater que même son front était musclé... On surnomme souvent Sachs « docteur Crade », mais il est titulaire de sa chaire et jamais on ne l'a pris à faire quelque chose de totalement répréhensible. Je devrais normalement lui accorder le bénéfice du doute, mais je ne le ferai pas.

— Etes-vous au courant de sa collection de livres et de films très spéciaux, chez lui ? (Sampson avait décidé de poser la question suivante à ma place.) De la pornographie déguisée en érotisme ?

Lowell interrompit ses vigoureux exercices et nous contempla tous les deux avant de reprendre la parole :

— Le Dr Sachs est-il considéré comme un témoin important dans la disparition de ces jeunes femmes ?

— Il y a beaucoup de suspects, doyen Lowell. Je ne peux pas vous en dire davantage pour l'instant.

C'était la stricte vérité. Il hocha la tête.

— Je respecte votre jugement, Alex, mais il faut que je vous dise, à propos de Sachs, quelque chose qui peut avoir son importance.

Maintenant, il était en train d'essuyer sa nuque épaisse et ses épaules. Son corps brillait comme de la pierre polie. Tout en se séchant méticuleusement, il poursuivit :

— Commençons par le commencement : un jeune couple d'ici s'est fait sauvagement assassiner, il y a de cela un certain temps. C'était en 1981. Wick Sachs préparait à l'époque une licence en arts. Un étudiant très brillant. Moi, j'étais en doctorat. Quand je suis devenu doyen, j'ai appris que Sachs avait fait partie des suspects pendant l'enquête criminelle, mais qu'on l'avait totalement blanchi. Il n'existait aucun élément concret permettant d'établir sa responsabilité. Je ne connais pas tous les détails, mais vous pouvez vérifier par vous-même auprès de la police de Durham. C'était au printemps 1981. Les deux victimes s'appelaient Roe Tierney et Tom Hutchinson. Je me souviens que ç'avait été un énorme scandale. A l'époque, une seule affaire de meurtre suffisait à secouer toute une ville. Cela étant, l'enquête n'a jamais abouti.

— Pourquoi ne pas avoir parlé de ça plus tôt ? ai-je demandé à Lowell.

— Le FBI était au courant de tout, Alex. C'est moi qui

leur en ai parlé. Je sais qu'ils ont vu le Dr Sachs il y a plusieurs semaines. J'ai eu l'impression qu'on ne le soupçonnait pas et que d'après eux, il n'existait aucun rapport entre cette affaire et la précédente. Pour moi, ça ne fait aucun doute.

— Oui, ça se tient.

Je lui ai demandé de me rendre un autre service : pouvait-il me ressortir tout ce que le FBI avait consulté sur Sachs la première fois ? Je voulais également jeter un coup d'œil sur les annuaires de Duke datés de l'époque où Sachs et Will Rudolph étaient tous deux étudiants. Il fallait que j'étudie de près les inscrits de 1981.

Vers dix-neuf heures, Sampson et moi avions rendez-vous avec les flics de Durham. Les inspecteurs Ruskin et Sikes étaient là, visiblement sous pression.

Ils nous ont pris à part avant le début de la réunion de mise à jour sur l'affaire Casanova. Le stress avait fini par les gagner et ils avaient perdu une partie de leur arrogance.

— Ecoutez, tous les deux, vous avez déjà travaillé sur des affaires de meurtres de cette importance, dit Ruskin.

C'était presque toujours lui qui prenait la parole. Davey Sikes donnait l'impression de ne pas nous apprécier davantage que le premier jour.

Ruskin continua :

— Je sais que mon équipier et moi, on s'est montrés un peu sur la défensive au début, mais je veux que vous sachiez qu'on ne veut qu'une chose : arrêter cette tuerie maintenant.

Sikes hochait la tête, une tête massive comme un bloc de pierre.

— On veut coincer Sachs. Le problème, c'est qu'au-dessus, pour ne pas changer, ils nous font tourner en rond.

Ruskin s'est mis à sourire et je l'ai imité. Les problèmes de politique interne nous étaient familiers, à l'un comme à l'autre. Ce qui ne m'empêcherait pas de continuer de me méfier des inspecteurs de la criminelle de Durham. J'étais certain qu'ils cherchaient à se servir de nous, ou au moins à nous tenir à l'écart.

En outre, j'avais le sentiment qu'ils nous cachaient certains éléments.

Les inspecteurs de Durham nous déclarèrent qu'ils

étaient embourbés dans leurs enquêtes sur différents médecins du Triangle des Chercheurs, des médecins ayant eu maille à partir, de près ou de loin, avec la police. Wick Sachs était leur principal témoin, mais pas le seul.

Il y avait encore une bonne chance pour que Casanova se révèle être un parfait inconnu. Un cas fréquent dans les affaires de tueurs à répétition. Il était là, quelque part, et nous n'avions aucune idée de son identité. C'était cela le plus effrayant, et le plus frustrant.

Nick Ruskin et Davey Sikes nous ont entraînés vers le panneau des suspects. A ce jour, dix-sept noms y figuraient, parmi lesquels ceux de cinq médecins. Dès le début, Kate avait été convaincue que Casanova était médecin, et Kyle Craig également.

J'ai parcouru la liste des noms de médecins :

Dr Stefan Romm
Dr Francis Constantini
Dr Richard Dilallo
Dr Miguel Fesco
Dr Kelly Clark

Une fois de plus, je me suis demandé si plusieurs personnes pouvaient être impliquées dans cette histoire, ou si Wick Sachs était bien notre homme, le Casanova de la maison de l'horreur.

— C'est vous, le grand gourou, m'a dit Davey Sikes, soudain penché sur mon épaule. Qui est ce type, cher ami ? Aidez les pauvres péquenots que nous sommes. Attrapeznous ce monstre, docteur Cross.

89

Tard ce soir-là, Casanova était de sortie. Il s'était remis à chasser, plaisir qui lui avait été refusé depuis plusieurs jours. Mais une grande nuit s'annonçait.

Il pénétra sans difficulté dans l'enceinte de l'immense complexe hospitalier de l'université de Duke en empruntant une petite porte de service grise dans le parking réservé aux médecins. Il suivit ensuite l'itinéraire prévu, croisant en chemin plusieurs infirmières qui pépiaient et de jeunes médecins au visage grave. Il eut droit à plusieurs signes de tête, et même quelques sourires.

Comme toujours, Casanova se fondait parfaitement dans le décor. Il pouvait aller où il voulait, et généralement ne s'en privait pas.

Tout en marchant d'un pas alerte dans les couloirs blancs de l'hôpital, il se livrait à d'importantes et complexes spéculations sur son avenir. L'expérience à laquelle il s'était livré dans le Triangle des Chercheurs et le Sud-Est en général avait connu un vif succès, mais il allait devoir y mettre un terme. A compter de ce soir.

Alex Cross et les lourdauds qui travaillaient avec lui commençaient à se rapprocher un peu trop. Même les flics de Durham devenaient dangereux. Il était bel et bien un « sadique territorial ». Il connaissait la terminologie inexacte dont ils se servaient pour parler de lui. Un jour, quelqu'un finirait par trouver la maison. Ou pire encore, quelqu'un mettrait la main sur lui tout à fait par hasard, bêtement.

Oui, l'heure était venue de changer de coin. « Je pourrais peut-être monter sur New York avec Will Rudolph, songeat-il. Ou descendre en Floride, au soleil, comme Ted Bundy ? » L'Arizona, ce ne serait pas mal non plus. Passer l'automne à Tempe ou à Tucson... écumer des villes universitaires bourrées de proies alléchantes. Ou peut-être pourraient-ils s'installer près d'un de ces immenses campus du Texas. Austin avait bonne réputation. Ou alors Urbana, dans l'Illinois ? Madison, dans le Wisconsin ? Columbus, dans l'Ohio ?

En vérité, il penchait plutôt pour l'Europe. Londres, Munich ou Paris. Un tour d'Europe à sa manière. Enfin, peut-être, un concept digne de son époque... Un vrai tour d'Europe pour les petits génies. Quel intérêt d'aller voir *Dracula* alors que de vrais monstres, en chair et en os, battaient la campagne jour et nuit ?

Casanova se demanda si quelqu'un avait réussi à le

suivre dans le dédale du centre hospitalier. Alex Cross? Pas impossible. Le Dr Cross faisait preuve d'une endurance hors du commun. A Washington, il s'était montré plus fort que ce ravisseur d'enfant sans imagination, ce *psycho killer* d'opérette. Il fallait éliminer Cross avant que Will Rudolph et lui quittent la région pour faire mieux et sur une plus grande échelle. Sinon, Cross les suivrait partout.

Casanova pénétra dans le bâtiment n°2 du labyrinthe hospitalier. Le couloir, qui menait à la morgue et aux locaux de maintenance, était généralement peu fréquenté.

Il se retourna. L'interminable couloir blanc cassé était désert. Personne ne le suivait. Tout comme il n'y avait personne, d'ailleurs, pour prendre les devants dans ce monde sans tripes et sans esprit.

Peut-être ne l'avaient-ils pas encore identifié. Mais tôt ou tard, ce serait chose faite car il existait des indices. Il suffisait de remonter à Roe Tierney et Tom Hutchinson, le couple en or assassiné dans des circonstances mystérieuses. Les premiers pas du Gentleman et de Casanova. Dieu qu'il était content de retrouver son ami. La présence de Rudolph lui mettait toujours du baume au cœur. Rudolph savait ce qu'était véritablement le désir et, en fin de compte, la liberté. Rudolph le comprenait, lui, mieux que quiconque.

A l'intérieur du bâtiment n° 2 de l'hôpital universitaire, Casanova se mit à courir à petites foulées. Le claquement de ses pas résonnait maintenant dans les couloirs déserts aux parois brillantes. En quelques minutes, il eut rejoint le bâtiment n° 4, à l'autre bout du centre hospitalier, côté nord-ouest.

Une nouvelle fois, il se retourna.

Nul ne l'avait suivi. Nul n'avait, pour l'instant, découvert la clé de l'énigme. Et il n'était pas impossible qu'on ne la découvre jamais.

Casanova émergea enfin dans le parking qui baignait dans un halo de lumière orangée et, nonchalamment, grimpa dans une Jeep noire garée à proximité du bâtiment.

Le véhicule, immatriculé en Caroline du Nord, portait des plaques réservées aux médecins. Encore un de ses nombreux masques.

Il se sentait de nouveau fort et sûr de lui. Ce soir, il

éprouvait un formidable sentiment de liberté et d'énergie, une grisante sensation. Peut-être vivait-il l'un des meilleurs moments de sa vie; pour un peu, il se serait senti capable de s'envoler comme un rapace dans la nuit soyeuse.

Et il partit chercher sa victime.

C'était une nouvelle fois le tour du Dr Kate McTiernan.

Elle lui avait tellement manqué.

Il l'aimait.

90

Le Gentleman était de sortie. Inexorablement, le cerveau en alerte, le corps vibrant, le Dr Will Rudolph se rapprochait de son innocente proie. La nuit était à lui. Comme tout médecin d'exception, comme tout médecin soucieux du bien-être de ses patients, il allait rendre une visite à domicile.

Casanova ne souhaitait pas le voir rôder dans les rues de Durham ou de Chapel Hill. En fait, il le lui avait formellement interdit. Une mesure fort compréhensible, parfaitement louable, mais impossible à respecter. Ils travaillaient de nouveau ensemble. En outre, de nuit, le danger était minime et les plaisirs potentiels bien supérieurs aux risques encourus.

Le prochain acte du drame exigeait une interprétation sans faille, et Will Rudolph était persuadé d'avoir décroché un rôle à sa mesure. Il n'avait aucun bagage sentimental, aucun talon d'Achille, contrairement à Casanova, qui souffrait d'une faiblesse nommée Kate McTiernan.

Curieusement, se dit-il, elle était devenue sa concurrente. Casanova avait établi avec elle des liens affectifs très particuliers. Elle était très proche de l'« amante » que celui-ci prétendait rechercher de façon quasi obsessive, et menaçait donc la relation très spéciale que lui, Will Rudolph, entretenait avec Casanova.

En traversant les rues de Chapel Hill, il songeait à son « ami ». Leurs rapports avaient changé; ils étaient devenus encore plus enrichissants. La difficile séparation qu'il avait vécue pendant près d'un an lui avait permis de mieux apprécier leur étrange relation, une relation aujourd'hui plus forte que jamais. Il n'existait pas une seule autre personne à laquelle il pût se confier.

« C'est bien triste », songea Rudolph.

« Bien curieux. »

En Californie, Will Rudolph avait eu tout le loisir de revivre l'effroyable solitude de son enfance. Il avait passé toute sa jeunesse à Fort Bragg, en Caroline du Nord, puis à Asheville. Fils de colonel, enfant de troupe, un vrai gosse du Sud. Dès le départ, il avait eu l'intelligence de se composer une façade : celle de l'étudiant émérite, poli, serviable, gracieux, aux manières irréprochables. Le parfait gentleman. Personne n'avait jamais soupçonné la nature de ses désirs, de ses exigences... et il n'en avait que plus durement ressenti son isolement.

Il savait très précisément quand et où cette solitude avait enfin pris fin. Sa première rencontre avec Casanova, véritable moment de vertige, était restée à jamais gravée dans sa mémoire. Elle avait eu lieu sur le campus de Duke. C'était la rencontre de tous les dangers.

Le Gentleman se souvenait parfaitement de la scène. Comme tous les étudiants, il avait une petite chambre dans le campus. Une nuit, peu avant deux heures, Casanova avait fait son apparition. Il avait eu la peur de sa vie.

Rudolph avait ouvert la porte et trouvé Casanova planté là, très sûr de lui. Un moment digne du film à suspense *La Corde*.

— Je peux entrer? Je ne pense pas que tu tiennes à ce que tout le couloir entende ce que j'ai à te dire...

Rudolph l'avait fait entrer, avait refermé la porte, le cœur battant.

— Qu'est-ce que vous voulez? Il est presque deux heures du matin, merde.

Le même sourire. Une formidable assurance. Il savait.

— C'est toi qui as tué Roe Tierney et Thomas Hutchinson. Tu as passé plus d'un an à suivre Roe. Tu as d'ailleurs gardé un petit souvenir d'elle dans ta chambre. Sa langue, je crois.

Ce fut le moment le plus fort de la vie de Will Rudolph. Quelqu'un savait qui il était. Quelqu'un avait percé son secret.

— N'aie pas peur. Je sais également que la police ne pourra jamais prouver que tu as commis ces meurtres. Tu as commis des crimes parfaits. Enfin, disons, presque parfaits. Félicitations.

Sans se démonter, Rudolph avait ri au visage de son accusateur :

— Vous êtes complètement fou. J'aimerais que vous sortiez d'ici tout de suite. C'est la chose la plus insensée que j'aie jamais entendue.

— Oui, c'est vrai, avait répondu l'inconnu, mais depuis toujours tu rêvais de l'entendre... Et je vais t'apprendre autre chose qui te fera plaisir : je comprends ce que tu as fait et pourquoi tu l'as fait. Je l'ai fait moi-même. Nous avons beaucoup de points communs, Will.

Instantanément, Rudolph avait senti passer entre eux un courant d'une formidable puissance. C'était la première vraie relation humaine de sa vie. Peut-être était-ce ce qu'on appelait l'amour? Les gens ordinaires ressentaient-ils des émotions plus fortes ou étaient-ils simplement victimes de leurs illusions, s'inventant de grandioses fantasmes romantiques autour de ce qui n'était qu'un banal échange de liquides séminaux?

Il parvint à destination sans même s'en rendre compte. Il arrêta la voiture sous la haute ramure d'un vieil orme et éteignit les feux. Devant le domicile de Kate McTiernan, dans la véranda, il y avait deux hommes.

L'un d'eux était Alex Cross.

91

Il était un peu plus de dix heures. Accompagné de Sampson, je suivais une petite route sinueuse et mal éclairée aux abords de Chapel Hill. Nous sortions d'une longue et harassante journée.

En début de soirée, j'avais emmené Sampson voir Seth Samuel Taylor et nous nous étions également entretenus avec l'un des anciens profs de Seth, le Dr Louis Freed. J'avais parlé au Dr Freed de mon histoire de « maison fantôme » et il avait accepté d'effectuer d'importantes recherches pour m'aider à localiser l'endroit.

Je n'avais pas encore beaucoup parlé de Kate McTiernan à Sampson, mais il était temps de faire les présentations. Je ne savais pas exactement où en était notre amitié, et Kate non plus. Après l'avoir rencontrée, Sampson pourrait sans aucun doute m'apporter quelques réflexions enrichissantes.

— Tu travailles aussi tard tous les soirs ? m'a-t-il demandé alors que nous descendions la rue où habitait Kate, qu'elle appelait la rue des Vieilles Dames.

— Jusqu'à ce que j'aie trouvé Scootchie ou renoncé à le faire. Ensuite, je m'offrirai toute une nuit de sommeil.

— Espèce de malade, m'a-t-il fait en ricanant.

On est sortis de la voiture, on est allés jusqu'à la porte, j'ai sonné.

— T'as pas la clé ? me dit-il, pince-sans-rire.

Kate nous a allumé la lampe extérieure. Je me demandais pourquoi elle ne la laissait pas fonctionner en permanence. Pour économiser cinq *cents* par mois ? Parce que ça attirait les insectes ? Parce qu'elle était bouchée et qu'elle tenait à s'offrir une deuxième passe d'armes avec Casanova ? Connaissant Kate comme je commençais à la connaître, la dernière hypothèse était la plus probable. Elle voulait autant que moi la peau de Casanova.

Elle est descendue nous ouvrir vêtue d'un vieux sweatshirt gris et d'un jean élimé et troué. Les ongles de ses pieds nus brillaient d'un joli vernis rouge, et elle s'était fait couper les cheveux à hauteur d'épaules. Indiscutablement, elle était très belle.

— C'est la fête aux moustiques, ici, commenta-t-elle en jetant un coup d'œil à la véranda.

Elle me prit dans ses bras, m'embrassa sur la joue. Je pensais à nos chastes étreintes, la nuit d'avant. Où tout cela allait-il nous mener ? Fallait-il que ça nous mène quelque part ?

— Salut, John Sampson, lui dit-elle en lui serrant la main d'un grand geste. Je sais quelques petites choses sur vous, depuis que vous vous êtes rencontrés à l'âge de dix ans. Vous pourrez me raconter le reste devant une ou deux bières bien fraîches. Vous me donnerez votre version.

Et un grand sourire se dessina sur son visage. Etre face à l'un de ses sourires était toujours une expérience très agréable.

— C'est donc vous, la fameuse Kate.

En lui tenant la main, Sampson plongea son regard dans ses immenses yeux marron :

— Je me suis laissé dire que vous avez payé vos études de médecine en travaillant dans un relais routier, ou une histoire invraisemblable de ce genre. Et que vous êtes également ceinture noire de karaté. Deuxième dan.

Il esquissa un sourire et s'inclina respectueusement. Elle lui rendit sa révérence.

— Allez, entrez vous mettre à l'abri de ces implacables insectes et de cette infernale chaleur. J'ai comme l'impression qu'Alex a raconté des choses sur nous. On va le lui faire payer. Je propose qu'on se ligue contre lui.

— C'est Kate, j'ai chuchoté à Sampson en lui emboîtant le pas. Ton opinion ?

Il s'est retourné :

— Pour une raison qui me dépasse, elle t'aime bien. Moi aussi, elle m'aime bien, mais ça, c'est assez logique.

On s'est installés dans la cuisine et on s'est mis à bavarder gentiment, en toute décontraction, comme c'était toujours le cas avec elle. Sampson et moi buvions de la bière ; elle s'est servi plusieurs thés glacés. On voyait que Kate et

Sampson s'aimaient bien, ce qui n'avait rien de surprenant. Tous deux étaient des esprits libres, très intelligents et d'une grande générosité.

J'ai raconté à Kate notre dernière journée d'enquête et notre décevante entrevue avec Ruskin et Sikes; elle nous a parlé de sa journée à l'hôpital, en citant par cœur certaines des notes qu'elle avait prises hors service.

— On dirait qu'outre la ceinture noire, vous disposez d'une mémoire extrêmement précise, lui dit Sampson en levant ses sourcils grands comme des boomerangs. Je comprends que le docteur Alex soit si impressionné.

— Ah bon? (Elle m'a regardé.) Tu ne m'avais jamais dit ça...

— Crois-moi si tu veux, ai-je lancé à Sampson, mais Kate souffre d'une carence d'égoïsme. Une maladie très, très rare en cette fin de siècle. C'est sans doute parce qu'elle lit trop de livres au lieu de regarder la télé.

— Il est très mal élevé de juger ses amis en public, m'a balancé Kate en me tapant sur le bras.

On a reparlé un peu de l'affaire. Du Dr Wick Sachs et de ses subterfuges. Des harems. Des masques. De la « maison fantôme » et de la dernière théorie que j'avais soumise au Dr Louis Freed.

— En vous attendant, nous dit Kate, pour me détendre, je lisais un bouquin. Une étude sur les pulsions sexuelles masculines, leur simplicité, leur force. L'auteur avance que l'homme moderne cherche à se couper de sa mère, de la maman cosmologique qui l'étouffe; que souvent, il voudrait être libre d'affirmer son identité de mâle, mais que la société contemporaine l'en empêche constamment. Des commentaires, messieurs?

— Un homme, c'est un homme. (Sampson exhiba ses grandes dents blanches.) Il y a du vrai dans tout cela. Au fond de nous-mêmes, nous sommes toujours des lions et des tigres. Mais je ne sais pas à quoi ressemble une maman cosmologique, je ne ferai donc aucune remarque sur cet aspect du livre.

— Et toi, Alex, m'a demandé Kate, tu en penses quoi? Tu es un tigre ou un lion?

— Il y a certaines choses, chez les hommes, que je n'ai

jamais aimées. Nous sommes effectivement incroyablement inhibés. D'où notre fadeur, notre manque d'assurance, notre tendance à toujours être sur la défensive. Rudolph et Sachs affirment leur masculinité de façon extrême ; ils refusent le carcan de la société, qu'il s'agisse des mœurs ou des lois.

— Bam ba-dam. (Sampson imitait, en tambourinant du bout des doigts, un indicatif de talk-show.)

— Ils sont persuadés d'être plus forts que tout le monde, avança Kate. En tout cas, Casanova l'est. Il se moque de nous tous, c'est vraiment un vicieux de première.

— Et c'est pour ça que je suis là, lui dit Sampson, pour l'attraper, le mettre en cage, et déposer cette cage bien cadenassée au sommet d'une montagne. D'ailleurs, je tiens à préciser qu'une fois dans la cage, il sera tout ce qu'il y a de plus mort.

Le temps a passé comme ça, à toute vitesse. Quand il a commencé à se faire tard, il a fallu partir. J'ai bien essayé de persuader Kate de passer la nuit à l'hôtel, mais comme chaque fois, elle n'a rien voulu savoir.

— Merci de te faire autant de souci pour moi, m'a-t-elle dit en nous raccompagnant dehors, mais je n'y tiens pas. Je ne peux pas le laisser me chasser hors de ma propre maison. Pas question. S'il revient, il aura affaire à moi.

— Alex a raison, pour l'hôtel, a renchéri Sampson de sa voix la plus douce, celle qu'il réserve aux amis.

Malgré cette double recommandation de la part de deux des flics les plus brillants du secteur, Kate a secoué la tête, et je savais qu'insister serait peine perdue.

— Non, non, je vous assure. Tout se passera très bien, je vous le promets.

Je n'ai pas demandé à Kate si je pouvais rester, mais j'en mourais d'envie. Je ne savais même pas si elle aurait eu envie que je reste. Sampson étant là, c'était un peu compliqué. J'imagine que j'aurais pu lui laisser ma voiture pour rentrer, mais il était déjà plus d'une heure et demie et nous avions tous besoin de sommeil, en fin de compte. Alors, Sampson et moi, nous sommes partis.

— Très sympa. Très intéressante. Très intelligente. Mais pas du tout ton genre. (Dans la bouche de Sampson, c'était un immense compliment.) Mon genre.

Au bout de la rue, je me suis retourné pour regarder la maison. Il faisait moins chaud ; Kate avait déjà éteint la lumière de la véranda. Elle était bornée, mais intelligente. Ce qui lui avait permis de faire médecine, de surmonter la mort de ceux et celles qu'elle aimait. Elle s'en sortirait, comme toujours.

De retour à l'hôtel, j'ai tout de même passé un petit coup de fil à Kyle Craig.

— Comment va notre cher Sachs ?

— Il se porte comme un charme. On l'a bordé, il va passer une très bonne nuit. Te bile pas.

92

Après le départ d'Alex et de Sampson, Kate s'assura à deux reprises que toutes les portes et fenêtres de son appartement étaient bien fermées. Sampson lui avait plu d'emblée. Il était immense et effrayant, sympa et effrayant, doux et effrayant. Et elle appréciait qu'Alex fût venu la voir avec son meilleur ami.

Tout en effectuant sa tournée pour vérifier qu'elle était bien à l'abri dans son petit nid, elle rêva à une autre vie loin de Chapel Hill, loin de toutes les horreurs qu'elle avait subies ici. « Mon Dieu, je vis dans un film digne de Hitchcock, songea-t-elle. Si Hitchcock avait vécu assez vieux pour stigmatiser la folie et l'ignominie des années quatre-vingt-dix »

Epuisée, elle alla enfin se coucher. Berk ! Il y avait des miettes de pain rassi ou de gâteau dans les draps. Elle n'avait pas fait son lit le matin.

D'ailleurs, elle n'avait pas fait grand-chose ces temps derniers, ce qui n'améliorait pas son humeur. Le rythme de travail qu'elle avait adopté initialement aurait dû lui permettre d'achever son année d'internat au printemps ; maintenant, elle n'était même plus sûre d'avoir fini à la fin de l'été.

Kate tira le drap sous son menton. Et on était début juin... Elle disjonctait complètement... Ses angoisses n'allaient pas disparaître tant que ce monstre de Casanova, elle le savait, rôderait dans les parages. Elle s'imagina en train de le tuer. Son seul et unique fantasme violent. Elle s'imagina se rendant chez Wick Sachs. Œil pour œil. Elle se rappela mot pour mot le passage du Livre de l'Exode. Sampson ne s'était pas trompé : elle avait une mémoire extrêmement précise.

Elle aurait préféré voir Alex rester, mais n'avait pas voulu le gêner devant Sampson. Elle avait envie de lui parler comme ils le faisaient d'habitude, et son absence lui pesait. Cette nuit, elle voulait être dans ses bras, et peut-être plus que cela. Peut-être était-elle prête à aller au-delà. A chaque nuit sa découverte.

Elle ne savait plus trop à quoi elle croyait, ni si elle croyait encore en quoi que ce fût. Depuis peu pourtant, elle priait... alors il devait bien lui rester un soupçon de foi. Des prières qu'elle avait apprises par cœur, mais des prières tout de même. Notre Père qui êtes aux cieux... Je vous salue Marie, pleine de grâce... Elle se demandait si beaucoup de gens faisaient comme elle. « Dieu, je suis ravie de penser que tu existes, finit-elle par murmurer. Et j'aimerais que tu sois ravi de penser que je suis revenue. »

Ses pensées ne cessaient de la ramener à Casanova, au Dr Wick Sachs, à la mystérieuse maison de l'horreur qui avait disparu sous ses yeux, aux pauvres femmes qui y étaient toujours séquestrées. Mais ces cauchemars terrifiants, incessants, faisaient désormais partie de son quotidien, et bientôt le sommeil la gagna.

Elle n'entendit pas Casanova pénétrer dans la maison.

93

Nique-tac, nique-tac.
Nique, nique et colegram.

Kate perçut un bruit. Un craquement dans le plancher de la chambre, sur la droite.

Un bruit infime... mais caractéristique.

Ce n'était pas son imagination qui lui jouait un tour, ce n'était pas un rêve. Elle sentit qu'il était de nouveau là, dans sa chambre.

« Oh, Seigneur, non, pas ça ! » songea-t-elle.

Il était dans sa chambre. Il était revenu. Comment croire qu'elle était en train de vivre une pareille horreur ?

Kate retint sa respiration jusqu'à ce que sa poitrine lui fît si mal qu'elle crut qu'elle allait s'enfoncer. Elle n'avait jamais cru sérieusement qu'il pourrait revenir.

Et maintenant, elle se rendait compte qu'elle avait commis une énorme erreur, la plus grosse erreur de sa vie. Mais avec un peu de chance, ce ne serait pas la dernière.

Qui était ce fou invraisemblable ? La haïssait-il au point de prendre tous les risques ? Ou au contraire, croyait-il l'aimer à la folie, pauvre malade qu'il était ?

Les nerfs à vif, elle s'assit au bord du lit et tendit l'oreille, prête à se ruer sur lui. Ça recommençait... un petit craquement, sur la droite.

Et là, enfin, elle distingua l'entière et sombre silhouette. Elle prit une profonde inspiration, faillit s'étrangler.

Il était là, ce salaud.

Telle une décharge électrique, un puissant flux de haine jaillit entre elle et lui. Leurs regards se croisèrent. Malgré la pénombre, les yeux de Casanova semblaient la transpercer comme des braises rougeoyantes. Des yeux qu'elle n'avait jamais oubliés.

Kate tenta de rouler sur le côté pour esquiver la première attaque.

Le coup fut aussi violent que rapide. Il n'avait rien perdu de son agilité. Kate sentit une lame de douleur lui cisailler l'épaule et le côté gauches.

Pourtant, elle ne fléchit pas. Forte de son entraînement au karaté, de sa légendaire ténacité et de cette farouche volonté de vivre qui commençait à faire partie de ses signes distinctifs, elle se leva d'un bond, prête au combat.

— Cette fois-ci, chuchota-t-elle, c'est toi qui as commis une erreur.

Elle aperçut de nouveau une silhouette se détachant sur une fenêtre éclairée par la lune. Saisie par un mélange d'effroi et de répulsion, le cœur sur le point de défaillir, elle allongea de toutes ses forces un coup qui l'atteignit au visage et entendit un craquement d'os horrible et merveilleux à la fois.

Un glapissement de douleur déchira l'air. Elle l'avait blessé!

« Remets ça, Kate. » Elle baissa la tête, se déplaça et frappa l'ombre en mouvement au niveau de l'estomac. Nouvelle plainte.

— Alors, ça te plaît? hurla Kate. Ça te plaît, dis?

Elle le tenait, et cette fois, c'était promis, elle n'allait pas le lâcher. Elle allait prendre Casanova toute seule. Il était mûr pour la capture. Mais avant, elle allait le faire souffrir un petit peu.

Elle frappa une nouvelle fois. Un coup rapproché, dense, rapide comme l'éclair, très violent, qui lui procura une satisfaction sans égale. Casanova vacillait en gémissant bruyamment.

Elle vit sa tête basculer en arrière, ses cheveux voler en tous sens. Elle voulait le contempler gisant à terre, inconscient peut-être. Puis elle allumerait la lumière. Et en profiterait, pourquoi pas? pour lui allonger encore quelques coups.

— Ça, c'était une petite tape amicale, lui annonça-t-elle. Rien qu'un avant-goût de ce qui t'attend.

Elle le regarda tituber devant ses pieds. Il était en train de tomber.

Wouf! Quelque chose, quelqu'un la frappa en plein dos. Le choc lui coupa le souffle. Comment avait-elle pu se laisser prendre par surprise? Son corps vibrait sous la douleur, comme si on lui avait tiré dessus.

Wouf!

Ça recommençait.

Ils étaient deux dans la pièce.

94

Hébétée de douleur, elle parvint néanmoins à conserver l'équilibre. Et vit enfin le deuxième homme. D'un geste brutal, il la frappa au front. Elle entendit un tintement métallique, sentit ses jambes se dérober sous elle. Ce fut comme si son corps entier se vaporisait. Et elle s'écrasa sur les lattes du plancher.

Au-dessus d'elle, deux voix floues. Celles des deux monstres qui se trouvaient dans sa chambre. Un cauchemar en stéréo.

— Tu ne devrais pas être ici.

Elle reconnut la voix de Casanova. Il s'adressait au second intrus. Le démon caché derrière la porte numéro deux. Le Dr Will Rudolph ?

— Si, s'il y a bien quelqu'un qui devrait être ici, c'est moi. Ce n'est pas moi qui ai un compte à régler avec cette connasse, je te signale. Je me fous complètement de cette fille, moi. Réfléchis un peu, fais fonctionner tes cellules grises.

— D'accord, d'accord, Will. Que veux-tu faire d'elle ? C'est ton show. C'est ce que tu veux, non ?

— Personnellement, j'aimerais la bouffer, un bout de sein après l'autre, répondit le Dr Will Rudolph. A moins que ce ne soit aller un peu loin ?

Ils se mirent à rire comme deux copains de bar. Kate sentait la réalité s'éloigner d'elle. Elle partait. Où allait-elle ?

Will Rudolph déclara qu'il lui avait acheté des fleurs, ce qui les fit tous deux énormément rire. Ils s'étaient remis à chasser ensemble et plus personne ne pouvait les arrêter. Le puissant mélange musqué de leurs odeurs masculines avait envahi la pièce.

Elle demeura longtemps consciente, luttant de toutes ses forces, car elle était têtue, volontaire et terriblement fière. Mais la nuit vint comme un vieux téléviseur dont le tube cathodique rend l'âme. Une image floue, un minuscule point de lumière, puis le noir. Ce fut aussi simple que cela, aussi prosaïque.

Lorsqu'ils eurent terminé, ils allumèrent les lampes de la chambre pour permettre à tous les admirateurs de Kate McTiernan de bien la voir une dernière fois.

Un bien joyeux massacre.

95

Je tremblais de tout mon corps, et je claquais même des dents. Il n'y a que huit kilomètres ou presque entre Durham et Chapel Hill, mais j'ai dû m'arrêter sur le boulevard par peur d'un accident.

Affalé sur mon siège, je regardais des milliards de particules et d'insectes ivres de lumière danser dans le halo des phares.

J'aspirais l'air à grandes goulées en tentant de retrouver mes esprits. Il était un peu plus de cinq heures du matin, et les oiseaux s'en donnaient déjà à cœur joie. J'ai plaqué mes mains sur mes oreilles pour ne plus entendre leurs chants. Sampson dormait toujours à son hôtel; je l'avais complètement oublié.

Kate n'avait jamais eu peur de Casanova. Jamais elle n'avait douté de sa capacité à se débrouiller seule, même à la suite de son enlèvement.

Je me sentais responsable de ce qui lui était arrivé, tout en sachant que c'était irraisonné et idiot. Au fil des dernières années, j'avais cessé de me comporter en enquêteur de police professionnel. C'était à la fois une bonne chose et un danger. Quand on ouvre la porte aux émotions, le Boulot nous apporte mille souffrances; c'est le moyen le plus sûr et le plus rapide de sombrer dans la dépression.

J'ai fini par reprendre la route, sans rouler trop vite. Quinze minutes plus tard, j'étais à Chapel Hill, devant la maison à façade de bois.

La « rue des Vieilles Dames », comme disait Kate. Je revoyais son visage, son beau et doux sourire, l'enthousiasme et la conviction avec lesquels elle défendait ce qu'elle aimait, j'entendais encore sa voix.

Moins de trois heures plus tôt, Sampson et moi étions dans cette même maison. J'avais les larmes aux yeux et dans ma tête, ce n'était plus qu'un concert de hurlements. J'allais devenir fou.

Je me souvenais d'une des dernières choses que Kate m'avait dites, j'entendais encore sa voix : « S'il revient, il aura affaire à moi. »

Les deux voies de la chaussée goudronnée étaient déjà entièrement encombrées de véhicules de patrouille noir et blanc, d'ambulances sinistres et de camions de la télé. Je n'en pouvais plus de voir ces déploiements lugubres. On aurait dit que la moitié de la ville de Chapel Hill s'était agglutinée sous les fenêtres de l'appartement de Kate.

Tous les visages paraissaient blêmes et inquiets dans la chiche lumière du petit jour. Chacun s'avouait bouleversé, révolté. On était dans une petite ville universitaire qui se voulait paisible et d'esprit libéral, havre de quiétude dans un monde trop pressé, chaotique et insensé. C'était ce qui avait incité la plupart des gens à venir habiter là, mais tout cela avait définitivement changé à cause de Casanova.

En tâtonnant un peu, j'ai retrouvé une paire de lunettes de soleil poussiéreuses et tachées qui traînaient depuis des mois sur la planche de bord. A l'origine, elles appartenaient à Sampson. Il les avait données à Damon pour lui permettre de jouer les durs si je lui cherchais des noises. Et aujourd'hui, celui qui avait besoin de jouer les durs, c'était moi.

96

Je me suis avancé vers la maison de Kate, les jambes molles. Je donnais peut-être l'impression d'être le type le plus mauvais du coin, mais j'avais le cœur lourd et incroyablement fragile.

Les photographes n'en finissaient plus de me tirer le portrait. Les flashes claquaient comme des échos de détonations assourdis. Des journalistes voulaient s'approcher de moi, mais je leur ai fait signe de rester à distance. Quelques-uns s'obstinaient. Très sérieusement, je les ai mis en garde :

— Vous me lâchez ! C'est pas le moment ! Pas maintenant !

Mais j'avais remarqué que journalistes et cameramen semblaient eux-mêmes abasourdis et choqués.

Sur les lieux de l'innommable et lâche agression, il y avait le FBI et la police locale. Les flics de Durham avaient débarqué en force. Nick Ruskin et Davey Sikes étaient présents. Regard noir de Sikes, qui avait l'air de se demander ce que je fichais là.

Kyle Craig était déjà à pied d'œuvre. Il m'avait lui-même appelé à l'hôtel pour m'annoncer la terrible nouvelle.

Il est venu vers moi, m'a pris par l'épaule, m'a chuchoté :

— Elle est dans un sale état, Alex, mais elle s'accroche toujours. Il faut vraiment qu'elle ait très, très envie de vivre. On va la sortir d'une minute à l'autre. Reste dehors avec moi. N'entre pas. Fais-moi confiance, d'accord ?

J'ai écouté parler Kyle et j'ai eu peur, un instant, de craquer devant toutes ces caméras et tous ces appareils photo, tous les gens que je ne connaissais pas et les quelques-uns que je connaissais. J'avais la tête et le cœur pris dans un tourbillon de folie. Finalement, j'ai quand même pénétré dans la maison et j'ai regardé tout ce que j'ai pu.

Il était revenu dans sa chambre... jusqu'ici.

Pourtant, quelque chose me perturbait... quelque chose ne cadrait pas avec ce que je savais. Quelque chose... mais quoi ?

L'équipe de réanimation du centre hospitalier Duke déposa Kate sur une civière spéciale, comme celles qu'on réserve aux victimes de lésions vertébrales ou de traumatismes crâniens graves. Je ne crois pas avoir jamais vu quelqu'un transporté avec autant d'infinies précautions, aussi tragiques qu'aient pu être les circonstances du drame. Les infirmiers l'ont emportée, le visage livide, et un grand silence s'est abattu sur la foule des badauds à l'apparition du cortège.

— On l'emmène au centre hospitalier Duke. Les types de la fac vont te dire qu'il vaudrait mieux qu'elle soit chez eux[1], mais c'est ce qu'il y a de mieux dans cet Etat.

Kyle s'efforçait de me rassurer avec son côté très calme, très terre-à-terre et, chose surprenante, il y parvenait assez bien.

« Il y a quelque chose d'anormal... me répétais-je. Quelque chose ne colle pas... Réfléchis, essaie de te concentrer, ça pourrait être important... » Mais j'étais incapable d'ordonner mes pensées. Il était encore trop tôt.

— Et Wick Sachs? ai-je demandé à Kyle.

— Il est rentré chez lui avant dix heures. Il y est toujours... Bon, on n'est pas sûrs à cent pour cent qu'il n'a pas mis les pieds dehors. Il peut s'être éclipsé sans qu'on l'ait vu, il a peut-être une sortie dérobée, mais ça m'étonnerait.

Je me suis détaché de Kyle Craig pour rejoindre l'un des toubibs en blouse blanche de l'université de Duke, près de l'ambulance. Autour de nous, les flashes ne cessaient de crépiter. Les larves de la presse remplissaient leur mission : prendre sur les lieux du drame des centaines de clichés « mémorables ».

— Je peux l'accompagner?

Très lentement, le médecin a secoué la tête :

— Non, monsieur. (On aurait dit qu'il parlait au ralenti.) Non, monsieur, seule la famille est autorisée à monter dans le fourgon. Je suis navré, docteur Cross.

— Pour l'instant, sa famille, c'est moi.

Je l'ai écarté et je suis monté à l'arrière de l'ambulance.

---

1. Bien que portant le nom d'un même bienfaiteur, le centre médical et l'hôpital universitaire sont des établissements concurrents. (N.d.T.)

Il n'a pas essayé de m'en empêcher. De toute manière, il n'y serait pas parvenu.

Prostré, j'ai vu Kate allongée dans l'espace exigu du véhicule, au milieu des moniteurs et autres matériels de réanimation, terrorisé à l'idée qu'elle eût pu mourir au moment où je grimpais à bord ou pendant son transport en civière.

Je me suis assis à côté d'elle et je lui ai juste pris le bout des doigts, en lui chuchotant :

— Kate, c'est moi, Alex. Je suis venu pour toi. Sois forte. Je sais que tu l'es toujours, mais sois forte maintenant.

Le toubib que je venais de voir a pris place près de moi. Il m'avait exposé le règlement sans chercher à l'appliquer. Dr B. Stringer, services de secours et de réanimation de l'université de Duke, disait le badge. Je lui devais beaucoup.

— Pouvez-vous me dire quelles sont ses chances ? lui ai-je demandé quand le fourgon, lentement, s'est éloigné de cet endroit de cauchemar.

— Malheureusement, c'est une question à laquelle je peux difficilement répondre. (Voix basse, très respectueuse.) Elle souffre de contusions et fractures multiples, dont certaines ouvertes. Les deux pommettes sont brisées. Il y a peut-être des lésions cervicales. Elle a dû faire la morte. Oui, elle a eu assez de présence d'esprit pour tromper son agresseur.

Le visage boursouflé et lacéré, Kate était à peine reconnaissable. Le reste de son corps, je le savais, ne valait guère mieux. Pendant que l'ambulance fonçait vers le centre hospitalier, je suis resté accroché à sa main. Elle avait eu assez de présence d'esprit pour tromper son agresseur ? Certes, c'était du Kate tout craché. Et pourtant, je m'interrogeais...

Autre chose me travaillait. Une idée qui m'était venue subitement, en sortant de la maison. Je croyais savoir ce qui n'allait pas dans la chambre de Kate...

Will Rudolph était passé par là. Le Gentleman avait participé à l'agression, forcément. C'était son style. Une violence inouïe, sans mesure. Frénétique.

Peu de traces de Casanova. Pas d'éléments artistiques. Et pourtant, on avait fait preuve d'une violence extraordinaire... Ils s'étaient jumelés ! Les deux monstres avaient fusionné pour n'en faire qu'un. Rudolph était peut-être jaloux de Kate parce que Casanova l'avait aimée. Sa vision déformée de la réalité l'incitait peut-être à considérer que Kate faisait obstacle à leur union. Peut-être avaient-ils volontairement laissé Kate en vie, sachant qu'elle passerait le restant de ses jours réduite à l'état de légume.

Tout laissait croire que désormais, ils travaillaient de concert. Il y avait maintenant deux hommes à retrouver et à arrêter.

97

Le lendemain matin, de bonne heure, le FBI et la police de Durham décidèrent d'interpeller le Dr Wick Sachs pour interrogatoire. Un tournant crucial dans notre longue enquête.

On fit venir par avion, de Virginie, un enquêteur spécialisé chargé d'orchestrer cet exercice particulièrement délicat. C'était l'un des meilleurs éléments du FBI, un agent du nom de James Heekin. Il passa presque toute la matinée à interroger Sachs.

Aux côtés de Sampson, de Kyle Craig et des inspecteurs Nick Ruskin et Davey Sikes, j'ai assisté à l'interrogatoire à l'hôtel de police de Durham, derrière un miroir sans tain. Je me faisais l'effet d'un homme mourant de faim, le nez écrasé contre la vitrine d'un restaurant de luxe. Mais à l'intérieur, on ne servait pas à manger.

Le spécialiste du FBI était compétent, patient à l'extrême et aussi brillant qu'un grand procureur, mais Wick Sachs n'avait rien à lui envier. S'exprimant avec une parfaite aisance, ne se départissant jamais de son calme même sous le feu roulant des questions, il se permettait même d'afficher une certaine arrogance.

— Cet enfoiré va finir par tomber, lâcha Davey Sikes, rompant ainsi le silence qui régnait dans la salle d'observation.

Je me réjouissais de voir qu'au moins, Ruskin et lui prenaient cette affaire à cœur. D'une certaine façon, je compatissais, car en qualité d'inspecteurs de police dépendant de Durham, ils avaient dû souvent se contenter d'assister à l'enquête.

Autour du distributeur de café, j'ai demandé à Nick Ruskin :

— Qu'avez-vous sur Sachs ? Si vous me cachez des informations, dites-le-moi.

— On l'a amené ici parce que notre patron est un con. Pour l'instant, on n'a rien sur Sachs.

Je ne savais trop si je pouvais me fier à Ruskin, pas plus qu'aux autres types travaillant sur cette enquête.

Au terme d'un échange verbal très tendu de près de deux heures, l'agent Heekin dut se contenter d'un maigre butin. Sachs collectionnait les objets érotiques et avait eu des relations avec des étudiantes et professeurs consentantes au cours des onze dernières années, mais nous n'en savions pas beaucoup plus.

Même si je tenais absolument à le faire coffrer, je comprenais mal pour quelles raisons on l'avait interpellé maintenant, et non à un autre moment...

Une partie de la réponse me fut fournie par Kyle au cours de la matinée :

— On sait maintenant d'où vient tout son pognon. Il est propriétaire d'une agence d'*escort girls* sur Raleigh et Durham. Un service baptisé Kissmet, nom plutôt intéressant, et figure dans la rubrique « défilé de lingerie » des Pages jaunes. Notre Dr Sachs va déjà devoir s'expliquer avec le fisc. Washington a décidé qu'il fallait qu'on lui mette la pression tout de suite ; ils ont peur qu'il se tire.

— Je ne partage pas l'avis de tes copains de Washington, lui ai-je répondu.

Je savais que certains agents appelaient leur QG Disneyland Est et maintenant, je comprenais pourquoi. Ces imbéciles étaient capables de foutre toute l'enquête en l'air, et ce à distance.

— Tu peux me dire qui partage l'avis de mes copains de Washington? m'a fait Kyle en haussant ses larges épaules osseuses. (Une manière d'admettre qu'il ne maîtrisait plus totalement l'affaire. Elle avait pris trop d'ampleur.) Au fait, des nouvelles de Kate McTiernan?

J'avais déjà eu le centre hospitalier Duke trois fois au bout du fil depuis le debut de la matinée. On savait où me joindre si jamais son état empirait.

— Elle est toujours entre la vie et la mort, mais elle s'accroche.

Ce matin-là, juste avant onze heures, j'ai pu m'entretenir avec Wick Sachs. Une concession de Kyle.

Avant de me retrouver dans la même pièce que Sachs, j'ai tout fait pour évacuer Kate de mon esprit, mais rien n'y faisait. J'étais incapable d'apaiser la colère qui bouillonnait en moi. Parviendrais-je à me maîtriser? Je ne savais pas si j'y tenais encore...

Juste avant que j'entre, Sampson m'a retenu par le bras :

— Alex, laisse-le-moi, celui-là. Laisse-moi y aller.

Je me suis dégagé. Pour rien au monde je n'aurais manqué mon rendez-vous avec Wick Sachs.

— Je vais me le payer.

98

— Bonjour, docteur Sachs.

Dans la petite salle d'interrogatoire, la lumière était encore plus vive, plus agressive qu'il n'y avait paru de l'autre côté du miroir sans tain. Sachs, les yeux rougis, était mani-

festement aussi tendu que moi. Sa peau donnait l'impression
d'avoir été étirée à l'extrême sur son crâne. Ce qui ne l'a pas
empêché de m'affronter avec une assurance et un aplomb
intacts.

Ces yeux étaient-ils ceux de Casanova ? Cet homme pouvait-il être le monstre que nous traquions ?

— Je m'appelle Alex Cross, ai-je commencé en m'affa-
lant sur une chaise métallique visiblement proche de la
retraite. Naomi Cross est ma nièce.

Sachs me répondit d'une voix un peu traînante, les dents
serrées. Selon Kate, Casanova n'avait pas le moindre accent.

— Je sais très bien qui vous êtes. J'ai lu la presse, docteur Cross. Je ne connais pas votre nièce. J'ai lu qu'on l'avait
enlevée.

J'ai acquiescé.

— Si vous avez lu la presse, vous devez également être
au courant des exploits de ce déchet de l'humanité qui se fait
appeler Casanova.

Il m'a semblé voir un sourire suffisant se dessiner sur le
visage de Sachs. Ses yeux bleus débordaient de mépris. On
comprenait aisément le peu de sympathie qu'il inspirait à ses
collègues universitaires. Et ces cheveux blonds, dont pas un
ne dépassait, soigneusement plaqués en arrière, ces lunettes
à monture de corne qui accentuaient son style impérieux et
condescendant.

— Jamais on ne m'a reproché le moindre acte de violence. Il est impensable que j'aie pu commettre ces meurtres
odieux, je ne suis même pas capable de tuer les cafards qui
se baladent chez moi. Mon allergie à la violence est bien
connue.

« Je n'en doute pas, me disais-je. Belle façade, hein ?
Belle couverture... Une femme qui t'est toute dévouée, une
nounou, deux enfants et, comme chacun sait, évidemment,
une sainte horreur de la violence. »

Je me suis frotté le visage des deux mains, en luttant de
toutes mes forces contre l'envie de le frapper. Lui, toujours
aussi hautain, restait dans sa tour d'ivoire.

Je me suis penché sur la table, et lui ai murmuré :

— J'ai eu l'occasion de jeter un coup d'œil sur votre collection de livres érotiques. J'ai visité votre sous-sol, docteur

Sachs. Et question perversités et violences sexuelles, on a l'embarras du choix. Hommes, femmes ou enfants soumis à des traitements avilissants. Pas de quoi, sans doute, vous reprocher des « actes de violence », mais je pense que cela nous éclaire sur ce qu'est votre véritable personnalité.

D'un geste de la main, Sachs s'est empressé de balayer mes arguments.

— Je suis un philosophe et un sociologue réputé. Oui, c'est vrai, j'étudie l'érotisme, comme vous, vous étudiez les comportements criminels. Je ne souffre pas de démence libertine, docteur Cross. Ma collection érotique me permet de comprendre l'évolution des fantasmes dans la culture occidentale, l'aggravation du conflit homme-femme. (Il haussait le ton.) De surcroît, je n'ai pas à justifier devant vous de faits qui ne concernent que ma vie privée. Je n'ai enfreint aucune loi, je suis venu ici de mon plein gré. Vous, en revanche, vous avez pénétré chez moi sans mandat de perquisition.

J'ai tenté de désarçonner Sachs en changeant de sujet :

— Comment expliquez-vous votre succès auprès des jeunes femmes ? Nous savons déjà que vous avez eu des relations sexuelles avec de nombreuses étudiantes qui avaient dix-huit, dix-neuf ou vingt ans. Et ces jolies jeunes filles que vous séduisez sont parfois vos propres élèves. Cela, nous pouvons le prouver sans peine.

L'espace d'un instant, sa colère affleura, puis il se reprit et, chose curieuse et sans doute très révélatrice, démontra qu'il lui fallait toujours être la vedette du spectacle, jouer de son pouvoir et de son influence, même sur moi qui à ses yeux ne représentais rien :

— Comment j'explique mon succès auprès des femmes, docteur Cross ?

Sachs sourit en faisant glisser sa langue sur ses dents. Le message était subtil, clair : il me faisait comprendre qu'il savait comment exercer sur la plupart des femmes un ascendant sexuel.

Il continuait de sourire. Le sourire obscène d'un homme obscène.

— Bien des femmes souhaitent être libérées de leurs inhibitions sexuelles, notamment les femmes jeunes, les

femmes modernes que l'on rencontre sur les campus. Je les
libère. J'en libère autant que je peux.

Là, n'y tenant plus, en une fraction de seconde, j'ai volé
par-dessus la table. La chaise de Sachs a basculé et j'ai
atterri sur lui. Je l'ai entendu éructer un grognement de douleur.

Je l'écrasais de tout mon poids, bras et jambes trem-
blants. Je retenais mon poing, prêt à cogner. Je me suis alors
rendu compte qu'il était absolument incapable de me résister. Il ne savait pas se défendre. Il n'était ni fort, ni athlétique.

En un clin d'œil, Nick Ruskin et Davey Sikes ont surgi
dans la salle d'interrogatoire, talonnés par Sampson, pour
me maîtriser.

Mais en fait, c'est moi qui ai lâché Wick Sachs. Je ne
l'avais pas frappé et je ne voulais pas le faire. J'ai juste chuchoté à Sampson :

— Il n'a aucune force physique. Casanova, lui, si. Ce
n'est pas lui, le monstre. Ce n'est pas Casanova.

99

Ce soir-là, avec Sampson, on s'est offert un bon restaurant, à Durham, qui s'appelait ironiquement Nana's.

Aucun de nous deux n'avait particulièrement faim, ce
qui fait que nous avons à peine touché à nos entrecôtes
géantes garnies d'échalotes et accompagnées d'une montagne de purée à l'ail. Notre partie avec Casanova s'éternisait
et nous avions l'impression de revenir à la case départ.

On a parlé de Kate. Des responsables de l'hôpital
m'avaient signalé que son état demeurait critique. Si elle s'en

sortait, selon les médecins, elle risquait de ne jamais recouvrer tous ses moyens et de ne plus pouvoir exercer.

— Et vous deux, vous étiez plus que, disons, de simples amis? m'a demandé Sampson qui n'a pas son pareil pour tâter le terrain avec prudence lorsqu'il a décidé de se montrer diplomate.

J'ai secoué la tête :

— Non, John on était amis, point. Je pouvais lui parler de tout et d'une manière que j'avais un peu oubliée. Jamais je ne me suis senti aussi à l'aise, aussi vite, en face d'une femme, sauf avec Maria, peut-être.

Sampson m'écoutait tout déballer en hochant continuellement la tête. Il me connaissait bien, au présent comme au passé.

Nous étions encore en train de jouer avec les généreuses portions qui trônaient dans nos assiettes quand mon « bipeur » s'est manifesté. J'ai appelé Kyle Craig depuis le téléphone à pièces du rez-de-chaussée. Il était en route pour Hope Valley.

— On va arrêter Wick Sachs pour tous les meurtres signés Casanova, m'a-t-il annoncé.

J'ai failli lâcher le combiné.

— Vous allez faire quoi? j'ai hurlé, incrédule. C'est prévu pour quand? La décision a été prise quand? Et par qui?

Toujours aussi imperturbable, notre Kyle. L'Homme de Glace.

— On entre chez lui d'ici quelques minutes. Cette fois, c'est le chef de la police de Durham qui donne la partition. On a trouvé quelque chose dans la baraque. Une pièce à conviction. L'arrestation sera effectuée conjointement par le Bureau et la police de Durham. Je voulais que tu sois au courant, Alex.

— Ce n'est pas Casanova, ne le faites pas tomber. N'arrêtez pas Wick Sachs.

Je parlais trop fort et comme le téléphone se trouvait dans un petit passage menant aux toilettes, je m'attirais des regards mi-inquiets, mi-mauvais.

— Tout est déjà en route, m'a rétorqué Kyle, et je suis le premier à le regretter.

Sur quoi il a raccroché son téléphone de voiture. Fin de la discussion.

J'ai pris Sampson par le bras et on a filé vers la maison de Sachs, dans la banlieue de Durham. Après un instant de silence, l'Armoire à Glace m'a posé la question à soixante-quatre mille dollars :

— Est-il possible qu'ils aient réellement de quoi l'inculper sans que tu saches quoi que ce soit ?

Douloureuse question. Autrement dit, j'étais largué, et jusqu'à quel point ?

— Je ne pense pas que Kyle ait de quoi procéder à une arrestation dans l'immédiat. Il me l'aurait dit. Les flics de Durham ? Je ne sais pas où ils en sont. Ruskin et Sikes ont enquêté de leur côté et nous, à un moment, on a fait comme eux.

A notre arrivée à Hope Valley, je me suis aperçu que nous n'étions pas les seuls à avoir été convoqués. La paisible petite rue était barrée. Plusieurs camions et fourgonnettes de télévision se trouvaient déjà sur place, et je voyais des voitures de patrouille et les berlines banalisées du FBI garées dans tous les coins.

— Là, c'est vraiment la merde totale, a ricané Sampson en descendant. On dirait une fête de quartier. Dans le genre, je crois que ça dépasse tout ce que j'ai déjà vu.

— Et c'est comme ça depuis le début, ai-je renchéri. Un cauchemar multijuridictionnel.

Je tremblais comme un clodo en plein hiver dans les rues de Washington. J'avais pris coup sur coup, et plus rien ne me paraissait évident. Oui, j'étais largué, mais jusqu'à quel point ?

Me voyant arriver, Kyle Craig s'est avancé jusqu'à moi et m'a saisi vigoureusement le bras. J'avais le sentiment qu'il était prêt à faire barrage pour m'empêcher de passer.

— Je sais que tu es furax. Moi aussi, furent ses premiers mots, comme s'il voulait s'excuser, mais sa colère n'était pas simulée. On n'y est pour rien, Alex. Durham nous a court-circuités. C'est le chef de la police qui a pris personnellement la décision. Il y a dans cette affaire des pressions politiques jusqu'au Sénat. Ça sent tellement mauvais que j'ai envie de me coller un mouchoir sur le nez.

— Qu'ont-ils découvert dans la maison, lui ai-je demandé. Quelles pièces à conviction? Pas les livres de cul, tout de même?

Kyle secoua la tête:

— Des dessous féminins. Il avait un grand placard secret plein de vêtements, dont un tee-shirt de l'université de Caroline du Nord appartenant à Kate McTiernan. Casanova, apparemment, gardait des petits souvenirs, comme le Gentleman à L.A.

— Ce n'est pas son style. Il ne procède pas comme le Gentleman. Il séquestre les filles dans son repaire, et il y stocke une grande partie de leurs vêtements. Il est d'une prudence quasi obsessionnelle. C'est de la folie pure, Kyle. La solution de l'énigme est ailleurs et là, on est en train de se planter en beauté.

— Tu n'es pas sûr d'avoir raison et malheureusement, ce ne sont pas tes belles théories qui vont empêcher quoi que ce soit.

— Et si je te disais que c'est tout bonnement une question de logique et de bon sens?

— Je ne crois pas que ça suffise...

On s'est dirigés vers la véranda située à l'arrière de la demeure des Sachs. Des caméras de télévision se mettaient à ronronner et à pivoter dès que quelque chose bougeait. Le grand chapiteau du cirque médiatique était monté, et on s'acheminait vers un désastre de première grandeur.

— Ils ont fouillé la maison cet après-midi, me dit Kyle. Ils ont fait venir des chiens, des chiens de Géorgie spécialement entraînés.

— Pourquoi faire une chose pareille? Pourquoi justement maintenant? Merde...

— Quelqu'un leur a donné un tuyau qui paraissait solide. C'est en tout cas ce qu'ils m'ont dit. Moi aussi, Alex, je suis en dehors du coup, et ça ne me plaît pas plus qu'à toi.

J'avais du mal à voir plus loin que le bout de mes pieds; mon champ de vision s'était rétréci. Les effets du stress, et de la colère.

J'avais envie de crier, de hurler, d'apostropher quelqu'un. J'avais envie de flinguer les lampes de la véranda des Sachs.

— Et est-ce qu'ils t'ont dit quoi que ce soit sur cet informateur anonyme ? Bon Dieu, Kyle ! Un tuyau anonyme ! Putain, je rêve...

Wick Sachs était retenu en otage chez lui, dans sa somptueuse villa. La police de Durham tenait, semblait-il, à ce que les chaînes de télévision locales et nationales filment cet instant historique. La Caroline du Nord allait offrir aux caméras un grand show à la gloire des forces de l'ordre.

On avait appréhendé un homme qui n'était pas le coupable recherché, et on s'apprêtait à le jeter en pâture à tous les amateurs de faits divers.

100

J'ai tout de suite reconnu le chef de la police de Durham. La jeune quarantaine, avec son bon mètre quatre-vingts, sa mâchoire anguleuse et sa puissante carrure, Robby Hatfield ressemblait à un ancien joueur de foot professionnel. Dans un bref instant de folle paranoïa, je me suis demandé si ce n'était pas lui, Casanova. En tout cas, il avait le physique du rôle. En outre, le profil psy de Casanova lui allait parfaitement.

Les inspecteurs Sikes et Ruskin flanquaient le prisonnier, le Dr Wick Sachs. J'avais reconnu d'autres enquêteurs des services de police de Durham. On lisait sur les visages beaucoup de jubilation et un certain soulagement, mais tous manifestaient une grande nervosité. On aurait dit que Sachs s'était douché tout habillé. Il avait l'air coupable.

« Es-tu Casanova ? Tu serais tout de même la Bête ? Si oui, j'aimerais bien savoir ce que tu es en train de manigancer... » Cent fois j'ai eu envie de poser ces questions à Sachs, mais je n'ai pas osé.

Dans l'entrée, ça se bousculait. Nick Ruskin et Davey Sikes plaisantaient avec leurs collègues. Les deux inspecteurs me faisaient penser à deux, trois joueurs de football pro que j'avais connus à Washington. La plupart d'entre eux aimaient être sous les projecteurs et certains ne vivaient que pour ça. Dans leur ensemble, les flics de Durham donnaient l'impression d'obéir aux mêmes motivations.

Les cheveux de Ruskin, luisants de gel et plaqués en arrière sur son crâne, en disaient long. Ruskin et Sikes étaient prêts à affronter les caméras. J'avais envie de leur dire : « Vous feriez mieux de vous pencher sur la liste des médecins suspects, mes deux rigolos. Cette histoire n'est pas terminée ! Au contraire, c'est maintenant qu'elle commence. Le véritable Casanova est en train de vous applaudir. Il vous observe peut-être depuis la foule. »

Je me suis rapproché de Wick Sachs. Il fallait que je voie tout, que je sente tout. Que je regarde et que j'écoute. Que je tente de comprendre.

La femme et les deux magnifiques enfants de Sachs étaient retenus dans la salle à manger contiguë au vestibule. Visiblement meurtris, très tristes et bouleversés, ils savaient eux aussi que quelque chose n'allait pas. La famille Sachs n'avait pas l'air coupable.

Le chef Robby Hatfield et Davey Sikes finirent par m'apercevoir. Sikes me faisait l'impression d'être le chien favori du chef ; il « pointait » vers moi comme si j'étais un gibier à plumes.

— Docteur Cross, merci pour toute l'aide que vous nous avez apportée dans cette affaire.

A l'heure de son triomphe, le chef Hatfield se montrait magnanime. J'avais oublié que c'était moi qui avais rapporté la photo de Sachs du domicile du Gentleman, à Los Angeles. Superbe travail d'enquête... J'avais comme par miracle découvert l'indice qui arrangeait tout le monde, ou presque.

Tout cela n'était qu'une énorme erreur. Ça sentait l'erreur, ça suintait l'erreur. C'était un gigantesque coup monté, qui fonctionnait à merveille. En ce moment même, Casanova s'échappait. Jamais on ne le capturerait.

Quand le chef de la police de Durham m'a enfin tendu la main, je l'ai prise et l'ai serrée longuement.

Je crois qu'il a eu peur que je sorte avec lui devant les caméras. Jusqu'à présent, Robby Hatfield s'était cantonné dans son rôle d'administrateur, mais maintenant, lui et ses inspecteurs vedettes allaient exhiber Wick Sachs devant une horde de journalistes affamés. Un grand moment d'émotion par une nuit de pleine lune, sous le tir croisé des projecteurs. Il ne manquait plus que les aboiements des chiens prêts à la curée.

En le regardant droit dans les yeux, je lui ai dit :

— Je sais que c'est moi qui vous ai aidé à le trouver, mais ce n'est pas Wick Sachs qui a commis les meurtres. L'homme que vous êtes en train d'arrêter n'est pas le bon. Si vous me laissez dix minutes, je vais tout vous expliquer.

Pour toute réponse, j'ai récolté un sourire condescendant. L'œil brillant, comme s'il avait abusé de certaines substances interdites, le chef Hatfield s'est détaché de moi pour se diriger vers la porte.

Son numéro devant les caméras fut superbe, mais il était tellement obnubilé par sa propre prestation qu'il faillit en oublier de parler de Sachs.

« Celui qui a téléphoné pour révéler aux enquêteurs l'existence de cette collection de sous-vêtements féminins est forcément Casanova », me disais-je. Je commençais à me rapprocher de la bonne piste. Casanova était derrière tout cela.

J'ai vu passer le Dr Wick Sachs lorsqu'on l'a emmené dehors. Il portait une chemise de coton blanche et un pantalon noir, mais ses élégants vêtements étaient trempés de sueur. Il devait également nager dans ses mocassins noirs à boucle d'or. On lui avait menotté les mains dans le dos, et son arrogance n'était plus qu'un vieux souvenir.

— Je n'ai rien fait, me souffla-t-il d'une voix étranglée, le regard implorant.

Lui non plus n'y croyait pas. Puis il ajouta ces mots pathétiques entre tous :

— Je ne fais pas de mal aux femmes. Je les aime.

Sur le pas de la porte, une idée folle, vertigineuse m'a cloué sur place, comme si je me figeais au beau milieu d'un saut périlleux. Le temps venait de s'arrêter. Casanova, c'est lui ! compris-je soudain.

Wick Sachs était le modèle, l'homme qu'ils avaient choisi pour incarner le rôle de Casanova. Un plan que les deux monstres avaient mis au point dès le début. Pour commettre leurs crimes parfaits et s'adonner à leurs expériences sadiques, ils avaient engagé une doublure — à son insu.

Le Dr Wick Sachs était bien Casanova, mais pas l'un des monstres. Il n'était qu'un homme de paille, ignorant tout du véritable « collectionneur ». Une victime de plus.

101

— Je suis le Gentleman, annonça Will Rudolph en exécutant une courbette très théâtrale.

Il portait une tenue de soirée élégante, avait noué ses cheveux en catogan. Pour cette occasion très spéciale, il avait acheté des roses blanches.

— Quant à moi, mesdames, vous me connaissez déjà, fit Casanova à ses côtés.

Le contraste avec son associé était saisissant. Jean noir serré, santiags noires, pas de chemise, un ventre dur comme une planche à laver et un masque de terreur, noir, zébré de larges stries grises peintes à la main.

Au fil des présentations, les jeunes femmes défilèrent dans le séjour et s'alignèrent devant une longue table.

On les avait informées au cours de la journée qu'elles allaient participer à une fête tout à fait spéciale. « Ce malade de Casanova a enfin été arrêté », leur avait expliqué Casanova. « La presse ne parle que de ça. Il s'agissait en fait d'un universitaire extrêmement perturbé. A qui peut-on se fier, de nos jours ? »

On leur avait demandé de porter leurs plus beaux vêtements de soirée, ceux qu'elles auraient choisi pour une grande occasion. Robes aux décolletés plongeants, souliers à talons hauts, bas, perles ou boucles d'oreilles, à l'exclusion de tout autre bijou. Elles devaient être « élégantes ».

— Je ne vois ici que sept jolies jeunes femmes, souligna Rudolph tandis que les prisonnières se mettaient en place. Tu es trop exigeant, tu sais. Le vrai Casanova était un amant vorace, mais pas difficile pour un sou.

— Tu admettras que ces sept-là sont extraordinaires, répondit Casanova à son ami. Ma collection est un chef-d'œuvre ; il n'y en a pas de plus belle au monde.

— Entièrement d'accord avec toi, lui répondit le Gentleman. De vrais tableaux de maître. Si nous commencions ?

Ils étaient convenus de jouer à un vieux classique, le « sept magique ». Avant, il y avait déjà eu le « quatre magique », le « onze magique », le « deux magique ». C'était en fait le Gentleman qui menait le jeu, c'était sa soirée. Peut-être la dernière soirée que tous deux allaient s'offrir dans cette maison.

Lentement, ils remontèrent la file de réception. Melissa Stanfield eut l'honneur du premier entretien. Elle portait une robe-fourreau de soie rouge et avait réuni sa longue chevelure blonde en chignon, sur le côté. Casanova lui trouvait un côté Grace Kelly jeune.

— Vous êtes-vous réservée pour moi ? demanda le Gentleman.

Melissa esquissa un sourire :

— Il y a longtemps que je réserve mon cœur à quelqu'un.

Cette fine réponse amusa Will Rudolph. Du dos de la main, il caressa la joue de la jeune femme, puis descendit lentement le long de sa gorge et s'attarda sur ses seins fermes. Elle se soumit sans montrer la moindre peur, la moindre répulsion. Cela faisait partie des règles à observer lorsqu'ils jouaient.

— Vous êtes très, très bonne à ce petit jeu, lui dit-il. Vous êtes une joueuse intéressante, Melissa.

Naomi était la suivante. Elle portait une robe de cocktail ivoire. Très chic. A un bal de cabinet d'avocats de Washington, elle aurait été la belle de la soirée. L'odeur de son parfum faisait tourner la tête de Casanova. Il avait d'ailleurs songé à interdire au Gentleman d'y toucher. Après tout, il ne portait pas vraiment son oncle, Alex Cross, dans son cœur.

— Nous pourrions revenir rendre visite à Naomi, fit le Gentleman en lui baisant délicatement la main. Enchanté.

Il poursuivit son chemin en opinant du chef, puis s'arrêta devant la sixième jeune femme de la rangée. Il tourna la tête pour jeter un coup d'œil à la dernière captive, puis son regard revint se fixer sur sa voisine.

— Vous, je vous trouve un charme particulier, lui dit-il à mi-voix, presque timide. Extraordinaire, à vrai dire.

— Je te présente Christa, glissa Casanova avec un sourire entendu.

— Christa sort avec moi ce soir, s'exclama le Gentleman avec enthousiasme.

Son choix était fait. Casanova lui avait offert un cadeau dont il pouvait jouir à sa guise.

Christa Akers voulut sourire, comme l'exigeait le règlement, mais elle n'y parvint pas. Le Gentleman avait décelé dans ses yeux une délicieuse lueur de peur, et c'était ce qui lui avait plu.

Il était prêt à jouer à *tomber les filles*.

Une dernière fois.

Cinquième partie

ET TOMBENT LES FILLES

102

Au lendemain de l'arrestation du Dr Wick Sachs, Casanova déambula dans les couloirs du centre hospitalier Duke et, très calmement, pénétra dans la chambre individuelle de Kate McTiernan.

Désormais, il pouvait aller où bon lui semblait. Il avait recouvré sa liberté de mouvement.

— Bonjour, ma belle, lui souffla-t-il. Comment se porte-t-on ?

Elle était seule, mais la police de Durham avait laissé un fonctionnaire en surveillance à l'étage. Casanova s'assit sur la chaise à dossier droit, à côté du lit, et observa ce pitoyable corps brisé qui avait été, en d'autres temps, d'une si grande beauté.

D'ailleurs, il avait perdu toute animosité à l'égard de Kate. Ou plutôt de ce qu'il en restait... Il y a encore de la lumière, se dit-il en contemplant les yeux marron au regard vide, mais il n'y a plus personne à la maison, n'est-ce pas, Kate ? »

Il adorait venir dans sa chambre, à l'hôpital — ça lui donnait la pêche, ça l'excitait, ça le préparait mentalement à de grandes choses. Le simple fait d'être assis à côté de son lit l'apaisait au plus haut point.

Ce qui n'était pas sans importance, car il avait des décisions à prendre. Comment, notamment, gérer la question du Dr Wick Sachs ? Fallait-il jeter encore quelques bûches dans le feu ou risquait-il de compromettre toute l'opération ?

Et bientôt, un autre choix délicat se présenterait à lui.

Rudolph et lui devaient-ils toujours quitter, comme prévu, le Triangle des Chercheurs ? Il n'y tenait pas du tout, car il était ici chez lui, mais peut-être était-ce indispensable. Et le problème de Will Rudolph, que la Californie avait manifestement perturbé ? Il avait pris du Valium, de l'Halcion et du Xanax, pour ne parler que de ce que Casanova savait. Tôt ou tard, il allait sans doute les faire plonger tous les deux... Et d'un autre côté, Casanova s'était senti tellement seul pendant l'absence de Rudolph. Comme si on l'avait amputé d'une moitié de lui-même.

Casanova entendit un bruit derrière lui, sur le pas de la porte. Il se retourna... et accueillit l'arrivant avec un sourire :

— J'allais partir, Alex, dit-il en se levant de la chaise. Ici, rien de nouveau. Quelle tristesse...

Alex Cross s'effaça pour le laisser passer.

« Je peux me fondre dans n'importe quel décor », songea Casanova en s'éloignant dans le couloir de l'hôpital. Jamais on ne le capturerait. Son masque était parfait.

103

J'avais trouvé au bar du Washington Duke Inn un beau piano droit ancien. Il devait être entre quatre et cinq heures du matin, et je jouais des airs de Big Joe Turner et de Blind Lemon Jefferson. Du blues, du pur, cent pour cent mélancolique, bougon, désabusé et cafardeux. Le personnel d'entretien de l'hôtel semblait vivement impressionné.

J'essayais de regrouper tout ce que je savais et je tournais en rond autour de trois ou quatre axes principaux, toujours les mêmes.

Des crimes parfaits, ici comme en Californie. Un tueur

familiarisé avec les procédures d'enquête sur les lieux du crime et d'analyse des indices.

Un jumelage entre deux monstres. Deux hommes liés l'un à l'autre d'une manière tout à fait rare.

La « maison fantôme » en pleine forêt. Une maison avait bel et bien disparu! Comment était-ce possible?

Casanova et son harem de femmes exceptionnelles et, plus encore, ses « rejets ».

Le Dr Wick Sachs, professeur d'université aux mœurs et aux activités douteuses, était-il pour autant un assassin tuant ses victimes de sang-froid, sans le moindre remords? Etait-il cette brute qui avait emprisonné une douzaine de jeunes femmes, voire davantage, quelque part entre Durham et Chapel Hill? Etait-il un nouveau marquis de Sade?

Je ne le pensais pas. J'avais la quasi-certitude que la police de Durham s'était trompée de coupable et que le véritable Casanova se trouvait quelque part dans les parages, en train de se moquer de nous. Ou, pire encore, qu'il se préparait à attaquer une autre femme.

Dans la matinée, comme tous les jours, je suis allé rendre visite à Kate, au centre hospitalier Duke. Toujours plongée dans un coma profond, elle demeurait dans un état critique. La police de Durham avait relevé l'agent chargé de monter la garde à la porte de sa chambre.

Je lui ai tenu compagnie en essayant de ne pas penser à la Kate que j'avais connue. Pendant une heure, je lui ai tenu la main en lui parlant doucement. Sa main était toute molle, presque sans vie. Kate me manquait tellement. Son absence de réaction creusait un gouffre brûlant au milieu de ma poitrine.

Puis j'ai dû partir. Il fallait que je m'immerge dans le boulot.

Après l'hôpital, Sampson et moi sommes allés chez Louis Freed, à Chapel Hill. J'avais demandé au Dr Freed de nous préparer une carte sur mesure de la Wykagil et ses environs.

Cet historien de soixante-dix-sept ans avait fait un travail remarquable. J'avais l'espoir que sa carte nous aiderait à localiser la « maison fantôme ». Une idée qui m'était venue après la lecture de plusieurs articles consacrés au double meurtre de 1981. Le cadavre de Roe Tierney avait été découvert « près d'une ferme abandonnée qui avait autrefois servi à cacher des esclaves en fuite. Les esclaves vivaient là dans d'immenses caves bâties comme de petites maisons souterraines, qui comprenaient parfois une douzaine de pièces ou compartiments ».

De petites maisons souterraines ?

La maison fantôme ?

Il y avait forcément une maison quelque part. Une maison, ça ne disparaît pas comme ça.

104

Sampson et moi sommes allés en voiture jusqu'à Brigadoon, Caroline du Nord. Nous avions l'intention de marcher à travers bois jusqu'à l'endroit où on avait retrouvé Kate dans la Wykagil. Ray Bradbury a écrit que « vivre dangereusement, c'est sauter d'une falaise et se fabriquer une paire d'ailes pendant la descente ». Sampson et moi allions bientôt sauter.

A mesure que nous nous enfoncions dans cette lugubre forêt, les immenses chênes et pins de Caroline montant à l'assaut du ciel étouffaient la lumière. Dans la torpeur de l'air, le chœur des cigales nous infligeait son chant obsédant.

J'imaginais, je voyais Kate s'enfuyant à travers ces mêmes bois glauques, quelques semaines plus tôt à peine, pour échapper à la mort. Puis j'ai songé à ce qu'elle était aujourd'hui, branchée sur un respirateur artificiel. Le cœur glacé, j'entendais encore le *woouch-clic*, *woouch-clic* de l'appareil.

— Je n'aime pas les forêts profondes, confessa Sampson comme nous passions sous une épaisse ombrelle de ramures et de lianes entrelacées. (Il portait un tee-shirt Cypress Hill, ses Ray-Ban, un jean et des brodequins.) Ça me fait penser à *Hansel et Gretel*. Un mélodrame de merde. Quand j'étais gosse, j'avais horreur de cette histoire.

— Tu n'as jamais été gosse, lui ai-je rappelé. A onze ans, tu faisais déjà un mètre quatre-vingts et tu avais déjà perfectionné ton fameux regard noir.

— Peut-être, mais je ne supportais pas les frères Grimm. La face cachée de l'âme allemande... on nous concocte des vilains contes pour déformer l'esprit des petits Allemands. Et je suis sûr que ça a marché.

Avec ses théories tordues sur notre monde tordu, Sampson avait trouvé le moyen de me redonner le sourire.

— Tu veux bien traverser les cités « craignos » de Washington en pleine nuit, et tu as peur d'une belle petite balade dans les bois ? Il n'y a rien de dangereux, ici. Des pins, de la vigne vierge, de la bruyère. Ça paraît peut-être sinistre, mais on ne risque rien.

— Quand ça paraît sinistre, c'est sinistre. C'est ma devise.

Sampson éprouvait les pires difficultés à faire passer son immense carcasse dans les épais fourrés bordant la forêt. Par endroits, le chèvrefeuille était si dense qu'il recouvrait le sol comme un véritable tapis. On aurait dit qu'il poussait déjà enchevêtré.

Je me demandais si Casanova pouvait nous épier. Je le soupçonnais d'être un observateur doté d'une extrême patience. Will Rudolph et lui étaient tous deux très rusés, très organisés et très prudents. Ils avaient des années d'expérience et ne s'étaient jamais fait prendre.

— Que sais-tu de l'histoire des esclaves dans cette région ? ai-je demandé à Sampson.

Je voulais lui éviter de penser aux lianes pendues au-dessus de sa tête comme des serpents venimeux. Je voulais qu'il se concentre sur le ou les tueurs qui nous côtoyaient peut-être dans ces bois.

— J'ai un peu lu E.D. Genovese et Mohamed Auad, me répondit-il.

Impossible de savoir s'il parlait sérieusement. Pour un homme d'action, Sampson faisait preuve d'une solide culture.

— L'*Underground Railroad* était très actif dans cette région, ai-je repris. Les esclaves en fuite vers le Nord et parfois des familles entières venaient se refugier pendant des jours, voire des semaines, dans certaines fermes locales qu'on appelait gares. On les voit sur les cartes du Dr Freed, et c'est le sujet de son livre.

— Je n'aperçois aucune ferme, docteur Livingstone. Il n'y a que cette saloperie de lierre, se plaignait Sampson en écartant la végétation qui s'acharnait sur ses longs bras.

— Les grandes exploitations de tabac se trouvaient à l'ouest d'ici. Elles sont à l'abandon depuis près de soixante ans. Tu te souviens de cette étudiante de l'UNC violée et assassinée en 1981 ? On a retrouvé son corps en état de décomposition par ici. Je pense que c'est Rudolph, ou peut-être Casanova, qui l'a tuée. A l'époque de leur première rencontre.

« Sur la carte du Dr Freed, on peut voir les emplacements de la plupart des fermes de l'*Underground Railroad*, où se cachaient les esclaves en fuite. Dans certaines, les celliers avaient été agrandis et d'autres comprenaient de véritables habitations souterraines. Aujourd'hui, les bâtiments eux-mêmes ont disparu. Du ciel, impossible de déceler quoi que ce soit. En outre, l'herbe, les ronces, tout a poussé. Mais les caves sont toujours là.

— Hummm... Avec ta carte miracle, on peut savoir où étaient toutes les exploitations de tabac ?

— Ouais. J'ai une carte, j'ai une boussole, et j'ai mon Glock, lui ai-je répondu en tapotant mon holster.

— Et surtout, tu m'as, moi.

— C'est vrai. Que Dieu protège les mécréants qui se trouveront sur notre chemin.

On a marché, marché et marché encore au milieu des moustiques, dans la chaleur suffocante de l'après-midi. On a réussi à localiser trois de ces plantations, anciens royaumes de la feuille de tabac, où des Noirs terrorisés, hommes et femmes, parfois par familles entières, avaient trouvé asile dans de vieilles caves, sur le chemin de la liberté, alors qu'ils essayaient de rejoindre les villes du Nord comme Washington.

Deux des caves se trouvaient exactement à l'endroit indiqué par le Dr Freed. Seuls quelques vieilles planches de bois et morceaux de ferraille rouillés et tordus témoignaient encore de l'existence des exploitations. On aurait dit qu'un dieu mécontent était descendu sur terre pour détruire les vestiges de l'ère esclavagiste.

Vers seize heures, nous sommes arrivés à la ferme, jadis prospère, de Jason Snyder et de sa famille.

— Qu'est-ce qui te dit que c'est là?

Sampson regardait tout autour de lui. On s'était arrêtés dans une petite clairière aussi déserte que désolée.

— La carte que le Dr Louis Freed a tracée à la main. A la boussole, ça correspond. C'est un historien célèbre, donc ça doit être vrai.

Sampson avait cependant raison. Il n'y avait rien à voir. La ferme de Jason Snyder avait totalement disparu. Tout comme Kate l'avait dit.

105

— Ce coin me donne la chair de poule, dit Sampson. Tu parles d'une plantation de tabac.

La ferme des Snyder était devenue un lieu étrange, surréaliste et inquiétant. Rien, à première vue, ne pouvait laisser supposer que des êtres humains avaient un jour vécu ici et pourtant, devant les restes troublants de cette plantation, je sentais encore le sang et les os des esclaves.

Sassafras, épineux, chèvrefeuille et sumac vénéneux m'arrivaient au menton. Des chênes roux-blanc, des sycomores et quelques acacias se dressaient de toute leur hauteur d'arbres adultes sur l'emplacement de l'exploitation jadis prospère, mais la ferme elle-même avait sans conteste disparu.

Un poing de glace m'étreignait la poitrine. Etait-ce le lieu maudit ? La « maison de l'horreur » évoquée par Kate se trouvait-elle à proximité ?

Nous avions progressé vers le nord, puis vers l'est ; nous n'étions plus très loin de la route. J'aurais bien aimé que la voiture nous y attende. D'après mes estimations, il nous restait encore trois ou quatre kilomètres à parcourir.

— Les équipes de recherche qui traquaient Casanova ne se sont jamais aventurées jusqu'ici, me dit Sampson en explorant les environs. C'est de la mauvaise broussaille, épaisse. Apparemment, ça n'a été piétiné nulle part.

— Le Dr Freed m'a affirmé qu'il était sans doute la dernière personne à être venue examiner chacun des sites de l'*Underground Railroad*. Les bois sont devenus trop impraticables pour les visiteurs occasionnels.

Le sang et les os de mes ancêtres. L'idée de fouler ce sol sur lequel les esclaves avaient connu la captivité des années durant me pétrifiait presque.

Nul n'était jamais venu à leur secours. Nul ne s'était soucié d'eux. En ces temps-là, on ne lançait pas des inspecteurs sur la piste des monstres qui arrachaient à leur foyer des familles entières de Noirs.

Les points de repère portés sur la carte devaient me permettre de situer l'emplacement précis de la cave des Snyder. Il fallait également que je m'arme de courage, car une surprise désagréable n'était pas à exclure...

— On devrait trouver quelque part une très vieille trappe, dis-je à Sampson. La carte de Freed ne comporte aucune indication précise, si ce n'est que la cave est censée se trouver à dix, quinze mètres de ces sycomores. Je pense que ce sont bien ces arbres-là et que nous sommes en ce moment à la verticale de la cave. Mais où est la porte ?

— Sans doute à un endroit où personne ne risquerait de marcher par erreur, avança Sampson. Il était en train de se tailler un passage dans les fourrés de plus en plus denses.

Derrière l'enchevêtrement de vigne vierge, on distinguait un pré, un espace dégagé autrefois réservé à la culture du tabac. Au-delà, la forêt reprenait ses droits. Il faisait lourd et Sampson, qui commençait à s'impatienter, massacrait le chèvrefeuille avec un plaisir sadique. Il frappait du pied dans l'espoir de découvrir la trappe secrète, guettant le moindre son creux susceptible de trahir la présence d'une planche pourrie ou d'une vieille tôle sous les hautes herbes et les ronces.

— A l'origine, il s'agissait d'une cave très vaste bâtie sur deux niveaux. Casanova pourrait même l'avoir agrandie, pour donner à sa « maison de l'horreur » un caractère plus grandiose, lui ai-je précisé tout en fouillant la végétation.

Je songeais à Naomi enfermée sous terre depuis si longtemps, à Naomi qui m'obsédait depuis je ne savais combien de jours, combien de semaines. Sampson avait raison : ces bois avaient quelque chose d'irréel et j'avais l'impression que nous étions en train de violer un sanctuaire maléfique, théâtre d'actes interdits perpétrés dans le plus grand secret. Naomi se trouvait peut-être à quelques mètres de nous, sous nos pieds.

Tout en sondant les broussailles, Sampson m'a dit :

— Tu recommences à me flanquer les jetons, toi. Tu essaies de raisonner comme ce fêlé. Tu es sûr que notre brillant universitaire le Dr Sachs n'est pas Casanova ?

— Non, je ne le suis pas, ce qui n'empêche que je ne sais pas pourquoi les flics de Durham l'ont arrêté. Comment ont-ils fait pour savoir où se trouvaient les sous-vêtements ? Et surtout, par quel miracle ces dessous ont-ils atterri chez lui ?

— Parce que c'est Casanova, ma poule. Parce qu'il garde peut-être les petites culottes de ses victimes chez lui pour pouvoir les renifler quand il s'ennuie, les jours de pluie. Le FBI et les types de Durham vont clore le dossier, maintenant ?

— S'il n'y a pas d'autre enlèvement ou de meurtre pendant un certain temps. Une fois le dossier bouclé, le vrai Casanova pourra se détendre et faire des projets d'avenir.

Sampson s'est redressé, a étiré son long cou puis, après un soupir, a poussé un énorme gémissement. Son tee-shirt était trempé de sueur.

— On a encore un bon bout de chemin à faire jusqu'à la

voiture. Ce sera long, il fera sombre, on va crever de chaud et on se fera bouffer par les moustiques.

— Pas tout de suite. Reste avec moi, j'ai pas fini.

Je n'avais aucune envie de partir, d'abréger nos recherches. Le retour de Sampson était pour moi un atout inestimable. Il y avait encore trois autres fermes sur la carte du Dr Freed. Deux d'entre elles semblaient dignes d'intérêt, l'autre paraissait trop petite. C'était donc peut-être justement cette dernière que Casanova avait choisie. Après tout, il avait le sens de la contradiction...

Moi aussi. J'étais prêt à prolonger nos recherches jusqu'au bout de la nuit, bois sombres ou pas, crotales et mocassins ou pas, tueurs ou pas...

Je me rappelais les terrifiants récits de Kate sur la maison fantôme et ce qui s'y passait. Que s'était-il réellement produit le jour où Kate avait pris la fuite ? Si la maison ne se trouvait pas dans ces bois, où diable pouvait-elle bien être ? Il s'agissait forcément d'une installation souterraine. C'était la seule explication possible...

Et cependant, pour l'instant, rien ne s'expliquait.

Sauf si quelqu'un avait volontairement fait disparaître les décombres de l'ancienne ferme.

Sauf si quelqu'un s'était servi du vieux bois pour construire autre chose.

J'ai fini par dégainer mon pistolet et je me suis mis à chercher une cible, n'importe laquelle. Sampson m'observait du coin de l'œil, intrigué, sans rien dire.

Il fallait que j'évacue une partie de la rage qui bouillonnait en moi, que je crache mon venin, que je me libère de mon stress, là, tout de suite. Mais sur quoi tirer ? Pas de traces d'une maison de l'horreur souterraine.

Et pas l'ombre d'une planche pourrie. Je n'avais pas encore vu le moindre débris témoignant de l'existence d'une ferme, voire d'une simple grange, à cet endroit.

Finalement, j'ai tiré une cartouche sur un tronc d'arbre proche. Dans mon délire, je trouvais que l'un des nœuds dans le bois offrait une certaine ressemblance avec une tête d'homme. Un homme comme Casanova. J'ai appuyé encore et encore sur la détente. Un tir groupé, bien ajusté, parfait. J'avais tué Casanova !

— Et maintenant, tu te sens mieux? m'a fait Sampson qui me regardait par-dessus ses Ray-Ban. Tu as eu le croque-mitaine en plein dans l'œil?

— Je me sens un peu mieux. Un tout petit peu.

Je lui ai montré un écart d'un millimètre entre le pouce et l'index.

Il s'est appuyé contre un arbuste en manque de lumière, maigre comme un squelette, et m'a dit :

— Bon, je crois vraiment qu'il serait temps qu'on remballe et qu'on rentre.

Et c'est à cet instant que nous avons entendu les cris!

Des voix de femmes provenant du sol.

Leurs hurlements étaient étouffés, mais nous les distinguions clairement. Ils venaient d'un peu plus loin au nord, là où les fourrés s'épaississaient, à un jet de pierre de l'ancien champ de tabac.

En entendant ces appels sortant du tréfonds de la terre, j'ai reçu comme une décharge électrique.

Sampson a sorti son Glock et tiré deux coups de feu à la suite, un signal à l'attention des prisonnières.

Les cris sourds s'amplifiaient, montaient vers nous comme s'ils provenaient du dixième cercle de l'Enfer.

— Seigneur Dieu, j'ai marmonné. On les a retrouvées, John. On a trouvé la maison de l'horreur.

106

A quatre pattes, on s'est mis à fouiller les herbes comme des malades pour découvrir où se trouvait l'entrée de la maison souterraine. Nos doigts et nos paumes entaillés saignaient. Mes mains tremblaient.

J'ai encore tiré quelques coups de feu afin de faire savoir aux jeunes femmes que nous les avions entendues et que nous étions toujours là, au-dessus de leurs têtes, puis je me suis empressé de recharger mon arme.

— On est là! j'ai hurlé à deux doigts du sol, le visage griffé par les ronces et les herbes. On est de la police!

— Ça y est, Alex, m'a lancé Sampson. La porte est là. Du moins, quelque chose qui ressemble à une porte.

Je me suis rué dans sa direction. Enfin, manière de parler, car les fourrés étaient si denses que j'avais l'impression de marcher dans l'océan, de l'eau jusqu'à la poitrine. Dissimulée par un écran de chèvrefeuille et de hautes herbes, la trappe avait été recouverte d'une couche de terre, puis généreusement saupoudrée d'aiguilles de pin. De quoi échapper aux recherches comme aux regards indiscrets d'éventuels randonneurs.

— Je descends le premier.

Cette fois-ci Sampson n'a pas cherché à discuter ma décision. Le sang me battait les tempes. J'ai dévalé bruyamment un escalier de bois raide et étroit qui aurait pu se trouver là depuis un siècle. Sampson m'emboîtait le pas. Les bons jumeaux...

« Arrête-toi, me disais-je, ralentis. » Au pied de l'escalier se trouvait une seconde porte, une grosse porte en planches de chêne massif, d'allure neuve, qui paraissait avoir été installée récemment. J'ai lentement abaissé la poignée. La porte était verrouillée.

— Attention, j'entre! j'ai crié à l'intention de toute personne qui aurait pu se trouver derrière, puis j'ai tiré à deux reprises dans la serrure, qui s'est désintégrée. Un grand coup d'épaule et la porte s'est ouverte.

J'étais enfin dans la maison de l'horreur et j'ai eu un haut-le-cœur terrible. Le cadavre d'une femme gisait sur un canapé, dans ce qui ressemblait à une salle de séjour confortablement aménagée. Le corps en décomposition, grouillant d'asticots, était méconnaissable.

« Ne reste pas là, dus-je me dire, avance! »

— Je suis juste derrière toi, me chuchota Sampson de sa bonne voix grave, celle des débuts d'enquête. Tu fais gaffe, Alex, hein.

D'une voix tremblante et déjà un peu rauque, j'ai crié : « Police ! » Je redoutais ce que nous risquions encore de découvrir dans ce repaire. Naomi était-elle toujours là ? Etait-elle en vie ?

— On est là, en bas ! hurla une femme. Quelqu'un m'entend ?

— On vous entend ! lui ai-je répondu. On arrive !

— Au secours ! (C'était une autre voix, qui venait de plus loin.) Faites attention, il est vicieux.

— T'as vu, il est vicieux, m'a chuchoté Sampson, qui ne se laisse jamais déconcerter.

— Il est dans la maison ! Il est ici en ce moment ! nous alerta une voix.

Sampson me suivait toujours comme une ombre.

— Tu veux garder la main, partenaire ? Etre le premier de la file sur la ligne de crête ?

— Je veux que ça soit moi qui la trouve, lui ai-je rétorqué. Il faut que je trouve Scootchie.

Il n'a pas cherché à discuter.

— Tu penses que notre tombeur est quelque part ici ? Casanova ?

— Il paraîtrait, j'ai fait en avançant lentement.

Nous avions tous les deux le pistolet au poing, armé. Nous ne savions pas à quoi nous attendre. Est-ce que le tombeur nous guettait ?

« Avance ! Avance ! Remue-toi ! »

Je suis sorti du séjour par un couloir au plafond équipé de lampes halogènes. Comment faisait-il pour avoir l'électricité dans un endroit pareil ? Grâce à un transformateur ? A un générateur ? Que devais-je en conclure ? Qu'il avait l'esprit pratique ? Qu'il avait des relations chez les fournisseurs locaux ?

Combien de temps lui avait-il fallu pour aménager sa cave, faire tous les travaux nécessaires, donner corps à ses fantasmes ?

L'espace ne manquait pas. Le couloir, immense et sinueux, partait sur la droite. De chaque côté, des portes se succédaient, verrouillées de l'extérieur, comme dans une prison.

— Couvre-nous, dis-je à Sampson. J'entre dans la première pièce.

— Je te couvre toujours.

— N'oublie pas de te couvrir, toi.

Arrivé devant la première porte, j'ai annoncé :

— Police. Je suis l'inspecteur Cross. N'ayez pas peur.

J'ai poussé la porte, j'ai regardé à l'intérieur en songeant, en priant : pourvu que ce soit Naomi.

107

— De parfaits crétins, ricana le Gentleman, toujours aussi intolérant, toujours aussi impatient. Deux clowns de fête foraine qui se sont noirci le visage.

Un mince sourire se dessina sur les lèvres de Casanova, que le Gentleman commençait à exaspérer.

— A quoi t'attendais-tu ? A des neurochirurgiens envoyés par une agence de travail temporaire ? Ce sont des flics comme ceux qu'on voit tous les jours dans les rues de Washington.

— Pas tout à fait. Après tout, ils ont découvert la maison. Et ils sont à l'intérieur.

Les deux amis étaient sortis de leur cachette, non loin, dans les bois, et se rapprochaient. Tout l'après-midi, ils avaient suivi les deux inspecteurs à la jumelle, échafaudant des plans, jouant avec leurs proies. Maintenant, à pas de loup, ils allaient les rejoindre pour la confrontation finale.

— Pourquoi n'ont-ils pas amené les autres ? Pourquoi n'ont-ils pas appelé le FBI ?

Rudolph, toujours curieux de tout, ne se départissait jamais de sa logique. Une vraie machine. Une machine à tuer qui fonctionnait sans cœur humain.

Casanova colla contre ses yeux les puissantes jumelles

allemandes. Il distinguait la trappe ouverte par laquelle on pénétrait dans la maison souterraine, le chef-d'œuvre que Rudolph et lui-même avaient façonné de leurs mains.

— A cause de leur arrogance de policiers, dit-il enfin en réponse à la question de Rudolph. Par certains côtés, ils nous ressemblent. Surtout Cross. Il ne fait confiance à nul autre que lui-même.

Il regarda Will Rudolph, et les deux hommes sourirent en même temps. La situation ne manquait pas d'ironie : eux deux face à deux inspecteurs de police.

— Je crois, reprit Rudolph, que Cross est persuadé de nous avoir compris, ou disons, d'avoir compris la nature de nos relations. Il n'a pas totalement tort.

Depuis qu'il avait failli se faire prendre en Californie, le Gentleman redoutait cet homme qui avait réussi à remonter sa piste, tout en se réjouissant d'avoir trouvé un adversaire à sa mesure. Il aimait affronter des concurrents de valeur, il aimait voir couler le sang.

— Il a compris certaines choses, il entrevoit des liens, ce qui l'incite à surestimer ce qu'il sait réellement. Un peu de patience, et nous mettrons à jour les faiblesses de Cross.

Casanova en était convaincu : tant qu'ils agiraient avec méthode et sans précipitation, ils gagneraient. Jamais on ne les arrêterait. Il en allait ainsi depuis des années, depuis le jour de leur rencontre à Duke.

Casanova savait qu'en Californie, Will Rudolph s'était montré imprudent. Une tendance inquiétante qu'il manifestait déjà en médecine. Etudiant brillant mais hélas trop pressé, il avait fait preuve de maladresse et de lourdeur lors du meurtre de Roe Tierney et Tom Hutchinson. On avait failli le démasquer. La police l'avait interrogé et il avait fait partie des principaux témoins d'une affaire retentissante.

Les pensées de Casanova revinrent à Alex Cross. Il évalua les forces et les faiblesses de l'enquêteur. Cross était un homme prudent, et très professionnel. Avant de passer aux actes, il essayait presque toujours de tout prévoir. Il était sans aucun doute plus intelligent que ses collègues. Un flic doublé d'un psychologue, qui avait réussi à localiser leur tanière. Le seul à avoir autant progressé.

John Sampson était plus impulsif. Contrairement aux

apparences, c'était lui le point faible. Bien que plus puissant sur le plan physique, il serait le premier à plier. Et en faisant plier Sampson, on ferait plier Cross. Les deux inspecteurs étaient très proches, très sensibles l'un vis-à-vis de l'autre.

— Nous avons été idiots de nous séparer il y a un an, de vouloir évoluer chacun de notre côté, déclara Casanova à celui qui était son seul ami au monde. Si nous n'étions pas entrés en concurrence pour nous livrer à nos petits jeux égoïstes, Cross n'aurait jamais rien découvert. Il ne t'aurait pas démasqué et nous ne serions pas, aujourd'hui, contraints de tuer les filles et de détruire la maison.

— Je vais me charger du bon docteur Cross, dit Rudolph sans réagir aux paroles de Casanova.

Rudolph ne laissait jamais paraître grand-chose et pourtant, il s'était lui aussi senti bien seul. Après tout, n'était-il pas revenu...

— Personne ne se charge seul du Dr Cross, rectifia Casanova. Nous allons les attaquer ensemble. Deux contre un, c'est la formule qui nous réussit le mieux. Pour commencer, Sampson. Ensuite, Alex Cross. Je sais quelle sera sa réaction, je sais comment il raisonne. J'ai eu le temps de l'observer. En fait, je suis sur les traces d'Alex Cross depuis qu'il est descendu dans le Sud.

Les deux monstres s'approchèrent de la maison.

108

J'ai allumé le plafonnier de la première pièce et j'ai vu l'une des captives, Maria Jane Capaldi, recroquevillée au fond de sa cellule comme une petite fille apeurée. Je l'ai tout de suite reconnue car j'avais rencontré ses parents environ une semaine plus tôt. Ils m'avaient montré de vieilles photos d'elle qu'ils conservaient avec amour.

— Je vous en prie, ne me faites pas de mal, supplia Maria Jane.

Il ne lui restait plus qu'un filet de voix rauque.

Les bras noués autour de la poitrine, elle se balançait doucement d'avant en arrière. Elle portait un collant noir déchiré et un tee-shirt Nirvana froissé. Maria Jane, dix-neuf ans, était étudiante en section beaux-arts à North Carolina State, à Raleigh.

— Je suis inspecteur de police, lui ai-je chuchoté le plus doucement possible. Personne ne peut plus vous faire de mal. On est là pour l'en empêcher.

Maria Jane gémit puis, soulagée, fondit en larmes. Elle tremblait de tout son corps.

— Il ne peut plus vous faire de mal, lui ai-je répété pour tenter de la rassurer. (J'avais moi-même du mal à parler.) Il faut que je trouve les autres. Je reviens, c'est promis. Je laisse votre porte ouverte. Vous pouvez sortir, vous ne risquez plus rien maintenant.

Il fallait que j'aide les autres. Son harem de femmes exceptionnelles se trouvait ici même, et Naomi en faisait partie.

J'ai pénétré dans la seconde pièce, le souffle court, en proie à un mélange d'euphorie, d'appréhension et de tristesse.

La grande jeune femme blonde qui se trouvait là me dit qu'elle s'appelait Melissa Stanfield. Ce nom me disait quelque chose. Elle était élève infirmière. Bien des questions m'agitaient, mais je n'avais le temps d'en poser qu'une seule.

J'ai effleuré son épaule. Elle s'est mise à frissonner avant de s'affaler contre moi.

— Savez-vous où se trouve Naomi Cross ? lui ai-je demandé.

— Je ne sais pas trop. Je ne connais pas la disposition des lieux.

Elle secoua la tête et se mit à pleurer. Je ne suis pas sûr qu'elle avait compris de qui je parlais.

— Vous ne risquez plus rien, maintenant, lui ai-je murmuré. Le cauchemar est enfin terminé, Melissa. Je vais aller m'occuper des autres.

De retour dans le couloir, j'ai vu Sampson déverrouiller une porte, je l'ai entendu dire : « Je suis inspecteur de police. Tout va bien. » Il y avait dans sa voix une infinie douceur. Sampson le Tendre.

Les jeunes femmes que nous venions de libérer sortaient peu à peu de leurs cellules, hébétées, chancelantes. Dans le couloir, elles tombèrent dans les bras les unes des autres, en larmes. Mais je savais que c'étaient des larmes de soulagement, presque de joie. Quelqu'un était enfin venu à leur secours.

Au bout du couloir, il y en avait un autre, jalonné d'autres portes elles aussi verrouillées. Naomi se trouvait-elle ici ? Etait-elle en vie ? Les coups qui résonnaient dans ma poitrine devenaient intolérables.

J'ai ouvert la première porte à ma droite — et elle était là. Scootchie était là. Le plus beau spectacle du monde.

J'en étais muet, et mes yeux ruisselaient de larmes. Il m'est aussitôt venu à l'esprit que cet instant allait rester gravé à jamais dans ma mémoire, dans le moindre détail, mot, regard ou nuance.

— Je savais que tu viendrais me chercher, Alex, m'a dit Naomi.

D'un pas mal assuré, elle s'est jetée dans mes bras et s'est accrochée à moi de toutes ses forces.

— Oh, Naomi, Naomi, lui ai-je soufflé, aussi léger que si on venait de me délester de cinq cents kilos. Ça compense tout le reste. Enfin, presque.

Il fallait que je la regarde de près. J'ai pris son précieux visage entre mes mains. Elle paraissait si fragile, si menue... Mais elle était en vie ! Je l'avais enfin retrouvée.

J'ai appelé Sampson :

— J'ai retrouvé Naomi ! On l'a retrouvée, John ! On est là !

On s'est blottis l'un contre l'autre, comme dans le temps. S'il m'était déjà arrivé de regretter d'avoir embrassé la carrière d'inspecteur, voilà qui rachetait tout. Je me rendais à présent compte que je l'avais crue morte, mais que je n'avais pu me résoudre à jeter l'éponge. Il ne faut jamais abandonner.

— Je savais que tu finirais par arriver. Je l'avais rêvé. Je

n'ai vécu que pour cet instant. J'ai prié chaque jour, et te
voilà. (J'ai eu droit au plus beau des sourires.) Je t'aime.

— Moi aussi, je t'aime. Tu ne peux pas savoir à quel
point tu m'as manqué. Tout le monde te réclamait.

Au bout d'un moment, très doucement, je me suis détaché d'elle. Je repensais aux monstres, à ce qu'ils devaient être
en train de manigancer. A leurs scénarios diaboliques. Des
Leopold et Loeb adultes, qui ne commettaient que des
crimes parfaits.

— Tu es sûre que ça va aller ? lui ai-je demandé avec un
début de sourire.

Les yeux de Naomi avaient déjà retrouvé un peu de leur
flamme.

— Vas-y, Alex, fais sortir les autres, m'enjoignit-elle. Je
t'en prie, tire-les de ces cages dans lesquelles il nous a enfermées.

A cet instant, l'écho d'un cri étrange et terrible roula
dans le couloir. Un hurlement de douleur. Je me suis précipité hors de la cellule de Naomi et j'ai vu la pire des choses
que je pouvais imaginer, le comble de mes cauchemars.

109

Cet appel à l'aide énorme, venu du fond de la gorge,
émanait de Sampson. Mon équipier était en difficulté. Deux
hommes affublés de masques macabres s'acharnaient sur
lui. Qui d'autre que Casanova et Rudolph ?

Terrassé par le choc et la douleur, Sampson ouvrait la
bouche. Le manche d'un couteau ou d'un pic à glace dépassait de son dos.

J'avais déjà eu affaire par deux fois à ce genre de situation, en patrouillant dans les rues de Washington. Un équipier en danger. Là, je n'avais pas le choix et l'occasion ne se représenterait sans doute pas. Sans hésiter une seconde, j'ai levé mon Glock et j'ai fait feu.

Mon tir instinctif les a pris de court. Ils ne s'attendaient pas à ce que je fasse feu alors qu'ils tenaient encore Sampson. Le plus grand des deux a mis la main à son épaule avant de tomber. L'autre, derrière son masque de mort, m'a balancé un regard féroce et froid. Mais j'avais réussi à reprendre l'initiative.

J'ai tiré une deuxième fois, visant le second masque mortuaire. Soudain, toutes les lumières de la maison souterraine se sont éteintes et simultanément, des haut-parleurs dissimulés dans les murs se sont mis à déverser un flot de rock'n roll. Axl Rose beuglant « Welcome to the Jungle ».

Le couloir sombra dans la nuit. Le rock faisait vibrer les fondations de la prison. En m'accrochant au mur, je me suis dirigé vers l'endroit où Sampson avait disparu.

Les yeux scrutant l'obscurité, j'ai senti une immense vague d'appréhension me submerger. Ils avaient réussi à surprendre Sampson, ce qui n'est pas chose facile. Ils semblaient avoir surgi de nulle part. Existait-il une autre porte donnant sur l'extérieur ?

J'ai entendu un grognement familier. Sampson était un peu plus loin.

— Je suis là, m'a-t-il lancé d'une voix étranglée. J'ai dû oublier de surveiller mes arrières.

— Ne parle pas.

Je me suis rapproché. Je savais à peu près où il était, mais je craignais que les deux autres ne soient pas partis. Ils avaient modifié le rapport des forces et j'étais certain qu'ils s'apprêtaient à me tomber dessus.

Ils aimaient être deux contre un. Ils avaient besoin de s'associer. Ils avaient besoin l'un de l'autre. Ensemble, ils étaient invincibles. Jusqu'à présent.

Le dos plaqué au mur, j'avançais vers les ombres qui flottaient au bout du couloir. Un liseré de lumière ambrée me permettait de distinguer la silhouette de Sampson recroquevillée à terre. Mon cœur battait si vite que l'intervalle entre les pulsations semblait réduit à néant. Mon équipier était sérieusement blessé. Cela ne s'était encore jamais produit, même lorsque nous étions gosses, dans les rues de Washington.

— Je suis là, ai-je fait en m'agenouillant auprès de lui et en lui touchant le bras. Je te préviens, si tu perds tout ton sang et que tu me claques dans les pattes, je te fais la gueule. Essaie de ne pas bouger.

— Ne t'inquiète pas. Et n'espère pas me voir en état de choc. Plus rien ne me choque...

— Pas la peine de jouer les héros, ai-je murmuré en inclinant sa tête contre ma poitrine. Tu as un couteau planté en plein dans le dos.

— Si, je suis un héros... Allez, file ! Ne les laisse pas se tirer comme ça. Tu en as déjà touché un. Ils sont partis vers l'escalier, celui qu'on a pris pour descendre ici.

— Vas-y, Alex. Il faut que tu les rattrapes ! Je m'occupe de lui.

C'était la voix de Naomi. Je me suis retourné et je l'ai vue se pencher sur Sampson.

— Je reviens, j'ai dit.

Et je me suis éclipsé. J'ai franchi un coin sombre du grand couloir accroupi, en position de tir, et j'ai débouché dans le premier passage que nous avions emprunté. Ils sont partis vers l'escalier, m'avait dit Sampson.

De la lumière au bout du tunnel ? Est-ce que les monstres m'attendaient au passage ? Dans la pénombre, j'ai hâté le pas. Rien désormais ne pouvait m'arrêter. Sauf Casanova et Rudolph, bien sûr. Seul contre deux, ce n'était pas l'idéal, surtout quand le match se déroulait à l'extérieur.

J'ai enfin trouvé la porte. Pas de serrure, pas de poignée. J'avais tout fait sauter.

L'escalier semblait libre. La trappe était ouverte ; j'apercevais des pins noirs et un morceau de ciel bleu. Est-ce que ces deux vicieux m'attendaient là-haut ?

J'ai gravi les degrés de bois aussi rapidement que possible, le doigt léger comme une plume sur la détente du Glock. Plus question, maintenant, d'agir avec calme et maîtrise.

J'ai franchi les deux dernières marches comme un vieil arrière professionnel faisant exploser une brèche dans la

ligne de défense. J'ai jailli par l'ouverture rectangulaire
découpée dans le sol, exécuté une pirouette plutôt acrobatique et fait feu. Un enchaînement de combat qui aurait
peut-être au moins le mérite d'empêcher mes adversaires
d'ajuster leur tir.

Mais il n'y eut personne pour me canarder ou applaudir
ma prestation. Pas un bruit. Les bois semblaient déserts.

Les monstres avaient disparu... tout comme la maison.

110

J'ai repris la direction que nous avions suivie en venant.
Il y avait des chances pour que Casanova et Will Rudolph
empruntent cet itinéraire pour quitter la forêt. L'idée d'abandonner ainsi Sampson et les jeunes femmes ne me plaisait
guère, mais je n'avais pas le choix.

J'ai fourré le Glock dans son holster et je me suis mis à
courir de plus en plus vite. Mes jambes, retrouvant peu à peu
leur potentiel, se souvenaient enfin de la signification du
mot rapide.

Dans les fourrés, sur quelques mètres, on distinguait sur
les feuilles des traces de sang frais. L'un des deux hommes
perdait beaucoup de sang et j'espérais bien qu'il en crèverait.
En tout cas, j'étais sur la bonne piste.

À mesure que je m'enfonçais dans la végétation dense,
les plantes grimpantes et les épineux me griffaient les bras et
les jambes, les branches me fouettaient le visage, mais peu
m'importait.

J'ai couru comme ça sur une distance d'un kilomètre et
demi peut-être, suant à grosses gouttes, la poitrine labourée
par la douleur. Ma tête brûlait comme un moteur en sur-

chauffe et chaque foulée paraissait plus lourde que la précédente.

Peut-être étaient-ils en train de me distancer. Ou bien ils étaient derrière moi. Ils m'avaient regardé sortir et me suivaient, sur les côtés... Seul contre deux, voilà qui ne faisait décidément pas mon affaire.

J'étais à l'affût de la moindre tache de sang, du moindre lambeau de vêtement, d'une trace de leur passage. Les poumons en feu, les jambes lourdes et raides, je ruisselais.

Un flot d'images s'abattait sur moi. Je me revoyais à Washington, le corps de Marcus Daniels dans les bras, je revoyais le visage de ce pauvre gamin. J'entendais encore le cri de surprise et de souffrance qu'avait poussé Sampson. Le visage de Naomi réapparaissait devant mes yeux.

Il y avait quelque chose au loin — deux hommes qui couraient. L'un d'eux se tenait l'épaule. Etait-ce Casanova ou le Gentleman ? Peu importait, je les voulais tous les deux et il n'était pas question de transiger.

Le monstre blessé ne semblait pas vouloir ralentir, mais il savait que je gagnais du terrain. Il poussa un effroyable hurlement, me rappelant ainsi que j'avais toujours affaire à un fou exceptionnel, aux actes imprévisibles. Son *yaaaaaa !* roula au milieu des sapins comme le rugissement d'une bête sauvage.

Puis un autre cri primal résonna. *Yaaaaaa !* C'était l'autre psychopathe.

Les jumeaux, me dis-je. Tous deux étaient de vraies bêtes sauvages, incapables de survivre l'une sans l'autre.

Un coup de feu soudain m'a arraché à mes pensées. J'ai vu un bout d'écorce de pin voler tout près de ma tête ; à quelques centimètres près, j'étais mort. L'un des deux tueurs m'avait déjà mis en joue.

Je me suis accroupi derrière l'arbre qui m'avait sauvé la vie et j'ai regardé entre les feuilles. Je ne les voyais pas. J'ai attendu, en comptant les secondes, que mon cœur se remette à battre. Qui avait tiré ? Qui était blessé ?

Nous étions non loin d'une butte aux flancs escarpés. M'attendaient-ils sur l'autre versant ? Lentement, j'ai quitté mon emplacement à couvert et j'ai regardé tout autour de moi.

Un étrange silence était retombé sur les lieux. Pas de cris, pas de coups de feu. Il semblait n'y avoir personne. Que diable me réservaient-ils? J'avais cependant appris quelque chose, je disposais désormais d'un nouvel indice. Un peu plus tôt, j'avais remarqué un détail important.

J'ai couru jusqu'à la crête pelée. Rien! J'ai senti mon cœur se recroqueviller. Avaient-ils réussi à s'échapper, après tout ce que je venais de vivre?

J'ai repris le pas de course. Je ne pouvais laisser une telle horreur se produire. Pas question d'offrir la liberté à ces deux monstres.

111

J'ai pris la direction qui me semblait être celle de la route principale. Ayant trouvé un second souffle, voire un troisième, je courais beaucoup facilement. Alex le pisteur.

Ils étaient peut-être à deux cents mètres de moi lorsque je les ai repérés. Puis j'ai entrevu une tache grise qui m'était familière: le ruban sinueux d'une route. Autour, j'apercevais quelques constructions de bois blanc et de vieilles lignes téléphoniques. Une route qui pouvait leur permettre de prendre la fuite.

Ils couraient vers une sorte de bar décrépit, toujours masqués, ce qui me donnait à penser que Casanova était resté aux commandes. C'était un meneur-né. Il vouait une véritable passion à ses masques parce qu'ils symbolisaient le personnage qu'il s'était façonné, celui d'un dieu du mal, libre d'agir à sa guise, supérieur aux pauvres humains que nous étions.

Sur le toit de la baraque clignotait un néon rouge et

bleu, *Trail Dust*. L'un de ces bouis-bouis de campagne qui tournent bien toute la journée. Une fois sur le parking, Casanova et le Gentleman montèrent à bord d'un pick-up bleu d'un modèle récent. Tout inspecteur sait que les parkings de bars très fréquentés sont l'endroit idéal pour garer discrètement un véhicule. J'ai traversé la route en courant.

Un homme aux longs cheveux roux et frisés était en train de s'installer au volant d'une Plymouth Duster. Il portait une vareuse Coca-Cola fripée, et d'un bras serrait contre lui un sac à provisions boursouflé, très certainement chargé de denrées liquides.

— Police, je dois prendre votre véhicule !

J'ai brandi mon insigne à trente centimètres de son menton noirci par la barbe et j'avais le pistolet à la main, prêt à bouger en cas de problème. J'étais bien déterminé à emprunter cette voiture.

— Putain, mec, c'est la bagnole de ma copine.

Le temps de bredouiller ces quelques mots avec un accent à couper au couteau, les yeux rivés sur le Glock, il m'a tendu les clés.

J'ai pointé l'index vers l'endroit d'où je venais.

— Appelez tout de suite la police. Les femmes qu'on a enlevées sont là-bas, à un peu plus de deux kilomètres. Dites-leur qu'un agent a été blessé ! Dites-leur que c'est le repaire de Casanova !

J'ai sauté dans la Duster et j'ai mis le pied au plancher avant même d'être sorti du parking. Je voyais l'autre, dans le rétroviseur, bouche bée, son pack de bières dans les bras. J'aurais préféré appeler moi-même Kyle Craig pour lui demander d'envoyer des renforts, mais je n'avais pas le temps de m'arrêter si je voulais conserver une chance de rattraper Casanova et son petit ami.

Le pick-up bleu marine fonçait vers Chapel Hill... là où Casanova avait tenté de tuer Kate, là où il l'avait enlevée. Etait-ce, en fin de compte, son port d'attache ? Appartenait-il à l'université de Caroline du Nord ? Etait-il médecin, lui aussi, ou s'agissait-il de quelqu'un dont nous n'avions jamais entendu parler ? Une dernière hypothèse qui se révélait de plus en plus probable...

A l'intérieur de l'agglomération, je me suis rapproché

Quatre voitures nous séparaient, mais impossible de voir s'ils se savaient suivis. Oh, ils devaient bien s'en douter. C'était l'heure des embouteillages, version Chapel Hill : un serpentin de véhicules ondulait lentement d'un bout à l'autre de Franklin Street, longeant les arbres qui bordaient le campus.

Au loin, j'apercevais le pittoresque Varsity Theatre, où Sachs était allé voir un film étranger en compagnie d'une femme du nom de Suzanne Wellsley. Une simple relation adultère, ni plus, ni moins. Le Dr Wick Sachs avait été piégé par Casanova et Will Rudolph, qui avaient trouvé en lui le suspect parfait. Le pornographe local. Casanova savait tout sur lui. Par quel miracle ?

Bientôt, je le sentais, j'allais les coincer. Il fallait que je raisonne ainsi. A l'intersection de Franklin et Columbia, ils se sont pris un feu rouge. Des étudiants en tee-shirts miteux Champion, Nike et Bass Ale slalomaient entre les voitures à l'arrêt et un autoradio poussé à fond m'infligeait *I Know I Got Skills* de Shaquille O'Neal.

Quand le feu est passé au rouge en cliquetant bruyamment, j'ai d'abord attendu quelques secondes. Puis j'ai mis toute la gomme. Prêt ou pas, j'arrive.

112

J'ai glissé hors de la Duster et j'ai couru au milieu de Franklin Street, en position courbée, le Glock au poing, mais plaqué contre la cuisse pour ne pas trop attirer l'attention. On ne panique pas, s'il vous plaît, on ne crie pas. J'aimerais bien que pour une fois, tout se passe normalement.

Comme je le craignais, ils avaient déjà dû repérer ma

voiture car dès que je me suis retrouvé sur la chaussée, ils sont sortis du pick-up en même temps, des deux côtés.

L'un d'eux s'est retourné et a tiré trois coups de feu très rapprochés. *Pop, pop, pop.* L'autre n'avait pas d'arme à la main. L'espace d'une fraction de seconde, j'ai revu une image de la poursuite dans les bois et, dans ma tête, quelque chose a fait tilt. Je venais de faire un rapprochement.

Je me suis accroupi derrière une Nissan Z noire qui attendait le feu vert, en hurlant à pleins poumons :

— Police ! Police ! Couchez-vous ! Couchez-vous par terre ! Sortez des voitures !

La plupart des automobilistes et des passants s'exécutèrent, ce qui en disait long sur la différence entre les rues de Chapel Hill et celles de Washington. J'ai jeté un œil entre les files de voitures, dans l'allée de tôle. Pas de tueurs en vue.

Je me suis faufilé le long du coupé noir, plié en deux, pour ne pas dire en trois. Sur le trottoir, étudiants et commerçants me regardaient d'un air inquiet, et moi je criais :

— Police ! Couchez-vous, couchez-vous ! Dégagez-moi ce gosse de là !

Des images folles ne cessaient de défiler dans ma tête. Sampson... un couteau dans le dos. Le corps de Kate... ensanglanté, brisé à jamais. Les yeux creusés des prisonnières que nous avions libérées...

Je restais près du sol, mais l'un des deux types m'a vu et a visé ma tête. On a tiré tous les deux en même temps. Un rétroviseur a dévié sa balle, me sauvant sans doute la vie. Je ne sais pas où est partie la mienne.

J'ai plongé à terre. L'air chargé d'odeurs d'huile et de vapeurs d'essence était suffocant. Le hululement d'une sirène de police dans le lointain m'annonça que les renforts arrivaient. Mais ce n'était pas Sampson, ce n'était pas l'aide dont j'avais besoin.

« Ne t'arrête pas, avance. Essaie de les garder dans ta ligne de mire... tous les deux ! Deux contre un ! Ou plutôt : deux pour le prix d'un ! »

J'ai levé les yeux, j'ai vu un flic, à deux pas du carrefour, le revolver sorti. Je n'ai pas eu le temps de l'avertir. Une arme a aboyé sur sa gauche et il s'est aussitôt effondré. Les étudiants de bonne famille avaient perdu leur air blasé. Des filles pleuraient. Elles avaient enfin compris que nous sommes tous extrêmement mortels.

— Couchez-vous, j'ai hurlé encore une fois. Tout le monde au sol !

J'ai rampé jusqu'à un monospace gris métallisé, j'ai relevé lentement la tête et là, j'ai vu l'un des deux tueurs.

La fois suivante, je n'ai pas cherché à jouer les héros ni à réussir un tir ambitieux. Il fallait que je le touche, peu importait si c'était à la poitrine, à l'épaule ou au ventre. J'ai appuyé sur la détente.

« Tiens, connard, qu'est-ce que tu dis de ce coup-là ? » La balle fit voler en éclats les deux vitres latérales avant d'une Ford Taurus déserte avant de cueillir l'un des types dans le haut de la poitrine, juste sous la gorge.

Il s'est écroulé comme si on le tirait par les jambes. J'ai couru aussi vite que je le pouvais jusqu'à l'endroit où je l'avais repéré. « Lequel des deux est tombé ? me demandais-je, au comble de l'excitation. Et où est passé l'autre ? »

Je zigzaguais entre les voitures en stationnement. Il avait disparu ! Il n'était plus là ! Où était le type que j'avais descendu ? Et où se planquait l'autre petit malin ?

C'est alors que je l'ai retrouvé. Il gisait à l'angle de Franklin et Columbia, juste sous le feu tricolore, les bras en croix. Le masque mortuaire recouvrait toujours son visage, mais il avait l'air presque ordinaire avec ses chaussures montantes blanches, son pantalon de treillis kaki et son blouson.

Pas d'arme en vue. Il ne bougeait pas et je savais qu'il était gravement blessé. Je me suis agenouillé près de lui pour l'examiner de plus près, l'œil toujours aux aguets. Son collègue s'était volatilisé. « Attention, attention ! me disais-je. L'autre est quelque part dans le coin, et il sait tirer. »

J'ai décollé son masque, fait tomber la dernière façade. « Tu n'es pas un dieu. Tu pisses le sang comme tout le monde. »

C'était le Dr Will Rudolph. Le Gentleman était en train d'agoniser au beau milieu de la rue, en plein Chapel Hill. Ses yeux bleu-gris se voilaient peu à peu, et une flaque de sang artériel s'était déjà formée sous lui.

Horrifiés et intimidés par ce spectacle, les badauds se rapprochaient, les yeux écarquillés, la bouche ouverte. La plupart d'entre eux n'avaient sans doute jamais vu mourir quelqu'un. Moi, si.

Je lui ai soulevé la tête. Le Gentleman. L'ignoble assassin qui terrorisait Los Angeles en découpant ses victimes. Il ne pouvait croire qu'on venait de l'abattre, lui, il ne pouvait l'accepter : voilà ce que me disaient ses regards affolés.

— Qui est Casanova ? ai-je demandé au Dr Will Rudolph, bien décidé à lui faire cracher la vérité. Qui est Casanova ? Dis-le-moi.

Je ne cessais de regarder autour de moi. Où était passé Casanova ? Il ne pouvait pas laisser Rudolph mourir comme ça, si ? Deux voitures de patrouille sont arrivées sur les lieux. Trois ou quatre agents se sont précipités vers moi, l'arme au poing.

Rudolph faisait des efforts désespérés pour fixer son regard, pour bien me voir ou peut-être pour inscrire dans sa mémoire une dernière vision du monde. Une bulle de sang se forma sur ses lèvres puis éclata doucement en une fine bruine.

Lentement, les mots ont fini par sortir de sa bouche :

— Tu ne le trouveras jamais. (Il se mit à sourire.) Tu n'es pas assez fort, Cross. Tu es à des kilomètres. C'est lui le meilleur, et de loin.

Un feulement rauque s'échappa de la gorge du Gentleman. J'ai tout de suite reconnu le râle de la mort et j'ai replacé le masque sur le visage du monstre.

113

Ce fut un spectacle incroyable, merveilleux, que je n'oublierai jamais. Toute la nuit, on a vu défiler au centre hospitalier Duke les proches et les amis des jeunes femmes qui avaient été enlevées. Sur les immenses pelouses de l'hôpital comme sur le parking jouxtant Erwin Road, une immense foule composée d'étudiants et d'habitants de Chapel Hill réunis dans une même ferveur était venue clamer sa joie jusque tard dans la nuit. Des images qui resteraient à jamais gravées dans ma mémoire.

Des portraits des rescapées avaient été agrandis et montés sur des pancartes. Enseignants et élèves se donnaient la main en chantant aussi bien des *spirituals* que *Give Peace a Chance*. Le temps d'une nuit, chacun avait choisi d'oublier que Casanova rôdait toujours dans les environs. J'avais moi-même tenté l'expérience, quelques heures durant.

Sampson, qui avait survécu, était hospitalisé ici même, tout comme Kate. Il régnait dans l'établissement comme un air de fête, et des gens que je ne connaissais pas venaient me voir pour me serrer énergiquement la main. Le père de l'une des victimes libérées s'est effondré en larmes dans mes bras. Jamais je n'ai été aussi heureux d'être policier.

J'ai emprunté l'ascenseur jusqu'au troisième étage pour aller voir Kate. Avant de pénétrer dans sa chambre, j'ai pris une profonde inspiration, puis j'ai poussé la porte. La tête et le corps emmaillotés, elle avait l'air d'une momie mystérieuse. Son état était stationnaire. Elle vivait, mais elle demeurait dans le coma.

J'ai cherché la main de Kate et l'ai gardée dans la mienne pendant que je résumais ma longue journée.

— Les femmes enlevées ont été libérées, lui ai-je chuchoté. Je suis allé à la maison avec Sampson. Elles sont hors de danger, Kate. Maintenant, tu peux revenir parmi nous et ce serait bien si tu choisissais de le faire ce soir.

Il me tardait d'entendre de nouveau sa voix, au moins encore une fois, mais aucun son ne sortait de ses lèvres. Je me demandais si elle m'entendait, si elle me comprenait. Avant de la laisser finir sa nuit, je l'ai embrassée très doucement et j'ai murmuré contre sa joue bandée, sans m'attendre à être entendu : « Je t'aime, Kate. »

Sampson se trouvait à l'étage supérieur. L'Armoire à Glace était déjà sortie de chirurgie et les médecins jugeaient son état satisfaisant.

Quand je suis entré dans sa chambre, il était réveillé et parfaitement alerte.

— Comment va Kate? Et les autres filles? me demanda-t-il. Je me sens bientôt prêt à partir d'ici.

— Kate est toujours dans le coma. Je sors de sa chambre à l'instant. Et en ce qui te concerne, ton état est jugé satisfaisant, si tu veux tout savoir.

— Dis aux toubibs de marquer « excellent ». Je me suis laissé dire que Casanova avait réussi à se tirer.

Il s'est mis à tousser, et j'ai tout de suite vu qu'il était furieux.

— Calme-toi, on finira par l'avoir.

J'ai compris qu'il était temps de partir. Comme je me dirigeais vers la porte, il m'a lancé :

— N'oublie pas de me rapporter mes lunettes de soleil. Il y a trop de lumière ici, j'ai l'impression d'être dans un supermarché.

Ce soir-là, à neuf heures et demie, je suis retourné voir Scootchie à l'hôpital. Seth Samuel était là. Ils faisaient un couple impressionnant, fort et tendre à la fois. Il ne me restait plus qu'à faire la connaissance de l'entité Naomi et Seth, ce qui n'avait rien d'une corvée.

— Tatie Scootch! Tatie Scootch!

Cette voix m'était familière et il n'y avait rien de meilleur au monde. Je me suis retourné pour voir Nana, Cilla, Damon et Jannie débouler dans la chambre. Ils venaient d'arriver de Washington par avion. A la vue de sa fille, Cilla s'est mise à pleurer tout ce qu'elle pouvait. J'ai vu Nana Mama écraser également quelques larmes. Puis Cilla s'est jetée dans les bras de Naomi, donnant au mot embrasser une nouvelle signification.

Mes enfants regardaient Tatie Scootch dans son sinistre lit d'hôpital et je voyais leurs petits yeux briller de peur et de perplexité, surtout ceux de Damon, qui essaie toujours de prendre de la hauteur et de surmonter toutes les formes de terreur et d'incertitude qu'il rencontre dans la vie.

J'ai soulevé mes bouts de chou, un sous chaque bras, et je les ai serrés contre moi aussi fort que je le pouvais. « Salut, ma petite boule de billard, ça roule? Alors, ma Jannie, comment tu vas? » Ma famille, c'est ce que j'ai de plus formidable, et de loin. Je suppose que cela explique en partie ma façon d'agir. J'en suis même persuadé. On n'est pas docteur-inspecteur pour rien.

— T'as retrouvé Tatie Scootch, chuchotait Jannie dans mon oreille.

Cramponnée à mon corps de toute la force de ses petites jambes et de ses petits bras, elle était encore plus excitée que moi.

114

Pour moi, ce n'était pas fini car le travail n'avait été fait qu'à moitié. Deux jours plus tard, j'ai emprunté le sentier déjà bien battu reliant à travers bois la Route 22 à la maison souterraine. Les agents de la police locale que j'ai croisés affichaient un air sombre et calme. Je les ai vus émerger de la forêt, la tête basse, muets, blafards et impassibles.

Leur contact avec les deux assassins était devenu plus intime. Ils avaient pu admirer de près l'œuvre raffinée et répugnante du Dr Will Rudolph et de cet autre monstre qui se faisait appeler Casanova. Certains d'entre eux avaient exploré la maison de l'horreur.

Aujourd'hui, la majorité d'entre eux me connaissaient pour m'avoir vu sur la plupart des coups durs. Certains me saluaient d'un signe de tête ou d'un geste, et je leur répondais.

On finissait par m'accepter en Caroline du Nord, chose impossible vingt ans plus tôt, même dans des circonstances très particulières. A ma grande surprise, je commençais à me plaire dans le Sud.

J'avais échafaudé une nouvelle théorie à propos de Casanova, suite à un détail qui m'avait frappé lors des deux fusillades, celle de la forêt et celle qui s'était déroulée dans les rues de Chapel Hill. « Tu ne le trouveras jamais », m'avait dit Rudolph au moment de mourir. Il ne faut jamais dire jamais, Will.

Kyle Craig était sur place en cet après-midi lourd et brumeux, accompagné de près de deux cents policiers hommes et femmes de Chapel Hill et Durham, sans compter des militaires venus de Fort Bragg.

— Quel bonheur d'être en vie, d'être un flic ! s'exclama Kyle.

Chaque fois que je le voyais, son humour était un peu plus noir. Il m'inquiétait. Il était tellement solitaire, tellement obsédé par son métier, tellement vieux jeu d'apparence. Et à en juger par les photos que j'avais vues dans les annuaires de Duke, ça ne datait pas de la veille.

— Je plains les gens du coin qu'on a fait venir ici pour un travail pareil, lui ai-je dit en balayant lentement des yeux ce théâtre dantesque. Ils n'oublieront jamais, jusqu'au jour de leur mort. Ils en rêveront pendant des années.

— Et toi, Alex ?

Son regard intense, gris-bleu, vint se river au mien. Parfois, j'en arrivais à croire qu'il se faisait du souci pour moi. Avec un mince sourire, j'ai avoué :

— Oh, j'ai tant de scènes de cauchemar en rayon qu'il me serait bien difficile d'en citer une en particulier. Je vais bientôt rentrer chez moi et au début, les enfants dormiront avec moi. D'ailleurs, ils seront les premiers ravis. Ils ne connaîtront pas la vraie raison, bien sûr. Moi, je pourrai dormir normalement. Ils seront là pour me protéger ; si je fais un cauchemar, ils tambourineront sur ma poitrine.

— Tu es quelqu'un d'atypique, Alex, me dit-il en souriant enfin. Tu es à la fois incroyablement ouvert et incroyablement secret.

— Je suis de plus en plus atypique. Si tu dégotes un autre monstre un de ces quatre, ne m'appelle pas. J'ai assez donné.

Je l'ai regardé dans les yeux en essayant, sans vraiment y parvenir, d'établir un contact. Kyle était très secret, lui aussi, et je ne connaissais pas une personne auprès de laquelle il aurait accepté de se confier.

— Je m'efforcerai de ne pas t'appeler, me rétorqua-t-il, mais prends un peu de repos. Il y a un monstre qui fait des siennes en ce moment à Chicago. Un autre à Lincoln et à Concord, dans le Massachusetts. A Austin, Texas, on a un salopard de première qui enlève des gosses. Des bébés, carrément. Et des tueurs à répétition à Orlando et à Minneapolis.

— Il y a encore du boulot ici, lui ai-je rappelé.

— Ah bon? (Sa voix dégoulinait d'ironie.) De quel boulot tu parles, Alex? Du terrain à bêcher?

Kyle Craig et moi étions en train d'assister à un spectacle effrayant. A l'ouest de la maison fantôme, soixante-dix à quatre-vingts hommes munis de pics et de pelles retournaient le sol, à la recherche des corps des victimes. Il y avait effectivement du terrain à bêcher.

Depuis 1981, les deux monstres avaient écumé le Sud, enlevant et assassinant des jeunes femmes aussi belles qu'intelligentes. Pendant treize ans, ils avaient fait régner la terreur dans la région. *Je commence par tomber amoureux d'une femme*, avait écrit Will Rudolph dans son journal californien. *Puis je la prends, tout simplement*. Je me demandais s'il traduisait là son sentiment ou celui de son alter ego. Je me demandais ce que Casanova ressentait depuis la disparition de son ami, s'il souffrait beaucoup, comment il prévoyait de combler ce vide et s'il avait déjà une idée derrière la tête...

C'était aux alentours de 1981, j'en avais la conviction, que Casanova avait fait la connaissance de Rudolph. Ils avaient partagé leur terrible secret : ils aimaient kidnapper, violer et parfois, torturer des femmes. L'idée leur était venue de monter un harem réservé à des femmes d'exception, des femmes suffisamment brillantes et passionnantes pour entretenir leur intérêt. Jusqu'alors, jamais ils n'avaient pu confier leur secret à quiconque et du jour au lendemain, ils avaient cessé d'être seuls. J'essayais de m'imaginer ce qui pouvait se passer dans la tête d'un homme de vingt et un ou vingt-deux ans qui n'a jamais pu se livrer à qui que ce soit et qui, soudain, trouve un interlocuteur.

Ils s'étaient lancés à corps perdu dans leurs jeux pervers, avaient constitué leur harem en enlevant de belles jeunes femmes dans le Triangle des Chercheurs et dans tout le Sud-Est. Ma thèse du jumelage n'était pas loin de la vérité. Ils aimaient kidnapper et séquestrer de jolies filles, mais dans un esprit de rivalité. A telle enseigne que Will Rudolph avait dû tenter l'aventure en solitaire. A Los Angeles, où il était devenu le Gentleman. Il avait essayé de voler de ses propres ailes tandis que Casanova, le plus territorial des deux, poursuivait ses activités dans le Sud. Mais ils étaient restés en contact permanent, ils échangeaient les récits de leurs exploits. Communiquer était pour eux un véritable besoin et ces confidences réciproques pimentaient leurs journées. Rudolph était allé jusqu'à faire des révélations à une journaliste du *Los Angeles Times*, ce qui lui avait valu gloire et notoriété. Pour lui, un vrai régal. Mais Casanova, lui, n'en avait cure car c'était un solitaire. Selon moi, le génie, l'inspirateur du duo, c'était lui.

J'avais des soupçons quant à son identité. Quelque chose me disait que j'avais déjà vu Casanova sans son masque.

Je ne cessais de ressasser, de manière très chaotique, des idées bizarres et très personnelles. J'étais lessivé, mais il y avait belle lurette que cela n'avait plus la moindre importance.

Casanova, me répétais-je, est un tueur territorial. Sans doute se trouvait-il toujours dans la région de Durham et de Chapel Hill. Il avait rencontré Will Rudolph au moment du double meurtre de 1981. Jusqu'à présent, il avait toujours tout calculé avec une rare lucidité mais lors de la fusillade, deux jours plus tôt, il avait commis une erreur. Une erreur infime, sans doute, mais cela suffisait parfois pour faire basculer une situation... J'avais une petite idée sur l'identité réelle de Casanova, mais je ne pouvais m'en ouvrir au FBI. Après tout, j'étais leur « franc-tireur », non ?

Kyle Craig et moi fixions des yeux le même endroit, au loin, au milieu des hautes herbes et des buissons de chèvrefeuille, la parcelle où s'étaient concentrées les fouilles. Et devant cet abominable spectacle, je me disais : « Encore un charnier. Vive les années quatre-vingt-dix ! »

Du fond du trou qu'il avait creusé dans la terre meuble, un homme de grande taille, un peu chauve, leva les bras en l'air. La sueur brillait sur sa peau. D'une voix très nette, il cria son nom : « Bob Shaw, ici ! »

Ce qui signifiait qu'on avait découvert un autre cadavre. Tout un service de santé participait aux opérations dans ce décor digne d'un film d'épouvante. L'un des médecins se précipita vers Shaw d'un étrange pas chaloupé qui nous aurait fait beaucoup rire en d'autres circonstances, et l'aida à sortir de la fosse.

Les caméras de télévision se rapprochèrent de Shaw, un soldat de l'armée de terre stationné à Fort Bragg. A deux pas de là, une affriolante journaliste prit le temps d'un raccord maquillage avant de passer à l'image.

« On vient de découvrir un vingt-troisième corps », déclara-t-elle sur le ton grave qui s'imposait. « A ce jour, les victimes semblent être toutes des jeunes femmes. Ces meurtres ignobles... »

J'ai tourné le dos aux reporters et j'ai poussé un long et bruyant soupir.

Je pensais aux enfants comme Damon et Janelle, qui regardaient ces images chez eux. Voilà le monde que nous leur laissions en héritage. Des monstres sadiques se promenaient à la surface du globe, la plupart sévissant en Amérique du Nord et en Europe. Comment l'expliquer ? Quelque chose dans l'eau ? Dans la graisse des hamburgers-frites ? Dans les programmes télé du samedi matin ?

— Allez, Alex, rentre chez toi, m'a dit Kyle. C'est fini, maintenant. Tu ne le coinceras pas, je t'assure.

115

Ne jamais dire jamais. C'est l'une de mes devises de flic. Je transpirais, j'avais le pouls en dents de scie. Le grand soir était arrivé. Enfin, il fallait que je m'en persuade.

Une chaleur moite plombait l'air. Je planquais devant une petite maison de bois d'Edgemont, un arrondissement de Durham. Un de ces quartiers qu'affectionne la petite bourgeoisie du Sud, avec de belles maisons bourgeoises, des voitures américaines et japonaises en nombre égal, des pelouses joliment striées par les tondeuses et de rassurantes odeurs de cuisine. C'était ici que Casanova avait choisi de vivre depuis sept ans.

J'avais passé une bonne partie de la soirée dans les bureaux du *Herald Sun*. J'avais relu tout ce que le journal avait publié sur l'affaire jamais élucidée du double meurtre Roe Tierney-Tom Hutchinson. Un nom mentionné par le quotidien m'avait permis de reconstituer le puzzle, confirmant du même coup mes craintes et mes soupçons. J'avais passé des centaines d'heures à enquêter, à lire et à relire les notes et les rapports de la police de Durham et la clé de l'énigme m'avait été fournie par une simple ligne dans un journal.

Ce nom figurait dans un article perdu au milieu des pages centrales. Il n'avait été cité en tout et pour tout qu'une seule fois, mais j'étais tombé dessus.

Ce nom, je le connaissais. Je l'avais longuement contemplé, en pensant à un détail qui m'avait frappé lors des échanges de coups de feu, à Chapel Hill. J'avais réfléchi à toute cette histoire de « crimes parfaits ». Et maintenant, le puzzle était reconstitué. Jeu, set et match.

Casanova n'avait commis qu'un seul impair, mais sous mes yeux. Le nom figurant dans l'article me prouvait que j'avais vu juste. Il me permettait d'établir pour la première fois un lien entre Will Rudolph et Casanova. Et je savais désormais de quelle manière ils s'étaient rencontrés, tout comme je connaissais la raison de cette première entrevue.

Casanova était sain d'esprit et donc totalement responsable de ses actes. Il avait agi de sang-froid, en ayant tout calculé. Sans doute était-ce l'aspect le plus horrible, le plus déconcertant, de cette longue et sanglante aventure. Il savait ce qu'il faisait. C'était un être abject qui avait décidé d'enlever de belles étudiantes à la fleur de l'âge, qui avait décidé de les violer, de les assassiner, de continuer aussi longtemps que cela lui plairait. Obsédé par la perfection féminine, il ne songeait qu'à aimer ses victimes, pour reprendre son expression.

En patientant devant le domicile de Casanova, dans la voiture, je me suis amusé à imaginer une discussion entre nous. Je voyais son visage aussi nettement que les chiffres sur le tableau de bord.

— *Tu n'éprouves jamais rien, dis-moi?*

— *Oh, si. J'éprouve une immense euphorie. Lorsque je m'empare d'une jeune femme, je suis au comble de l'exultation. J'éprouve des degrés divers d'excitation, d'impatience, de désir bestial. J'éprouve une incroyable sensation de liberté que peu de gens connaîtront jamais.*

— *Mais aucun sentiment de culpabilité?*

Je le voyais, avec son sourire satisfait. Un sourire que j'avais déjà eu l'occasion de voir. Je savais qui il était.

— *Rien qui puisse m'inciter à arrêter.*

— *Quand tu étais enfant, as-tu reçu de l'affection, de l'amour?*

— *Ils ont essayé, mais je n'étais pas vraiment un enfant. Je ne me rappelle pas m'être comporté, avoir raisonné en enfant.*

J'avais recommencé à me mettre à la place du monstre. J'étais le tueur de dragons, une responsabilité qui me déplaisait au plus haut point, et je détestais avoir à m'identifier à ce tueur. Mais à ce stade, je ne pouvais plus faire machine arrière.

J'étais devant la maison de Casanova, à Durham, la poitrine taraudée par l'appréhension. J'ai attendu quatre soirs de suite.

Sans équipier. Sans renforts.

Et sans problème. Je pouvais être aussi patient que lui s'il le fallait.

Maintenant, c'était moi le chasseur.

116

J'ai aspiré une grande bouffée d'air et j'ai eu comme un léger vertige. Il était là !

Casanova sortait de chez lui. J'ai observé son visage, sa démarche. Il était confiant, très sûr de lui.

Il était un peu plus de vingt-trois heures lorsque l'inspecteur Davey Sikes se dirigea vers sa voiture d'un pas alerte. Il était vigoureux, taillé en athlète. Il portait un jean, un blouson coupe-vent noir et des baskets montantes noires. Il s'installa au volant de la Toyota Cressida qui dormait dans le garage, un véhicule de dix ou douze ans.

Ce devait être sa voiture de patrouille, celle dont il se servait pour pêcher à la traîne, pour draguer sans se faire repérer. Des « crimes parfaits »... Davey Sikes possédait toutes les compétences nécessaires. Il participait à l'enquête en qualité d'inspecteur de police, et ce depuis plus de douze ans. Il savait que, sitôt sur l'affaire, le FBI s'intéresserait de près à l'emploi du temps de tous les agents locaux, et s'était donc mitonné des alibis « irréprochables », allant jusqu'à modifier la date d'un kidnapping pour « prouver » qu'il était ailleurs ce jour-là.

En regardant la Toyota foncée faire marche arrière dans l'allée, je me suis demandé si Sikes oserait s'attaquer à une autre femme ce soir. Avait-il déjà repéré et pisté une proie potentielle ? Qu'éprouvait-il en cet instant précis ? A quoi pensait-il ? Rudolph lui manquait-il ? Avait-il l'intention de poursuivre la partie ou d'arrêter ? Etait-il seulement capable d'interrompre la partie ?

Je tenais tellement à avoir sa peau. Dès le début, Sampson m'avait fait remarquer que je prenais cette affaire trop à cœur. Il avait vu juste. Jamais, et de loin, je ne m'étais autant personnellement impliqué dans une enquête.

J'essayais de penser comme lui, de fonctionner à son rythme. Je le soupçonnais d'avoir déjà choisi une victime, mais de ne pas oser s'y attaquer pour l'instant. Une autre étudiante aussi belle qu'intelligente ? A moins qu'il n'eût choisi de modifier ses habitudes, mais j'en doutais. Il aimait beaucoup trop sa vie et ses créations.

J'ai suivi le tueur dans les rues sombres et désertes du sud-ouest de Durham, assourdi par le sang qui me battait les tempes. Tant que Davey Sikes ne quittait pas les petits axes, je préférais rouler tous feux éteints. Peut-être allait-il simplement acheter de la bière et des cigarettes au Circle K.

Je pensais avoir enfin trouvé l'explication du double assassinat de 1981 qui avait secoué Chapel Hill et toute la communauté universitaire. Will Rudolph avait manigancé, puis commis ces meurtres sadiques alors qu'il était encore étudiant. Il « aimait » Roe Tierney, mais elle n'avait d'yeux que pour les stars du football américain. Au cours de l'enquête, l'inspecteur Davey Sikes avait interrogé Rudolph.

A un moment donné, il avait entrepris de confier ses noirs secrets au brillant étudiant en médecine. Ils s'étaient révélés l'un à l'autre, avaient senti qu'ils se ressemblaient. Tous deux brûlaient de confier à quelqu'un leurs obsessions. Et soudain, cette rencontre providentielle. Ils s'étaient découverts frères jumeaux.

Maintenant que j'avais abattu son seul ami, Davey Sikes voulait-il se venger? Savait-il que je le traquais? A quoi songeait-il en ce moment? Je ne voulais pas me contenter de le démasquer; il fallait que je capture également ses pensées.

Casanova s'est engagé sur l'Interstate 40, dans le sens nord-sud. En lettres blanches sur fond vert, les panneaux indiquaient la direction de Garner et McCullers. La circulation étant relativement dense, je pouvais le suivre en restant dans le même groupe de quatre ou cinq voitures. Pour l'instant, tout se déroulait parfaitement. Inspecteur contre inspecteur.

Il a pris la sortie 35. En grosses lettres, on lisait McCullers. Nous avions parcouru un peu moins d'une cinquantaine de kilomètres et il était bientôt onze heures et demie. L'heure fatale.

Ce soir, j'allais le supprimer, coûte que coûte. Une chose que je n'avais encore jamais faite depuis que j'étais inspecteur de la criminelle à Washington.

Mais cette fois, il s'agissait bel et bien d'une affaire personnelle.

117

Deux kilomètres ou presque après la sortie, un pick-up Ford déboucha en trombe d'une allée invisible. Une irruption intempestive qui me rendit néanmoins service. Le véhicule rouge conduit par je ne sais quel idiot vint s'intercaler entre Sikes et moi, m'offrant une couverture maigre, mais suffisante pour le suivre pendant quelques minutes encore.

La Cressida quitta la route quelques kilomètres avant McCullers et se gara sur le parking bondé d'un bar appelé le Sports Page Pub. Impossible d'y remarquer une voiture de plus.

Voilà pourquoi il avait fini par se trahir, pourquoi j'en étais même arrivé à placer Kyle Craig sur ma liste de suspects. Casanova semblait savoir à l'avance tout ce que la police allait faire. Il avait probablement enlevé certaines de ses victimes en se présentant comme officier de police. L'inspecteur Davey Sikes! Lors de la fusillade de Chapel Hill, Casanova avait tiré en position accroupie, d'un geste très professionnel. Je savais que c'était un autre flic.

En passant en revue les articles consacrés au double meurtre de 1981, j'avais trouvé son nom. Jeune inspecteur, il avait fait partie de la première équipe affectée à l'enquête. Il avait interrogé un étudiant nommé Will Rudolph, mais ne nous l'avait jamais signalé.

J'ai dépassé le Sports Page Pub, j'ai pris la première à droite et je me suis garé. Je suis sorti de la voiture et j'ai foncé en direction du bar. Quand je suis arrivé, Davey Sikes était en train de traverser la route à pied.

Puis Casanova longea une rue perpendiculaire, les mains plongées dans les poches de son pantalon, comme s'il habitait ce quartier provincial. Alors, l'ami, on a fourré un pistolet paralysant dans sa grande poche, hein? Voilà que ça te redémange, comme avant? Paré pour les émotions fortes?

J'ai suivi Sikes jusqu'à un lotissement planté de pins

et là, il s'est mis à presser le pas. Pour un homme de sa carrure, il marchait vite. Suffisamment pour me semer. Et dans ce paisible quartier, la vie de quelqu'un était désormais en danger. Une autre Scootchie Cross, une autre Kate McTiernan. Je me rappelais les mots qu'avait prononcés Kate : *Enfonce-lui un pieu en plein cœur, Alex.*

J'ai sorti mon Glock neuf millimètres du holster d'épaule. Une arme semi-automatique d'une capacité de douze coups, légère, performante et redoutable. Je serrais si fort les dents que j'en avais mal. D'un coup de pouce, j'ai enlevé la sûreté. J'étais prêt à rayer Davey Sikes de la carte.

Les grands pins projetaient leurs ombres menaçantes. Au loin, une villa genre chalet se détachait sur une pleine lune blafarde. Sur le tapis d'aiguilles, sans un bruit, j'ai allongé le pas. J'étais à présent dans sa foulée.

Casanova se rapprochait de la maison. Il marchait de plus en plus vite et, manifestement, connaissait le chemin. Il était déjà venu... repérer les lieux, étudier les habitudes de sa future victime, s'assurer que tout était au point.

J'ai accéléré, puis je l'ai perdu de vue. Il avait suffi d'une seconde. Il avait dû entrer.

A l'intérieur de la maison, une lumière tremblotait. Je sentais que mon cœur allait lâcher si je ne le descendais pas tout de suite. Sur la détente, mon doigt s'impatientait.

Enfonce-lui un pieu en plein cœur, Alex.

118

Eliminer Sikes.

Luttant pour dominer mon émotion et retrouver mon

calme, j'ai couru jusqu'à l'arrière de la maison. Des ombres mouvantes léchaient une véranda tapissée de moustiquaires. J'ai soudain entendu bourdonner un climatiseur asthmatique. Sur la porte blanche, un autocollant qui ne l'était plus guère clamait *J'achète les biscuits des Eclaireuses parce que j'en raffole!*

Il avait donc trouvé une autre sympathique victime et il allait passer à l'acte ce soir. La Bête était incapable de se réfréner.

— Salut, Cross. Tu me poses cette arme. Et très lentement, coco, fit une voix grave, derrière moi, dans le noir.

L'espace d'un instant, j'ai fermé les yeux. J'ai abaissé le pistolet, puis je l'ai laissé tomber sur l'herbe tapissée d'aiguilles de pin. Je n'étais plus qu'une coquille vide, une cabine d'ascenseur en chute libre.

— Maintenant, tu te retournes, connard. Emmerdeur de mes deux.

Je me suis retourné, et je me suis retrouvé face à Casanova. Il était enfin là, à portée de main, un Browning braqué sur ma poitrine.

Plus question de réfléchir des heures, il fallait laisser jouer l'instinct. J'ai fait comme si ma jambe droite s'effaçait sous moi et j'ai frappé Sikes à la tempe. Un sale coup de poing, du gros calibre, à casser de l'os.

Sikes a mis un genou à terre, mais s'est relevé presque aussitôt. Je l'ai attrapé par le devant de la veste et je l'ai expédié contre la façade de la maison. Son bras a craqué contre le mur, son pistolet est tombé. Bien campé sur mes jambes, je suis revenu à l'attaque. J'avais l'impression d'être plongé dans une bonne vieille bagarre de rue, à l'ancienne. J'en crevais d'envie. Mon corps réclamait un contact physique, libérateur.

— Vas-y, connard, insistait-il, tout aussi motivé que moi.

— T'inquiète pas, j'arrive.

Une autre lumière jaillit dans la maison et j'ai eu la surprise d'entendre une voix de femme :

— Qui est là? Répondez, qui est là?

Il m'a lancé un grand crochet, rapide et bien ajusté. Le séducteur était aussi un bon cogneur. Kate l'avait décrit comme un homme d'une force effrayante. Mais je n'avais nullement l'intention de m'attarder entre ses griffes.

J'ai reçu le coup dans le bras, et le muscle s'est aussitôt ankylosé. Pour être fort, il était fort. « Tiens-toi à l'écart de ses poings, me suis-je dit. Mais fais-lui mal. Fais-lui très mal. »

Du droit, je lui ai envoyé un violent uppercut dans le ventre, en pensant à Kate, à tous les coups qu'elle avait reçus pour avoir désobéi aux ordres, au calvaire qu'on lui avait infligé lors de la dernière agression.

J'ai doublé le coup, et j'ai senti son estomac s'enfoncer. J'avais dû le toucher sous la ceinture. Sikes s'est plié en deux en gémissant, tel un boxeur amateur durement touché. Mais c'était une feinte. Les représailles n'ont pas tardé, et j'ai pris en pleine tempe un coup qui m'a bien sonné. J'ai renâclé, joué un peu de la tête, histoire de lui montrer que je n'avais pas trop dégusté. C'était du combat de rue, façon Washington. Amène-toi, le visage pâle. Viens me montrer ce que tu sais faire, monsieur le sadique. J'avais tellement besoin de vivre cette confrontation.

Une nouvelle fois, je lui ai enfoncé mon poing dans le ventre. Qu'on tue le corps, et la tête mourra. Mais je voulais aussi lui démolir la tête. Pour faire bonne mesure, je lui ai écrasé le nez. Ce que j'avais fait de mieux pour l'instant. Un coup dont Sampson aurait été fier. Moi, en tout cas, je l'étais.

— Ça, c'est pour Sampson, lui ai-je fait, les dents serrées. C'est lui qui m'a demandé de te le remettre, en main propre.

Je l'ai frappé à la gorge, il s'est mis à suffoquer. Moi, je continuais à esquiver. Non seulement j'avais un air de ressemblance avec Ali, mais j'étais capable de me battre comme lui si nécessaire. J'étais capable de défendre ce qui devait être défendu, j'étais capable de jouer les petites frappes si la situation l'exigeait.

— Et ça, c'est pour Kate.

Je l'ai encore frappé en plein nez, puis j'ai enchaîné sur une droite à l'œil gauche. Son visage commençait à être joliment tuméfié. *Enfonce-lui un pieu en plein cœur, Alex.*

Je savais cependant qu'il était fort, bien entraîné et toujours dangereux. Il est revenu à la charge comme un taureau dans l'arène. Je me suis effacé, et il est venu percuter le mur de la maison de l'avant-bras comme s'il cherchait à la faire basculer, la faisant vibrer sur ses fondations.

Je l'ai frappé à la tempe et sa tête a heurté une plaque d'aluminium avec une violence telle qu'elle y a laissé une marque. Le souffle commençait à lui manquer. Il chancelait. Soudain, dans le lointain, j'ai entendu un hurlement de sirènes. La jeune femme avait dû appeler la police, mais la police, c'était moi, non?

Et brusquement, quelqu'un m'a frappé par-derrière. Un coup monstrueux. « Oh, Seigneur, non », j'ai fait en gémissant et en secouant la tête pour calmer la douleur.

C'était impossible! Je rêvais...

Qui m'avait frappé, et pourquoi? Je n'y comprenais plus rien, j'avais le cerveau en coton.

Sonné, le crâne taraudé par la douleur, j'ai tout de même trouvé la force de me retourner.

Pour me retrouver face à une blonde frisée vêtue d'un tee-shirt géant Farm Aid, brandissant la pelle avec laquelle elle venait de me casser la tête.

— Laissez mon ami tranquille! hurlait-elle, le visage et la nuque écarlates. Laissez-le ou je vous redonne un coup! Touchez pas à mon Davey!

Mon Davey!... Mon Dieu! Malgré mes vertiges, je crus comprendre. Davey Sikes était venu rendre visite à sa petite amie. Il ne traquait personne. Il n'était pas ici pour assassiner quelqu'un. C'était le copain de Miss Farm Aid.

En m'éloignant de Sikes, je me suis dit que j'avais peut-être fini par disjoncter, par basculer irrémédiablement dans la folie. Ou bien j'étais comme presque tous les enquêteurs de la criminelle que je connaissais, surmené et capable de commettre des erreurs. J'avais fait fausse route. Je m'étais mépris au sujet de Davey Sikes, et je ne comprenais toujours pas comment j'avais fait mon compte.

Il n'a pas fallu une heure à Kyle Craig pour être sur place. Toujours aussi calme et imperturbable, il m'a dit tranquillement:

— L'inspecteur Sikes a une liaison avec la jeune femme qui vit ici. Ça remonte à plus d'un an et on était au courant.

L'inspecteur Sikes ne fait pas partie des suspects, il n'est pas Casanova. Rentre chez toi, Alex. Allez, rentre, tu n'as plus rien à faire ici.

119

Je ne suis pas rentré à l'hôtel. Je suis allé rendre visite à Kate à l'hôpital. Blême, l'air hagard, d'une effrayante maigreur, elle n'était pas belle à voir. Ni à entendre, d'ailleurs. Mais son état s'était néanmoins considérablement amélioré. Elle était sortie du coma. Du seuil de la porte, j'ai lancé :

— Regardez-moi qui est réveillée ?

— Tu as eu un des méchants, Alex, m'a-t-elle murmuré d'une voix lente et hésitante, en essayant de sourire.

Cette Kate-là n'était pas tout à fait celle que j'avais connue.

— Tu as vu ça dans tes rêves ?

— Ouais. C'est vrai, en plus.

Toujours ce merveilleux sourire. Mais elle avait tant de mal à s'exprimer.

— Je t'ai apporté un petit cadeau, lui dis-je.

Je lui ai tendu un ours en peluche déguisé en médecin. Elle l'a pris, visiblement ravie. Son sourire magique faisait presque oublier ce qui lui était arrivé. Je me suis penché sur elle et j'ai embrassé sa tête boursouflée comme si c'était la fleur la plus précieuse qu'on eût jamais vue. De nouvelles étincelles jaillirent entre nous, étranges, plus fortes que jamais.

— Tu ne peux pas savoir à quel point tu m'as manqué, lui ai-je chuchoté, le nez dans ses cheveux.

— Dommage, j'aimerais bien savoir...

Elle m'a souri, puis je l'ai imitée. Sa diction était peut-être lente, mais elle n'avait rien perdu de sa vivacité d'esprit.

Dix jours plus tard, elle se déplaçait déjà à l'aide d'un déambulateur métallique à quatre pieds, peu commode. Un « machin mécanique » qu'elle détestait; d'ici une semaine, m'assurait-elle, elle pourrait s'en passer. En fait, il lui fallut près de quatre semaines pour recouvrer sa mobilité, mais l'évolution de son état de santé tenait malgré tout du miracle.

Les coups terribles qu'elle avait reçus lui avaient laissé un creux en demi-lune sur le lobe frontal gauche. Pour l'instant, elle refusait de recourir à la chirurgie plastique, arguant que cette marque lui donnait un genre.

Elle n'avait pas totalement tort. C'était du pur Kate McTiernan. « Elle fait aussi partie de l'histoire de ma vie, insistait-elle, alors je la garde. » Elle s'exprimait de plus en plus clairement et sa diction était redevenue presque normale.

Chaque fois que je voyais cette marque sur le visage de Kate, je pensais à Reginald Denny, le routier sauvagement tabassé pendant les émeutes de Los Angeles. Après le premier verdict du procès Rodney King, on l'avait vu, le crâne quasiment enfoncé d'un côté. Un an plus tard, devant les caméras de télévision, il n'avait pas changé. Je pensais également à une nouvelle de Nathaniel Hawthorne intitulée *La Tache de naissance*. Unique imperfection de Kate, cette marque la rendait encore plus belle à mes yeux, encore plus exceptionnelle.

Mis à part deux sauts à Durham pour rendre visite à Kate, j'ai passé le plus clair du mois de juillet en famille, chez moi, à Washington. Combien de pères de famille peuvent s'offrir un mois entier avec leurs enfants pour se mettre à jour, partager les affres et les joies de leur turbulent apprentissage de la vie? Cet été-là, Damon et Jannie jouaient tous deux au base-ball, en équipes, mais leur passion pour la musique, le cinéma, tout ce qui fait du bruit et les cookies au chocolat passés au four était restée intacte. Ils ont dormi avec moi sur la couette les huit premières nuits, le temps que je récupère et que j'essaie d'oublier mon récent séjour en enfer.

Je restais vigilant, sachant que Casanova pouvait être sur mes traces depuis que j'avais abattu son comparse, mais pas de nouvelles. La Caroline du Nord n'avait pas eu à déplorer de nouveaux enlèvements de belles jeunes femmes et il était désormais établi que Davey Sikes n'était pas l'homme que l'on recherchait. L'enquête s'était intéressée à plusieurs policiers de la région, dont son équipier Nick Ruskin et même le chef Hatfield. Tous avaient des alibis qui les mettaient hors de cause. Qui donc pouvait être Casanova ? Allait-il disparaître aux regards de tous, comme sa maison souterraine ? Ses meurtres indicibles allaient-ils rester impunis ? Etait-il capable de mettre un terme définitif à sa sanglante aventure ?

Ma grand-mère me gratifiait sans compter de conseils psychologiques et autres suggestions utiles, en privilégiant des thèmes bien connus : ma vie sentimentale, et quand finirais-je par mener une vie normale ? Elle voulait absolument que j'entre dans le privé, que je renonce une fois pour toutes à la police.

— Les enfants ont besoin d'une grand-mère et d'une mère, m'a dit Nana Mama un matin, devant sa gazinière, alors qu'elle préparait son petit déjeuner.

— Donc je devrais aller chercher une mère pour Damon et Jannie ? C'est ce que tu essaies de me dire ?

— Oui, Alex, tu devrais, et peut-être même que tu devrais t'y mettre pendant que tu fais encore jeune, mignon, que tu as du charme...

— D'accord. Cet été, je me ramène une femme et une maman.

Nana Mama m'a frappé avec sa spatule. Une fois, puis une fois encore pour faire bonne mesure.

— Ne joue pas au plus fin avec moi.

Il fallait toujours qu'elle ait le dernier mot.

Le coup de téléphone est arrivé fin juillet, vers une heure du matin. Nana et les enfants étaient couchés depuis longtemps. Je pianotais du jazz, un peu de Miles Davis et de Dave Brubeck, pour le plus grand bonheur des quelques junkies qui traînaient encore dans la Cinquième Rue.

C'était Kyle Craig. Dès que j'ai entendu son ton placide

et discipliné, j'ai commencé à râler. Je m'attendais à de mauvaises nouvelles, bien entendu, mais pas à la surprise qu'il me réservait. Dès que j'ai décroché, j'ai commencé à le chambrer :

— Bon Dieu, Kyle, qu'est-ce qu'il y a encore ? Je t'avais dit de ne jamais me rappeler.

— Il fallait que j'appelle, Alex. Il fallait que tu saches. Maintenant, écoute bien tout ce que je vais te dire...

Kyle m'a parlé pendant près d'une demi-heure, et ce n'était pas du tout que j'avais envisagé d'entendre. C'était bien, bien pire.

Après avoir raccroché, je suis allé sur la terrasse et je suis resté là un long moment, à réfléchir à ce que je devais faire à présent. Mais je ne pouvais rien faire, rien du tout. J'ai chuchoté à l'adresse des quatre murs :

— Cela ne s'arrêtera donc jamais, jamais ?

Puis je suis rentré chercher mon arme. J'avais horreur de la porter sur moi à la maison. J'ai vérifié que toutes les portes et fenêtres étaient bien fermées et je suis enfin allé me coucher.

Allongé dans le noir, j'entendais encore les mots terribles que Kyle avait prononcés, j'entendais encore Kyle m'apprendre l'incroyable nouvelle. Je revoyais un visage que j'avais souhaité voir disparaître à jamais. Je me rappelais tout.

« Gary Soneji s'est évadé, Alex. Il a laissé un message disant qu'il passera bientôt te dire bonjour. »

Cela ne s'arrêtera jamais.

Ainsi donc, Gary Soneji voulait toujours me tuer. Il me l'avait dit lui-même et derrière les barreaux, il avait eu tout le temps de ressasser comment, où et quand il mettrait sa menace à exécution.

Quand j'ai fini par sombrer dans le sommeil, l'aube s'annonçait déjà. Une nouvelle journée allait commencer. Cela ne s'arrêterait jamais.

120

Deux mystères restaient encore à résoudre, ou du moins exigeaient une meilleure approche. Il y avait celui de l'identité de Casanova. Et celui des relations qui s'étaient établies entre Kate et moi.

Fin août, Kate et moi sommes allés visiter les Outer Banks, ce bras de terre qui longe la côte de la Caroline du Nord. Nous avons passé six jours près d'une petite ville très pittoresque appelée Nags Head.

Kate s'était enfin séparée de son déambulateur métallique peu pratique, mais il lui arrivait de s'aider d'une canne en hickory, une bonne vieille canne noueuse comme on les faisait autrefois. Sur la plage, elle s'en servait comme d'un bâton de karaté et la faisait tournoyer autour d'elle avec beaucoup de talent et de dextérité.

En la regardant, je me faisais la réflexion qu'elle paraissait presque radieuse. Elle avait retrouvé la forme et son visage était quasiment le même qu'avant, exception faite de la marque. « C'est pour indiquer que j'ai une tête de mule, me disait-elle, et ça ne partira jamais. »

Ce fut à bien des égards une semaine idyllique. Tout nous semblait parfait. Nous avions le sentiment d'avoir largement mérité ces vacances, et bien davantage.

Chaque matin, nous prenions notre petit déjeuner sur une terrasse de longues planches grises dominant les flots miroitants de l'Atlantique. (Quand c'était mon tour, je cuisinais ; Kate, elle, allait acheter au marché de Nags Head des brioches au sucre et des beignets fourrés.) Nous passions de longues heures à nous balader au bord de l'eau. Nous pêchions dans le ressac et sitôt sorti de l'eau, le poisson était grillé sur la plage. Parfois, nous nous contentions de contempler les bateaux rutilants qui longeaient la côte. Nous avons pris une journée pour voir les fous de parapente s'élancer du haut des immenses dunes du Jockey's Ridge State Park.

Nous attendions Casanova. Nous le mettions au défi de venir nous menacer. Mais pour l'instant, cela ne semblait pas l'intéresser.

Je pensais au livre *Le Prince des marées*, au film qu'on en avait tiré. Kate et moi étions un peu comme Susan Lowenstein et Tom Wingo et notre situation, quoique différente, se révélait tout aussi complexe. Susan Lowenstein réussissait à faire comprendre à Tom Wingo qu'il avait besoin d'amour, qu'il avait besoin de donner de l'amour. Kate et moi étions en train de tout apprendre l'un de l'autre, tout ce qui comptait, et nous apprenions vite.

Un matin d'août, de bonne heure, nous sommes allés marcher dans l'eau, juste devant la maison, une eau limpide et d'un bleu magnifique. Presque tout le monde dormait encore et nous n'avions pour toute compagnie qu'un pélican brun s'amusant à raser les flots.

Nous nous tenions la main au-dessus des petites vagues. Une vraie scène de carte postale. D'où venait, alors, ma sensation d'avoir un trou béant à la place du cœur ? Pourquoi Casanova ne cessait-il de m'obséder ?

— Je te sens plongé dans tes idées noires, m'a dit Kate en me donnant un grand coup de hanche. Tu es en vacances, aère-toi la tête.

— Non, en fait, je pensais à des choses très agréables, mais ça me rend un peu triste.

— Je connais la chanson, va, fit-elle en me serrant dans ses bras comme pour me rassurer et me rappeler que nous étions tous deux embarqués dans la même galère. Viens, on fait la course. Je parie que j'arrive à Coquina Beach avant toi. A vos marques, prêts ? Je te préviens, tu vas perdre.

On est partis au petit trot. Kate ne boitait pas. On a accéléré. Elle était si forte, à tous points de vue. Nous étions tous les deux si forts... Sur la fin, on courait presque à grandes foulées et à l'arrivée, on s'est écroulés dans les vagues d'argent bleuté. Je ne voulais pas perdre Kate, je ne voulais pas que cela s'arrête et je ne savais que faire.

C'était un samedi soir, sur la plage. On s'était allongés sur une vieille couverture indienne et une brise chaude nous caressait. On venait d'aborder une cinquantaine de sujets différents après s'être régalés d'un caneton de pays rôti accompagné d'une sauce aux mûres maison. Sur le tee-shirt de Kate, on lisait : *Faites-moi confiance, je suis médecin.*

— Moi non plus, je ne tiens pas à ce que ça finisse, me dit-elle.

Puis, après un grand soupir, elle reprit :

— Alex, il faut qu'on parle des raisons qui font que toi et moi sommes persuadés que tout ceci doit s'arrêter.

Toujours aussi directe. J'ai secoué la tête en souriant.

— Oh, ça ne sera jamais totalement fini, Kate. On pensera toujours aux quelques journées qu'on vient de passer ensemble. C'est le genre d'événement magique qui ne se produit qu'une fois ou deux au cours d'une vie.

Elle m'a pris le bras des deux mains. Ses grands yeux marron brillaient d'émotion.

— Pourquoi faut-il alors que ça se termine maintenant ?

Il y avait plusieurs raisons, et sans les connaître toutes, elle et moi en connaissions plusieurs. D'un ton mi-sérieux, mi-taquin, je lui ai répondu :

— Nous nous ressemblons beaucoup trop. Nous avons tous les deux l'esprit analytique à l'extrême. Nous avons tous les deux l'esprit si logique que nous savons parfaitement quelles sont les cinq ou six raisons qui font que ça ne peut pas marcher. Nous sommes tous les deux têtus et volontaires. Tôt ou tard, ça exploserait.

— Si on part sur ces bases-là, évidemment, c'est perdu d'avance.

Mais nous savions l'un comme l'autre que je disais la vérité. Ce qu'on appelle parfois, à juste titre, l'affreuse vérité.

— Oui, ça pourrait exploser, a repris Kate avec un tendre sourire. Et là, on ne serait même plus amis. Je ne peux pas imaginer ne plus t'avoir comme ami. Pour moi, c'est une chose qui compte énormément. Un pareil coup maintenant, ce serait trop dur.

— Et on est tous les deux trop forts physiquement. On finirait par s'entretuer comme deux karatékas en furie.

Je voulais juste détendre un peu l'atmosphère. Elle m'a serré plus fort encore dans ses bras.

— Il n'y a pas de quoi rire, Alex. N'essaie pas de me faire rire, merde. J'aimerais au moins qu'on ait droit à un vrai moment de désespoir. J'en pleurerais. Je t'assure, j'en pleurerais.

— Je sais. C'est d'une infinie tristesse.

On est restés sur la couverture rugueuse, blottis l'un contre l'autre, jusqu'au petit matin. On a dormi à la belle étoile, bercés par le grondement de l'océan. Cette nuit-là, un doux parfum d'éternité semblait avoir envahi les Outer Banks.

Entre deux rêves, dans un demi-sommeil, Kate m'a demandé :

— Alex, tu crois qu'il va revenir nous chercher? Tu crois, dis?

Je n'en étais pas totalement certain, mais tel était sans doute son projet.

121

Nique-tac.

Nique-tac.

Nique-tac.

Kate McTiernan l'obsédait toujours, mais d'une manière désormais plus troublante, plus complexe. Alex Cross et elle avaient conspiré pour réduire à néant son œuvre inégalable, ses précieuses et très personnelles créations, la vie qu'il s'était façonnée. Aujourd'hui, tout ce qu'il avait chéri ou presque avait été détruit ou dispersé. L'heure du retour avait sonné. Il allait leur montrer, une bonne fois pour toutes, ce dont il était capable. Il allait leur dévoiler son vrai visage.

Mais la plus grande douleur de Casanova restait la perte de son « meilleur ami », ce qui prouvait qu'en fait, il était resté sain d'esprit. Il était capable d'aimer, d'éprouver des émotions. Lorsqu'il avait vu Will Rudolph tomber sous les balles d'Alex Cross dans les rues de Chapel Hill, il avait cru rêver. Rudolph valait dix fois mieux qu'Alex Cross, et Rudolph était mort.

Will Rudolph était un génie comme il n'en existait plus. Il avait une double personnalité, façon Dr Jekyll et Mr Hyde, que seul Casanova avait su pleinement apprécier. Dès que le souvenir des années passées ensemble l'effleurait, Casanova ne pouvait plus s'en détacher. Ils avaient tous deux parfaitement compris que leurs jeux raffinés leur offraient des plaisirs d'autant plus intenses qu'on les réprimait sévèrement. Un principe qu'ils avaient constamment gardé à l'esprit en enrichissant leur collection de femmes brillantes, douées et jolies, souvent destinées à mourir. Briser ainsi les tabous les plus puissants de la société, donner corps à leurs fantasmes hautement élaborés leur procurait des sensations irrésistibles, d'une force extraordinaire, sans équivalent. C'était une jouissance qui dépassait l'entendement.

Il en allait de même pour leurs parties de chasse, lorsqu'ils sélectionnaient, épiaient puis escamotaient ces belles jeunes femmes et leurs biens les plus intimes.

Mais aujourd'hui, Rudolph n'était plus et Casanova se rendait compte que le pire n'était pas d'être seul, mais d'appréhender soudain cette solitude. Il avait l'impression d'avoir été coupé en deux. Il fallait qu'il se ressaisisse, et il s'y employait.

Il devait toutefois reconnaître qu'Alex Cross avait bien failli l'avoir. Il s'en était fallu de bien peu, mais l'inspecteur le savait-il ? Contrairement aux autres enquêteurs, Alex Cross était véritablement obsédé par cette affaire, ce qui le rendait particulièrement dangereux. Seule la mort pouvait le contraindre à renoncer.

N'était-ce pas à lui, Casanova, que Cross destinait le délicieux petit piège qu'il avait monté à Nags Head ? Si, bien sûr. Le plan de Cross était simple : puisque Casanova allait de toute façon essayer de les tuer, lui et Kate McTiernan, autant préparer l'événement et en maîtriser les paramètres. Un point de vue qui se défendait.

Lorsqu'il arriva aux Outer Banks, la lune était presque pleine. Casanova distingua deux silhouettes fichées dans les hautes herbes qui ondoyaient sur la dune. C'étaient les agents du FBI chargés de veiller sur Cross et le docteur Kate. Des chiens de garde triés sur le volet.

Il leur adressa des signaux à l'aide de sa lampe-torche pour les prévenir de son arrivée. Oui, il pouvait se fondre dans n'importe quel décor. Cela faisait partie de son génie, mais il avait encore bien d'autres compétences à sa disposition.

Une fois à portée de voix, Casanova lança aux deux agents :

— Salut, ce n'est que moi.

Et il braqua la torche à la verticale de son visage pour leur permettre de bien voir qui il était.

Nique-tac.

122

C'était mon tour de préparer le petit déjeuner et très démocratiquement, j'avais unanimement décidé qu'outre mon omelette au Monterey Jack et aux oignons, de sinistre réputation, nous dévorerions également quelques-unes de ces brioches au sucre pour lesquelles Kate s'était découvert une véritable passion.

Un petit jogging jusqu'à la petite mais chère boulangerie-pâtisserie de Nags Head ne me ferait pas de mal. Parfois, courir m'aide à ordonner ma réflexion.

Je suivais un chemin qui zigzaguait entre les dunes avant de rejoindre la route par laquelle on accédait au village, via les marais. Un petit vent lissait les hautes herbes qui proliféraient autour de moi. C'était une merveilleuse journée de fin d'été.

Au fil de mes petites foulées, j'ai commencé à me détendre. J'ai baissé ma garde. Et c'est ainsi que j'ai failli ne pas le voir.

A deux pas du sentier, un homme blond vêtu d'un blouson bleu marine et d'un pantalon kaki mouillé aux cuisses était allongé dans l'herbe, bras et jambes écartés. A première vue, on lui avait brisé la nuque. Il n'était pas mort depuis longtemps : j'ai voulu lui tâter le pouls, et le corps était encore chaud.

C'était le cadavre d'un agent du FBI, un pro, pas du genre facile à supprimer. On l'avait posté ici pour veiller sur Kate et moi, dans le cadre d'un plan destiné à piéger Casanova. C'était une idée de Kyle Craig, mais nous avions donné notre accord.

J'ai gémi : « Oh, mon Dieu, non », j'ai dégainé mon arme et j'ai foncé vers la maison où m'attendait Kate. Elle courait un terrible danger. Moi aussi, d'ailleurs.

J'ai essayé de me concentrer, de raisonner à la manière de Casanova pour deviner ce qu'il allait faire, ce qu'il était capable de faire. Il ne faisait aucun doute que le premier périmètre de protection établi autour de la maison avait été enfoncé.

Comment faisait-il pour déjouer, chaque fois, toutes nos précautions ? Qui était ce phénomène ? Quel ennemi devais-je affronter ?

Je ne m'attendais pas à trouver un second cadavre et j'ai manqué trébucher sur le corps dissimulé dans l'herbe. L'agent, qui portait lui aussi le coupe-vent bleu marine du FBI, gisait sur le dos. Ses cheveux roux étaient encore parfaitement coiffés. Aucune trace de lutte. Ses yeux marron contemplaient fixement le ballet des mouettes autour d'un soleil jaune beurre. Encore un gardé du corps à rayer des registres du FBI.

Pris de panique, le visage fouetté par le vent, j'ai couru jusqu'à la villa. Rien n'avait changé depuis mon départ. Tout était calme. J'étais pourtant certain que Casanova se trouvait déjà sur place. Il était venu pour nous. L'heure des comptes avait sonné et il fallait que tout se passe bien. Il devait réussir un coup « parfait ». Ou peut-être voulait-il simplement venger Rudolph...

Le Glock au poing, je suis entré à pas prudents par la porte-moustiquaire de devant. Rien dans le séjour. On n'entendait que le réfrigérateur antédiluvien, dans la cuisine, qui bourdonnait aussi fort qu'un essaim d'insectes.

— Kate! j'ai hurlé à pleins poumons. Il est là, Kate! Kate, Kate, il est là! Casanova est là!

Du séjour, je me suis précipité vers la chambre, j'ai ouvert la porte d'un grand coup.

Elle n'était pas là.

Kate n'était pas là où je l'avais laissée quelques minutes plus tôt.

Je suis retourné dans le couloir. Brusquement, la porte d'un placard s'est ouverte, une main a jailli et m'a attrapé.

J'ai fait volte-face sur la droite.

C'était Kate, un masque de détermination et de haine sur le visage. Je ne lisais aucune peur dans son regard. Elle a mis le doigt sur ses lèvres.

— Chut, chut. Je vais bien, Alex.

— Moi aussi. Enfin, pour l'instant.

On s'est dirigés pas à pas vers la cuisine, où se trouvait le téléphone. Il fallait que je fasse venir sans attendre la police de Cape Hatteras. Eux se chargeraient de prévenir Kyle et le FBI.

La pénombre qui régnait dans l'étroit couloir m'a joué un sale tour. Quand j'ai aperçu l'éclair métallique, il était déjà trop tard. J'ai senti une fulgurante douleur me transpercer le corps. Une longue fléchette venait de s'enfoncer dans mon côté gauche.

Un coup qui visait la région du cœur, et parfaitement ajusté. Je venais d'être victime d'un Tensor, un pistolet paralysant dernier cri.

Tétanisé par un puissant courant électrique, j'ai senti mon cœur flancher. Une odeur de chair brûlée — la mienne — est venue me chatouiller les narines.

Je ne sais comment j'ai fait, mais je me suis jeté sur lui. Le problème avec les pistolets paralysants, même les coûteux Tensor à quatre-vingt mille volts, c'est qu'ils ne permettent pas toujours de neutraliser un individu de forte corpulence. Surtout si l'individu en question est aussi furieux que résolu.

Il ne me restait plus suffisamment de force pour affronter Casanova. Le tueur, d'une force et d'une agilité stupéfiantes, m'assena une violente manchette sur la nuque. Et un second coup me mit à genoux.

Cette fois-ci, il ne portait pas de masque.

J'ai levé les yeux. La barbe de trois jours qui lui mangeait le visage lui donnait un petit côté Harrison Ford au début du *Fugitif*. Ses cheveux châtains plaqués en arrière avaient poussé un peu n'importe comment. Il commençait à se négliger. Etait-ce parce qu'il portait le deuil de son meilleur ami ?

Pas de masque. Il voulait que je sache qui il était. J'avais détruit son jeu.

Je me trouvais enfin face à Casanova.

En suspectant Davey Sikes, je n'étais pas tombé loin. J'avais la certitude qu'il y avait un lien entre l'homme que nous recherchions et la police de Durham, que cet homme avait été mêlé à l'enquête sur le double meurtre de 1981. Mais il avait pris soin d'effacer toutes les traces. Grâce aux alibis qu'il s'était forgés, il ne pouvait pas être le tueur.

Il avait tout calculé avec une extraordinaire intelligence. C'était un génie, ce qui lui avait longtemps permis de franchir tous les obstacles.

Je contemplais le visage impassible de l'inspecteur Nick Ruskin.

Casanova n'était autre que Ruskin. La Bête n'était autre que Ruskin. Ruskin ! Ruskin !

— Je peux faire tout ce que je veux ! N'oublie jamais ça, Cross !

Il s'était attelé à son œuvre avec un tel sens de la perfection... Il s'était fondu dans le décor, avait endossé la défroque idéale, celle d'un inspecteur de police. La vedette locale, le héros de quartier. Un homme au-dessus de tout soupçon.

Sans défense, j'ai regardé Ruskin s'avancer vers Kate.

— Tu m'as manqué, Katie. Et moi, est-ce que je t'ai manqué ?

Le rire était débonnaire, mais ses yeux rougeoyaient de folie. Il avait fini par craquer. Etait-ce parce que son « frère jumeau » était mort ? Que comptait-il faire à présent ?

— Alors, est-ce que je t'ai manqué ? répéta-t-il en avançant vers elle, le redoutable Tensor au poing.

Au lieu de répondre, Kate passa à l'attaque. Elle en rêvait depuis si longtemps.

Un coup dévastateur, superbement porté, lui enfonça l'épaule droite. L'arme vola à terre. « Frappe-le encore une fois et sauve-toi », avais-je envie de crier à Kate.

Mais j'étais encore incapable d'articuler le moindre mot. C'est tout juste si j'ai réussi à me redresser sur un coude.

Kate voltigeait comme elle le faisait lorsqu'elle s'entraînait sur la plage. Casanova était un homme puissant, à la carrure solide, mais elle puisait dans la colère qui bouillonnait en elle une énergie égale à la sienne.

Rapide comme l'éclair, elle se battait admirablement. Elle était bien meilleure que je ne l'avais imaginé.

Nick Ruskin me tournant le dos, je n'ai pas vu l'attaque suivante. Sa tête bascula brutalement sur le côté et sa longue chevelure vola en tous sens. Il ne tenait plus très bien sur ses jambes. Elle l'avait sérieusement touché.

Kate pivota et frappa une nouvelle fois. Un coup au visage, côté gauche, presque indécelable. J'avais envie d'applaudir. Ruskin refusait pourtant de s'avouer vaincu. Il avait trouvé en Kate un adversaire à sa mesure.

Il se jeta sur elle, elle le toucha encore. Sa pommette gauche sembla éclater. Le combat était inégal.

Du poing, elle lui écrasa le nez. Il s'écroula en gémissant bruyamment. La défaite était consommée. Il ne se relèverait plus. Kate avait gagné.

Mon cœur battait à tout rompre. J'ai vu Ruskin tendre la main vers l'étui qu'il portait à la cheville. Casanova n'était pas homme à laisser une femme ou qui que ce fût l'emporter aussi facilement.

L'arme apparut dans sa main comme par magie. C'était un Smith et Wesson semi-automatique. Il avait décidé de modifier les règles du combat.

— Non ! hurla Kate.

— Hé, connard, j'ai fait dans un souffle rauque.

J'avais moi aussi décidé de modifier les règles.

Casanova s'est retourné, m'a vu et a ramené son bras vers moi. Moi, je tenais mon Glock des deux mains. Mes bras tremblaient, mais j'avais réussi à m'asseoir. J'ai vidé presque tout mon chargeur. *Enfonce-lui un pieu en plein cœur.* C'est exactement ce que j'ai fait.

Les impacts plaquèrent Casanova contre le mur. Son

corps s'agita de soubresauts. Ses jambes ne lui obéissaient plus. Déjà, l'engourdissement gagnait chacun de ses membres. Sur son visage, on lisait une expression de stupeur. Il venait de comprendre qu'il n'était qu'un homme, après tout.

Ses yeux basculèrent dans leurs orbites, vers le haut; on n'en distinguait plus que le blanc. Une ou deux ruades encore, puis ce fut fini. Casanova était mort, presque sur le coup.

Je me suis relevé, les jambes en coton, le corps recouvert d'un voile de transpiration. Désagréable sensation. D'un pas chancelant, j'ai rejoint Kate et nous nous sommes attardés dans les bras l'un de l'autre, frissonnant à la fois de peur et de joie triomphale. Nous avions gagné. Nous avions défait Casanova.

— J'avais pour lui une telle haine, m'a chuchoté Kate. Avant, je ne savais même pas ce que signifiait réellement ce mot.

J'ai appelé la police de Cape Hatteras, puis le FBI, et Nana et les enfants à Washington. C'était enfin terminé.

123

Installé sur la terrasse de ma bonne vieille maison de Washington, je buvais tranquillement une bière bien fraîche en compagnie de Sampson.

L'automne était là, et on sentait déjà dans l'air les petites morsures annonciatrices de l'hiver. Nos Redskins bien-aimés et bien conspués piétinaient dans les profondeurs du classement, et en base-ball, les Orioles avaient déjà perdu la Coupe. « Ainsi va le monde », comme disait Kurt Vonnegut dans l'un de ses livres, à l'époque où, étudiant à Johns Hopkins, j'étais encore à même de voir la vie avec un détachement qui n'avait d'égal que ma fraîcheur d'esprit.

D'où j'étais, je voyais les gosses sur le canapé du salon, les yeux rivés sur *La Belle et la Bête* qu'ils se repassaient pour la énième fois. Cela ne me gênait pas, car c'était un film d'animation qui tenait la route; on pouvait le voir et le revoir. Demain, j'aurais de nouveau droit à *Aladin*, mon film préféré.

— Tiens, me racontait Sampson, aujourd'hui, j'ai lu qu'à Washington — enfin, dans tout l'Etat — on compte trois fois plus de policiers que dans le reste du pays. En moyenne, s'entend.

— Ouais, mais notre taux de criminalité est vingt fois supérieur à la moyenne. Ce n'est pas pour rien qu'on est devenu la capitale du pays. Comme le disait si bien l'un de nos ex-maires : « Si on ne tient pas compte des meurtres, Washington a l'un des taux de délinquance les plus bas de tous les Etats-Unis. »

Sampson s'est mis à rire et je l'ai imité. La vie reprenait peu à peu son cours normal.

— Tu vas bien? m'a-t-il demandé au bout d'un moment, une question qu'il n'avait pas posée depuis que j'étais remonté du Sud, des Outer Banks, de ce que j'avais appelé mes « vacances à la mer ».

— Impec. Je suis un sale flic méchant et macho, comme toi.

— Arrête tes conneries. T'es qu'un gros frimeur, Alex. Un frimeur de mes deux.

— Parfaitement, mais l'un n'empêche pas l'autre.

Je ne lui cachais jamais rien de mes défauts.

— Je t'ai posé une question tout ce qu'il y a de plus sérieux, bonhomme. Elle te manque?

Avec son regard impassible, derrière ses lunettes de soleil, il me faisait un peu penser à Hurricane Carter du temps où il boxait.

— Bien sûr qu'elle me manque. Et pas qu'un peu. Mais je te l'ai dit, tout va bien. C'est la première fois que j'ai une amie comme ça. Toi, ça t'est déjà arrivé?

— Non. Non, pas comme ça. Tu te rends compte que

vous êtes quand même tous les deux très spéciaux, dans votre genre?

Il hochait la tête, visiblement déconcerté. Je l'étais autant que lui.

— Elle veut ouvrir un cabinet dans sa ville natale. Une promesse faite à sa famille. C'est ce qu'elle a décidé pour l'instant. Et moi, il faut que je reste ici. Il faut que je fasse de toi un adulte. Voilà ce que j'ai décidé. Voilà ce que nous avons décidé à Nags Head. C'est ce qu'il y a de mieux à faire.

— Mmmm.

— C'est aussi bien comme ça, John. La décision a été prise à deux.

Sampson sirotait sa bière d'un air pensif, comme nous le faisons souvent, nous autres les hommes, les vrais. Il se balançait dans son fauteuil à bascule en m'épiant par-dessus le goulot de sa bouteille. « Garder l'œil sur moi », c'était sa grande spécialité.

Ce soir-là, plus tard, quand je me suis retrouvé seul, j'ai joué *Judgment Day* puis *God Bless the Child* au piano. Je pensais encore à Kate, à la douleur qu'on éprouve lorsqu'on perd quelqu'un. La plupart d'entre nous apprennent à surmonter l'épreuve. On finit toujours par faire des progrès.

Quand nous étions à Nags Head, Kate m'avait raconté une histoire terrible. C'était une conteuse hors pair, une nouvelle Carson McCullers.

Quand elle avait vingt ans, elle   appris que son père était serveur dans un bar infâme près de la frontière du Kentucky. Un soir, elle y est allée. Elle m'a dit qu'elle n'avait pas vu son père depuis seize ans. Elle a pris un verre dans ce bar pourri et enfumé et pendant une demi-heure, elle a regardé son père. Puis, dégoûtée, elle est repartie sans même se présenter, sans même lui dire qui elle était. Elle est partie, comme ça.

Elle ne manquait pas de cran, et savait toujours puiser en elle les ressources nécessaires. Il lui en avait fallu pour survivre à tous les drames qui avaient frappé sa famille et sans doute était-ce ce courage qui expliquait qu'elle eût été la seule à pouvoir s'échapper des griffes de Casanova.

Je me souvenais de ce qu'elle m'avait dit — *Rien qu'une nuit, Alex, une seule.* Une nuit qu'aucun de nous deux ne pourrait jamais oublier. Moi, en tout cas, je la gardais inscrite dans ma mémoire, et j'espérais qu'il en était de même pour Kate.

Derrière la baie vitrée, il faisait nuit. J'avais l'étrange et obsédante sensation d'être observé. J'ai solutionné le problème en bon docteur-inspecteur que j'étais : j'ai détourné la tête de la vitre sale.

Et pourtant, je sais bien qu'ils sont là, dehors.

Ils savent où j'habite.

Finalement, je suis allé me coucher et je ne m'étais pas plus tôt endormi que des coups résonnaient dans la maison. Un martèlement violent et insistant. Il y avait du grabuge dans l'air.

J'attrape mon revolver de service, je dévale l'escalier quatre à quatre. Le vacarme continue. Je jette un coup d'œil sur ma montre. Trois heures et demie. L'heure du crime. Rien de bon en perspective.

Je tombe sur Sampson. C'était lui qui tambourinait sur la porte de derrière.

— Il y a eu un meurtre, me dit-il le temps que je déverrouille la serrure, que j'ôte la chaîne et que je lui ouvre. Ce coup-ci, c'est un gosse.

Imprimé en France sur Presse Offset par

BRODARD & TAUPIN

GROUPE CPI

12200 – La Flèche (Sarthe), le 30-03-2002
Dépôt légal : mai 1997

POCKET – 12, avenue d'Italie - 75627 Paris cedex 13
Tél. : 01.44.16.05.00